The Open University

Education and Language Studies:
level 3

A buen puerto

Travesía

Antología de textos hispánicos

L314 COURSE TEAM

Course team

Inma Álvarez (course chair)
Tita Beaven (book co-ordinator/course chair)
Liz Benali (course manager)
Vivien Bjorck (course co-ordinator)
Anna de Broize (administrative assistant)
Dorothy Calderwood (editor)
Cecilia Garrido (course team member)
María Iturri (course team member)
Raquel Mardomingo (course team member)
Enilce Northcote-Rojas (secretary)
Ane Ortega (course team member)
Cristina Ros i Solé (course team member)
Nila Shah (secretary)
Sean Scrivener (lead editor)
Mike Truman (course team member)
Olwyn Williams (secretary)

Production team

Ann Carter (print buying controller)
Jonathan Davies (design group co-ordinator)
Rachel Fryer (project controller)
Janis Gilbert (graphic artist)
Siân Lewis (designer)

Tara Marshall (print buying co-ordinator)
Jo Parker (liaison librarian)
Deana Plummer (picture researcher)

Consultants

Trevor Bultitude
Ángeles Carreres
Gloria Gutiérrez Almarza
Marta Latorre i Tafanell
Catherine McBeth
Frank McQuade
Elvira Sancho
Óscar Serra Salvia
Javier Sosa-Henríquez
Mark Tanner
Maribel Villarino

External assessor

Mike González, University of Glasgow

Special thanks

The course team would like to thank everyone who contributed to this book.

Special thanks go to Ruth McCracken, Malihé Sanatian and Angey Yallop.

This publication forms part of the Open University course L314 *A buen puerto*. Details of this and other Open University courses can be obtained from the Course Reservations Centre, PO Box 724, The Open University, Milton Keynes MK7 6ZS, United Kingdom: tel. +44 (0)1908 653231, e-mail ces-gen@open.ac.uk

Alternatively, you may visit the Open University website at http://www.open.ac.uk where you can learn more about the wide range of courses and packs offered at all levels by the Open University.

To purchase this publication or other components of Open University courses, contact Open University Worldwide Ltd, The Berrill Building, Walton Hall, Milton Keynes MK7 6AA, United Kingdom: tel. +44 (0)1908 858785; fax +44 (0)1908 858787; e-mail ouwenq@open.ac.uk; website http://www.ouw.co.uk

The Open University, Walton Hall, Milton Keynes MK7 6AA

First published 2001

Edited, designed and typeset by The Open University.

Printed in the United Kingdom by the Alden Group, Oxford.

ISBN 0 7492 7434 4

L314 Texts

Índice

Introducción

Travesía es una antología de textos españoles y latinoamericanos que forma parte del curso L314 de la Open University *A buen puerto*. Está concebida para estudiantes de nivel intermedio y avanzado de español como lengua extranjera. Al tratar de temas de interés general, puede ser utilizada como complemento para cualquier curso de lengua española o de cultura hispánica. Los profesores o las profesoras que quieran utilizar *Travesía* como recurso didáctico encontrarán que los textos se pueden utilizar tanto en el aula como fuera de ella.

La antología está dividida en siete temas que reflejan el contenido de *A buen puerto*. Estos temas ofrecen un amplio panorama de la cultura y la sociedad hispana.

Los siete temas son:

1   *Culturas.*

2   *Arte.*

3   *Sociedad.*

4   *Lenguas.*

5   *Ciencia y tecnología.*

6   *Comercio y trabajo.*

7   *Medio ambiente.*

Cada tema empieza con un ensayo introductorio, cuyo objetivo es presentar al lector o a la lectora una visión global de las cuestiones que este plantea. El ensayo va seguido de una selección de textos; estos son todos auténticos, e intentan reflejar la variedad de géneros que cualquier lector o lectora encuentra en su vida diaria: se incluyen poesías, ensayos, extractos de novelas, artículos periodísticos y entrevistas, textos divulgativos y académicos, y páginas de Internet. Los textos llevan una breve introducción, y van acompañados de un glosario para facilitar la comprensión. También han sido incluidas preguntas que pretenden hacer reflexionar al lector o a la lectora sobre algunas de las cuestiones planteadas en los textos. Estas preguntas pueden servir como punto de partida tanto para la elaboración de trabajos escritos como para la organización de debates en el aula.

¡Esperamos que encuentre en *Travesía* un buen compañero con el que pasar ratos muy placenteros!

tema *1*

Culturas

España y América, tierras de encuentros

¿Cuáles son las raíces de la cultura hispana actual? ¿Qué elementos han contribuido a lo largo de los siglos a configurar la gran riqueza sociocultural y artística que nos ofrece el mundo hispanohablante hoy en día? La respuesta a estas preguntas es el primer paso hacia la comprensión de lo que constituye la compleja identidad de los países hispanos y de los conflictos que suscita.

Sin duda, un acontecimiento decisivo en la creación de la identidad hispana es el descubrimiento de América. El contacto entre España y el Nuevo Mundo en 1492 supuso uno de los intercambios de mayor trascendencia en la historia de la humanidad y, especialmente, para los pueblos implicados. El impacto de este inesperado encuentro desencadenó un proceso de transculturación a través del cual se alteró de manera radical la estructura social, cultural y espiritual de la población americana, y se enriqueció tanto material como culturalmente la sociedad peninsular. España queda así convertida en madre patria responsable de un gran imperio y la América española en su hija mestiza.

Aquella madre dominó con mano de hierro a través de la espada de sus conquistadores. El nacimiento de la hispanidad se dio tristemente sobre la muerte de las antiguas civilizaciones americanas. Sin embargo, si bien es cierto que el colonizador español eclipsó casi por completo el brillo de aquellas civilizaciones, ellas aún perviven en las enigmáticas pirámides aztecas y mayas, en los andenes de las incultivables laderas de la cordillera andina, en el modo de vida de sus gentes y en los legados que dejaron no solo en la cultura hispana sino también en el resto del mundo. Las civilizaciones americanas le han añadido color al mundo y le han dado otros sabores a la vida. Aunque Colón no encontró en sus viajes el camino a las especias, sí halló el sabor seductor del cacao, la textura de la humilde papa, el aroma sutil de la vainilla, el color dorado del exótico maíz. El encuentro europeo con América transformó para siempre la perspectiva geográfica y sustancial del globo terráqueo.

La conquista del vasto territorio americano no fue el primer acontecimiento que conllevó un intercambio cultural importante para España, sino más bien representó el último de enorme trascendencia. Cuando el español se topa con el americano, su carácter ya está marcado por una experiencia multicultural. España – o mejor, Hispania – no tanto en el papel de madre, sino en el de anfitriona, había acogido muchos siglos atrás a tribus celtas, íberas y vascas que fueron sucesivamente visitadas por grupos fenicios, griegos, cartagineses, romanos y godos. Cada uno de estos pueblos dejaría su propia huella. Así pues, en estos ancestrales cruces de culturas se halla la clave de algunos de los rasgos que caracterizan al español actual y, en gran medida, al hispanoamericano.

Después de esta primera etapa de continuas invasiones, ocurre en la Península Ibérica una de las ocupaciones más fructíferas y duraderas protagonizada por los árabes. Durante casi ocho siglos, la antigua Hispania ofrece un delicado mosaico humano compuesto por pueblos procedentes de tres continentes: Europa, África y Asia. A partir del 711 la población peninsular, tanto cristiana como judía, se vio obligada a compartir su territorio con una comunidad musulmana poderosa y de gran variedad étnica. No es sorprendente que la convivencia durante este periodo no fuera fácil y que se dieran múltiples enfrentamientos. No obstante, acontecen a la vez importantes fusiones culturales. En particular, encontramos que la exquisita civilización árabe ejerció una notable influencia sobre el núcleo cristiano, especialmente en los ámbitos artístico, científico y lingüístico, influencia que continuó viva incluso cuando el dominio político musulmán ya había cesado. En el arte, por ejemplo, se da la adaptación y asimilación de la ornamentación y la arquitectura islámicas, lo cual da paso a un singular estilo autóctono conocido como arte mudéjar, en el que el románico cristiano se abre dócilmente al influjo del arte musulmán.

A la época de Al Ándalus, nombre árabe utilizado para referirse a la España de entonces, se le atribuye además una intensa influencia sobre las manifestaciones populares y el surgimiento de otras. Encontramos que nuevas concepciones gastronómicas, sofisticadas técnicas artesanales y exóticos ritmos musicales son parte del legado árabe que pasó a integrarse totalmente en la identidad nacional y que todavía sigue caracterizando al mundo hispanohablante de hoy. Hasta la arraigadísima fiesta de los toros lleva huellas del influjo de la civilización árabe. La marca más profunda de estas influencias quedó en el sur de España, en la región de Andalucía. Allí es donde la tradición árabe confluye con la cultura gitana y el folclor local, dando origen a una expresión vital única: el flamenco.

El flamenco debe ser reconocido específicamente como la manera del pueblo andaluz de sentir la vida, de evocar sus raíces, de afirmar su identidad. A través de la música, el cante y el baile flamencos queda de manifiesto la naturaleza heterogénea de este arte y, por consiguiente, del pueblo que lo vive. No sería absurdo atribuir el poderoso magnetismo del flamenco precisamente a esa naturaleza multicultural. Uno de los escritores españoles que más culto ha rendido al flamenco fue el granadino Federico García Lorca. En 1921, Lorca le comentaba a un amigo: "Estoy aprendiendo a tocar la guitarra; me parece que lo flamenco es una de las creaciones más gigantescas del pueblo español". Lorca empapó su obra poética y teatral de imágenes gitanas, de pasiones flamencas, de lenguaje popular. Dos obras dedicadas a estos temas profundamente andaluces son su *Romancero gitano* y *Poema del cante jondo*.

A partir del histórico encuentro entre Europa y América, el continuo flujo migratorio en ambas direcciones facilita el paso de las tradiciones populares, las cuales sufrirán inevitables intercambios. Las tradiciones españolas – entre ellas el flamenco – cruzan el Atlántico, viven la experiencia americana y regresan a su tierra renovadas, con un nuevo sabor. Del mismo modo, los propios bailes y ritmos de América Latina se impregnan de elementos españoles. De esta simbiosis cultural surge en el siglo XIX, por ejemplo, lo que se llamará 'el tango gitano' o 'la habanera'. En danzas y música como estas queda íntimamente unida la ya mencionada múltiple dimensión cultural española con la latinoamericana.

Para conocer la procedencia y relevancia de cada uno de estos ingredientes del rico panorama cultural hispanoamericano debemos remontarnos de nuevo a la América precolombina. Tres civilizaciones marcan significativamente las primeras raíces de la cultura de la América española: los mayas y los aztecas en la zona central del continente americano, y los incas en el sur, a lo largo de la costa occidental. Sabemos por los múltiples testimonios encontrados y posteriores crónicas españolas de muchas de las tradiciones y conocimientos de estas primeras civilizaciones, y de cómo evolucionaron posteriormente bajo la influencia de otras culturas. Muy interesantes son, por ejemplo, los detallados relatos de Fray Bernardino de Sahagún en su *Historia general de las cosas de Nueva España* sobre las fiestas y rituales indígenas, los cuales demuestran que a mediados del siglo XVI la asimilación de elementos españoles ya había comenzado: "Los gentiles hombres que iban bailando iban delante y no llevaban aquel compás de los areitos, sino el compás de las danzas de Castilla la Vieja, que van unos trabados de otros y culebreando".

Las tradiciones de las comunidades indígenas americanas se van fundiendo poco a poco con las españolas, y también con las de los otros colonos europeos, con las africanas de los esclavos y con las asiáticas de los mercaderes orientales. De estos intercambios nace una bella variedad de músicas y danzas, entre las que destacan el zapateado boliviano, el bolero cubano, el danzón venezolano, la contradanza peruana, el bambuco colombiano, el corrido mexicano y el famoso tango argentino. Un sinnúmero de manifestaciones, todas con hondas raíces ancladas en los dos lados del Atlántico.

De todos estos contactos también surge algo mucho menos palpable que es una sensibilidad única hacia la cultura latinoamericana. El problema es que se trata de una sensibilidad no unificada, escindida. Es una manera de ser y de percibir que lucha por definirse fundamentalmente entre dos fuertes tradiciones culturales, la europea y la americana. Un conflicto de identidad originado por su carácter mestizo y que surge desde el momento en que el nuevo orden impuesto por los conquistadores trata de borrar aspectos esenciales de las culturas autóctonas. Efectivamente el español cristiano no mimó esta vez las edificaciones existentes como lo hiciera con algunas de las abandonadas por los árabes después de la Reconquista, sino que las destrozó para edificar sobre sus ruinas. No obstante, la grandeza de los imperios americanos no pudo ser totalmente aniquilada y lo que en realidad ocurre, como se ha visto, es un progresivo mestizaje tanto étnico como cultural que continúa evolucionando hoy en día.

Al plantearse la natural pregunta sobre su identidad en distintos momentos de la historia, hispanoamericanos y españoles han ido acercándose o separándose en su percepción los unos de los otros. Los países han oscilado entre la necesidad de conservar un vínculo y la urgencia de romper con él. Un momento clave, en el que ambos impulsos se suceden, lo representa el final del siglo XIX cuando Hispanoamérica, insatisfecha con el desarrollo de su relación con la España imperialista, se independiza. En 1898 España lloraba la pérdida de su última colonia, la isla de Cuba. El sentimiento trágico de esta derrota política, de esta dramática separación filial, queda claramente expresado por un grupo de intelectuales españoles – entre ellos Unamuno, Valle-Inclán, Baroja, Azorín, Machado y Ganivet – que han pasado a la historia bajo el nombre de Generación del 98. Esta fecha marca un momento de crisis de identidad para ambas partes.

Los integrantes de dicha generación exponen la gran desilusión que vive el pueblo español, el vacío, el sentimiento de fracaso, la sensación de aislamiento al encontrarse apartada físicamente de América, y política y culturalmente de Europa. Ellos son los que elaboran y promocionan el moderno concepto de hispanidad a través del cual ambicionan restablecer el vínculo cultural con América Latina. En palabras de Unamuno: "Nada mejor que estrechar cada día más los lazos espirituales entre las naciones todas de lengua española". Esta es la modesta invitación de la España derrotada al reencuentro, a reunirse espiritualmente y formar parte de la misma comunidad, de una extensísima comunidad que comparte cultura, religión, costumbres y, por supuesto, lengua. Pero en esta ocasión el acercamiento que se propone es uno de igualdad, de hermandad, donde no caben imposiciones.

El hispanoamericano por su parte, una vez escapado del sometimiento español, experimenta la tensión provocada por la dicotomía de su ancestro. Sabe que es mestizo y siente que no es realmente ni americano ni europeo. Sus nuevas tradiciones le recuerdan constantemente sus raíces, le remiten irremediablemente a su pasado y le recuerdan lo que ha contribuido a edificar su identidad. En sus festejos el cóndor se enfrenta con el toro, en sus liturgias el dios católico comparte culto con deidades paganas, en su música la quena acompaña a la guitarra. Los lugares autóctonos como Oaxaca, Tegucigalpa, Bacatá y Cuzco conviven con aquellos cuyos nombres evocan ciudades y regiones de la Vieja España.

El mundo hispano actual se asemeja a una amplia colcha de retazos unidos por la fuerza de la lengua y la cultura. Cada trozo, aunque de textura y color diferente, se ha añadido en un momento muy concreto de la historia. Las características de cada uno de estos retales hablan de su procedencia y justifican su razón de ser en un espacio determinado. Cada pieza individual proporciona un matiz especial e insustituible y contribuye al todo que constituye la colcha multicolor que refleja la verdadera identidad hispana en los albores del tercer milenio.

1.1

Aunque numerosos autores a ambos lados del Atlántico han tratado el tema de la identidad, este se convirtió en una verdadera obsesión entre los intelectuales mexicanos después de la Revolución mexicana de 1910. En este extracto de uno de sus ensayos, el escritor mexicano Carlos Fuentes (1928–) expone la compleja relación sentimental que existe entre España y América Latina.

La virgen y el toro

A través de España, las Américas recibieron en toda su fuerza a la tradición mediterránea. Porque si España es no solo cristiana, sino árabe y judía, también es griega, cartaginesa, romana, y tanto gótica como gitana. Quizás tengamos una tradición indígena más poderosa en México, Guatemala, Ecuador, Perú y Bolivia, o una presencia europea más fuerte en Argentina o en Chile. La tradición negra es más fuerte en el Caribe, en Venezuela y en Colombia, que en México o Paraguay. Pero España nos abraza a todos; es, en cierta manera, nuestro *lugar común*. España, la madre patria, es una proposición doblemente genitiva, madre y padre fundidos en uno solo, dándonos su calor a veces opresivo, sofocantemente familiar, meciendo la cuna en la cual descansan, como regalos de bautizo, las herencias del mundo mediterráneo, la lengua española, la religión católica, la tradición política autoritaria – pero también las posibilidades de identificar una tradición democrática que pueda ser genuinamente nuestra, y no un simple derivado de los modelos franceses o angloamericanos.

La España que llegó al Nuevo Mundo en los barcos de los descubridores y conquistadores nos dio, por lo menos, la mitad de nuestro ser. No es sorprendente, así, que nuestro debate con España haya sido, y continúe siendo, tan intenso. Pues se trata de un debate con nosotros mismos. Y si de nuestras discusiones con los demás hacemos política, advirtió W. B. Yeats, de nuestros debates con nosotros mismos hacemos poesía. Una poesía no siempre bien rimada o edificante, sino más bien, a veces, un lirismo duramente dramático, crítico, aun negativo, oscuro como un grabado de Goya, o tan compasivamente cruel como una imagen de Buñuel. Las posiciones en favor o en contra de España, su cultura y su tradición, han coloreado las discusiones de nuestra vida política e intelectual. Vista por algunos como una virgen inmaculada, por otros como una sucia ramera, nos ha tomado tiempo darnos cuenta de que nuestra relación con España es tan conflictiva como nuestra relación con nosotros mismos. Y tan conflictiva como la relación de España con ella misma: irresuelta, a veces enmascarada, a veces resueltamente intolerante, maniquea, dividida entre el bien y el mal absolutos. Un mundo de sol y sombra, como en la plaza de toros. A menudo, España se ha visto a sí misma de la misma manera que nosotros la hemos visto. La medida de nuestro odio es idéntica a la medida de nuestro amor. ¿Pero no son éstas sino maneras de nombrar la pasión?

Varios traumas marcan la relación entre España y la América española. El primero, desde luego, fue la conquista del Nuevo Mundo, origen de un conocimiento terrible, el que nace de estar presentes en el momento mismo de nuestra creación, observadores de nuestra propia violación, pero también testigos de las crueldades y ternuras contradictorias que formaron parte de nuestra concepción. Los hispanoamericanos no podemos ser entendidos sin esta conciencia intensa del momento en que fuimos concebidos, hijos de una madre anónima, nosotros mismos desprovistos de nombre, pero totalmente conscientes del nombre de nuestros padres. Un dolor magnífico funda la relación de Iberia con el Nuevo Mundo: un parto que ocurre con el conocimiento de todo aquello que hubo de morir para que nosotros naciésemos: el esplendor de las antiguas culturas indígenas.

(Fuente: Fuentes, C. (1992) *El espejo enterrado*, México, Fondo de Cultura Económica, pp. 15–17)

- Según Carlos Fuentes, ¿por qué es conflictiva la relación entre España y la América española? ¿Es esta la relación inevitable entre los países colonizados y los colonizadores?

- ¿Qué metáfora utiliza Fuentes para describir la conquista del Nuevo Mundo?

- ¿Cómo se describe la identidad de los países de América Latina antes, durante y después de la conquista española?

1.2

Los tres textos que siguen abordan en tonos distintos el tema de la identidad latinoamericana. Mientras el filósofo mexicano Leopoldo Zea hace una descripción histórica de cómo evoluciona el sentimiento de identidad, el poema de Pedro Casaldáliga y el testimonio de Domitila Barrios de Chungara representan dos descripciones personales de este sentimiento.

La identidad latinoamericana

A lo largo de la historia de la América Latina se han planteado dos grandes problemas estrechamente relacionados entre sí: el de la identidad y, a partir de ella, el de su integración en relación distinta a la que le han venido imponiendo los coloniajes desde 1492. Esta doble preocupación antecedió a los movimientos de emancipación política de la región al inicio del siglo XIX. Preocupación que adquirió mayor fuerza al lograrse la emancipación. ¿Qué somos? Y a partir de la respuesta, ¿qué tenemos de común los hombres y pueblos que forman la región? Simón Bolívar, desde Jamaica, al iniciar su acción liberadora se plantea el problema: ¿Qué somos? ¿Indios? ¿Españoles? ¿Americanos? ¿Europeos? Posteriormente, alcanzada la independencia, otra generación, la de los civilizadores, empeñados en ordenar el mundo que ha alcanzado la emancipación, consideran que es insuficiente si no es seguida de la 'emancipación mental'. El argentino Domingo F. Sarmiento vuelve a preguntar: ¿qué somos? De la respuesta a este interrogante dependerá el orden e integración de la región en la libertad y no bajo el signo de dependencia alguna.

Los retos de la historia agudizarán más aún esta doble preocupación. Anulado el coloniaje impuesto por la Europa ibera surgen nuevas formas de imperialismo y de coloniaje que mantienen la doble preocupación. La Europa occidental, al otro lado de los Pirineos en Europa, y los Estados Unidos, al otro lado del río Bravo en América, van imponiendo formas de integración ajenas a la voluntad de los pueblos de la América Latina. Las preguntas sobre la identidad son ahora en relación con el extraordinario mundo que el mundo occidental, Europa y Estados Unidos, había originado y las razones por las cuales los pueblos de la América Latina se saben marginados. ¿Cómo ser como Europa? ¿Cómo ser como Estados Unidos? Para poder serlo, se concluye, habrá que anular una identidad que el viejo coloniaje impuso a la región. Ni indios, ni españoles, ni mestizos: para ello lavados de sangre y de cerebro. Habrá que anular etnias y culturas consideradas impuestas por el coloniaje para poder ser otro de lo que se es. Fue ésta la respuesta de positivistas y civilizadores.

Al finalizar el siglo XIX, la brutal presencia en América de un nuevo y poderoso imperialismo replanteó el problema. En 1898 éste expulsó a España de sus últimas colonias en América. El nuevo imperialismo inicia la ocupación del vacío de poder de los antiguos coloniajes. Se replantea la doble preocupación sobre la identidad y la integración de los pueblos que forman la región. El fracaso liberal y civilizador plantea la necesidad de asumir la historia y la identidad que a lo largo de ella se ha formado. Y a partir de esa asunción afirmar lo que de valioso tiene esa múltiple identidad, india, española, africana, americana, europea y mestiza. En vez de ver en tal diversidad pobreza, hacer patente la extraordinaria riqueza que la misma lleva. Éste es el mensaje de los Martí, Rodó y Vasconcelos continuando el mensaje de los Bolívar, Bello, Bilbao, Torres Caicedo y otros muchos a lo largo del mismo siglo XIX. Un 'no' a la *nordomanía* y la asunción de la múltiple identidad que caracteriza a los hombres de la región. José Vasconcelos resume esta idea en la utopía de la Raza Cósmica. ¿Qué somos? Somos indios, españoles, americanos, africanos, asiáticos y mestizos, y por serlo, una rica y peculiar expresión del hombre sin más.

La aceptación de la peculiar humanidad de los pueblos que forman la América Latina se fortalecerá aún más a lo largo del siglo XX. Revoluciones como la Mexicana y otras expresiones de un nacionalismo defensivo, patentes en diversas regiones de Latinoamérica, impulsan aún más la preocupación por afirmar la peculiar identidad de los pueblos de la región y, a partir de esta afirmación, un nuevo intento de integración que no descanse en los intereses de los centros de poder mundial.

(Fuente: Zea, L. (1993) *Fuentes de la cultura latinoamericana*, México, Fondo de Cultura Económica, pp. 7–8)

Glosario

En el texto se mencionan a Simón Bolívar (Venezuela, 1783–1830), Domingo F. Sarmiento (Argentina, 1811–88), José Martí (Cuba, 1853–95), José Enrique Rodó (Uruguay, 1872–1919) y José Vasconcelos (México, 1882–1959), que son algunos de los grandes filósofos, pensadores y políticos de la América Latina de los siglos XIX y XX.

1.3

Al indio anónimo

Eras tierra, pasión, memoria, mito,
culto en la danza y fiesta en el sustento.
pero ellos te imputaron♦ el delito
de ser otro y ser libre como el viento.
Te hicieron colectivo anonimato
sin rostro, sin historia, sin futuro,
vitrina de museo, folclor barato,
rebelde muerto o salvaje puro.
Y, sin embargo, sigues siendo, hermano,
ojos-acecho al sol del altiplano♦,
huesos-muralla en los tercos andes,
raíces-pies en la floresta♦ airada,
sobreviviente sangre congregada,
por todo el cuerpo de la Patria Grande.

(Pedro Casaldáliga)

(Fuente: Heinz Dieterich, S. (edición) (1989)
Nuestra América contra el V centenario,
Bilbao, Txalaparta, p. 227)

Glosario♦

te imputaron   te atribuyeron

altiplano   llanura de gran extensión, muy elevada sobre el mar (aquí, en Bolivia)

floresta   terreno frondoso, poblado de vegetación

Testimonio

La historia que voy a relatar, no quiero en ningún momento que la interpreten solamente como un problema personal. Porque pienso que mi vida está relacionada con mi pueblo. Lo que me pasó a mí, le puede haber pasado a cientos de personas en mi país. Esto quiero esclarecer, porque reconozco que ha habido seres que han hecho mucho más que yo por el pueblo, pero que han muerto o no han tenido la oportunidad de ser conocidos.

Por eso digo que no quiero hacer nomás una historia personal. Quiero hablar de mi pueblo. Quiero dejar testimonio de toda la experiencia que hemos adquirido a través de tantos años de lucha en Bolivia, y aportar un granito de arena con la esperanza de que nuestra experiencia sirva de alguna manera para la generación nueva, para la gente nueva.

[...]

Finalmente quiero esclarecer que este relato de mi experiencia personal y de la experiencia de mi pueblo, que está peleando por su liberación – y a la cual me debo yo – quiero que llegue a la gente más pobre, a la gente que no puede tener dinero, pero que sí necesita de alguna orientación, de algún ejemplo que les pueda servir en su vida futura. Para ellos acepto que se escriba lo que voy a relatar. No importa con qué clase de papel pero sí quiero que sirva para la clase trabajadora y no solamente para gentes intelectuales o para personas que nomás negocian con estas cosas.

Empezaré por decir que Bolivia está situada en el cono sur, en el corazón de Sudamérica. Tiene unos cinco millones de habitantes nomás. Somos poquitos los bolivianos. Al igual que casi todos los pueblos de Sudamérica, hablamos el castellano. Pero nuestros antepasados tenían sus diferentes idiomas. Los dos principales eran el quechua y el aymara. Estos dos idiomas son bastante hablados en Bolivia también hoy día por una gran parte de los campesinos y muchos mineros. En la ciudad también se conserva algo de los mismos, especialmente en Cochabamba y Potosí, donde se habla bastante el quechua, y en La Paz, donde se habla bastante el aymara. Además, muchas tradiciones de estas culturas se mantienen, como por ejemplo su arte de tejer, sus danzas y su música, que hoy día, incluso, llaman mucho la atención en el extranjero, ¿no?

Yo me siento orgullosa de llevar sangre india en mi corazón. Y también me siento orgullosa de ser esposa de un trabajador minero. ¡Cómo no quisiera yo que toda la gente del pueblo se sienta orgullosa de lo que es y de lo que tiene, de su cultura, su lengua, su música, su forma de ser y no acepte de andar extranjerizándose tanto y solamente tratando de imitar a gente que, finalmente, poco de bueno ha dado a nuestra sociedad!

[...]

La mayoría de los habitantes de Bolivia son campesinos. Más o menos el 70% de nuestra población vive en el campo. Y viven en una pobreza espantosa, más que nosotros los mineros, a pesar de que los mineros vivimos como gitanos en nuestra propia tierra, porque no tenemos casa, solamente una vivienda prestada por la empresa durante el tiempo en que el trabajador es activo. Ahora, si es verdad que Bolivia es un país tan rico en materias primas, ¿por qué es un país de tanta gente pobre? ¿Y por qué su nivel de vida es tan bajo en comparación con otros países, incluso de América Latina?

[...]

Bolivia es un país bien favorecido por la naturaleza y nosotros podríamos ser un país rico en el mundo; sin embargo, a pesar de que somos tan poquitos habitantes, esta riqueza no nos pertenece. Alguien dijo que "Bolivia es inmensamente rica, pero sus habitantes son apenas unos mendigos". Y en realidad así es, porque Bolivia se halla sometida a las empresas transnacionales que controlan la economía de mi país.

(Fuente: Viezzer, M. (edición de 1988) *"Si me permiten hablar…": testimonio de Domitila, una mujer de las minas de Bolivia*, Madrid, Siglo Veintiuno Editores, pp. 13–18)

- ¿Por qué es difícil definir 'quiénes son' los latinoamericanos? ¿De qué forma se plantea la cuestión de la identidad en cada uno de los textos que ha leído?

- ¿Qué problemas encuentran los autores al hablar de 'identidad'? ¿Qué consecuencias tienen estos problemas y qué tipo de soluciones se dan?

- Encuentre en los textos 1.3 y 1.4 elementos que ponen de manifiesto el orgullo de Pedro Casaldáliga y Domitila Barrios de Chungara respecto a sus orígenes.

La cuestión de la identidad es un tema candente para todas aquellas personas nacidas en un país distinto al de sus padres. Este artículo periodístico revela algunos de los conflictos de identidad experimentados por los hijos de latinoamericanos que nacen y crecen en Inglaterra.

HIJOS DE DOS CONTINENTES

Eva Urzaiz

"Ellos han nacido allí y nosotros aquí. Somos diferentes. Yo quería que mis padres fueran más ingleses y ellos que yo fuera más latina". Así recuerda Susana Díaz, una joven de 23 años, un conflicto de identidad que viven muchos hijos de latinoamericanos nacidos y educados en Inglaterra.

[…]

Mario Marín, conocido trabajador comunitario, tiene dos hijos, de 19 y 10 años, y mantiene que en numerosos casos los jóvenes pueden experimentar un conflicto de identidad y afirma que,

"mientras crece convencido de ser poseedor de una cultura e idioma superior al de los padres, en la adolescencia el joven se da cuenta de que no es tan británico como creía sino que es un extranjero y comienza a moverse en ese vacío de si 'soy o no soy', o 'qué es lo que soy'. Tampoco ayuda el que los padres no sean conscientes de que este tipo de conflicto cultural se puede presentar posteriormente en los hijos".

[…]

La mexicana Marcela Montoya está casada con un inglés y tiene dos hijos de 10 y 7 años. Nos explica que en un matrimonio mixto "los niños van a ser más ingleses debido al propio ambiente: el padre, los abuelos, la escuela, los amigos, el área donde viven…" Sin embargo, para ella es muy importante que los niños mantengan algún aspecto de la cultura o el carácter mexicano como "el idioma, algunas costumbres, la habilidad para comunicarse, disfrutar de la vida y poder manifestar las emociones". Marcela resalta la importancia del marido o esposa en la aceptación y respeto de la cultura minoritaria, en su caso la mexicana.

Lorena Gavilanes, ecuatoriana, tiene tres hijos de dos, cuatro y siete años, y le preocupa que la educación que reciben los niños en la escuela se reduce a historia, literatura y temas ingleses sin ofrecerles la posibilidad de aprender sobre Latinoamérica. "Sería bueno que cada distrito tuviera un lugar donde los sábados se dieran clases de historia y cultura latinoamericana", afirma.

[…]

Mario Marín explica que el problema se debe a que las escuelas británicas no reconocen el carácter multiétnico de esta sociedad. "Lo ideal sería que el apoyo y servicios que ofrecen las comunidades para mantener sus culturas fueran apoyados por el Estado y la educación oficial. Esto permitiría la integración armónica del niño que vive en una sociedad que no es estrictamente anglosajona sino multiétnica".

Susana [Díaz] lamenta el no haber tenido más contacto con niños y gente latinoamericana durante su crecimiento: "Creo que sería bueno que hubiera más actividades en las que niños y padres pudiesen reunirse e intercambiar impresiones. A veces, la gente tiende a aislarse y eso en Londres es muy peligroso".

(Fuente: *Noticias Latin America,* enero de 1999, p. 25)

- ¿En qué consiste el conflicto de identidad que experimenta la generación de latinoamericanos nacidos en Inglaterra?

- ¿Qué medidas consideran necesarias los padres latinoamericanos para la conservación de su cultura en el país extranjero? ¿Qué otras medidas se le ocurren a usted?

1.6

El año 1898 es una fecha clave en la historia de las relaciones entre España y Latinoamérica: con la independencia de Cuba y Filipinas, España perdía sus últimas colonias, lo que simbolizaba el fin de un imperio. Los dos textos que aparecen a continuación ofrecen una visión de este momento histórico.

En el artículo académico que sigue, José Jesús de Bustos Tovar describe la polémica que se creó en España con la celebración del centenario del 1898, y analiza el efecto que aquellos acontecimientos históricos tuvieron sobre la llamada Generación del 98.

La Generación del 98: cuestiones históricas

Es éste un año de centenarios en España. De entre todos ellos el interés cultural (también la actualidad periodística) ha privilegiado dos: el de la llamada Generación del 98 y el del nacimiento de Federico García Lorca. Este comentario de textos pretende ser un modesto homenaje a los escritores que habitualmente se agrupan bajo la discutida denominación de Generación del 98.

Ya en el umbral del nuevo 98 se planteó la polémica. Unos, porque no deseaban ninguna celebración de la 'tabarra'◆ (sic) noventayochista; otros, porque resucitaban la vieja cuestión de que no existió realmente una generación de escritores que pudieran agruparse bajo este rótulo. En el fondo del asunto quizás haya habido, además, cierto temor a ver resucitado el 'casticismo'◆ que se atribuye a algunos de esos escritores y, desde luego, al 'castellanismo' que se ha tomado como denominador común de todos ellos. Y, sin embargo, el Noventa y Ocho es un término de referencia inevitable en la historia literaria de España. Indicaré muy sucintamente mi posición.

[...]

El Noventa y Ocho es, en primer término, la fecha de un desastre histórico. Su manifestación externa patente fue la pérdida de las últimas colonias, justo en el momento en que algunas potencias europeas tenían sólidamente asentado su imperio [...], mientras otros pretendían iniciarlo, al mismo tiempo que emergía la nueva potencia mundial que era Estados Unidos de América. No fue la pérdida de las colonias el motivo principal de la nueva actitud crítica. Ésta obedeció más bien al sentimiento colectivo de que el pueblo español había sido defraudado por sus clases dirigentes. Los sectores más humildes de la población habían dejado enterrados a muchos de sus hijos en aquella guerra imposible, engañados por una floreciente sociedad burguesa, la de la Restauración, creadora de un falso optimismo en virtud del cual se prometía defender las islas "hasta el último hombre, hasta la última peseta". El fervor patriótico desencadenado fue puramente propagandístico. [...] La ceguera del nacionalismo patriotero de aquellos momentos provocó una profunda decepción en la sociedad española. Sin desdeñar la importancia de los perjuicios económicos al perder el comercio con Cuba – que afectó de modo especial a Cataluña – un sentimiento de humillación impregnó la conciencia española en los años subsiguientes al desastre. Los escritores que se dieron a conocer durante estos primeros años del siglo XX no podían ser insensibles a este sentimiento. Se dé por válido o no el término 'Generación del 98', lo cierto es que el desastre histórico dejó una profunda huella en la conciencia española y, naturalmente, produjo una fuerte conmoción en las minorías intelectuales que, además, habían heredado el pensamiento regeneracionista surgido en la centuria anterior. No es exacto, en cambio, atribuir a la crisis finisecular♦ una determinada ideología política y, mucho menos, una estética específica común a aquel grupo de escritores. Respecto de lo primero, lo que ocurrió es que se intensificó una actitud crítica, que había de seguir caminos diferentes en cada uno de estos escritores, ante la realidad española, que tenía antecedentes mucho más antiguos. [...] Por eso creo que no puede establecerse una fractura entre el espíritu crítico de que dieron muestra los hombres del 98 y el que se había gestado en el siglo anterior.

[...]

El desastre del 98 era una referencia, no un punto de partida y, mucho menos, una razón ideológica. La crisis histórica vino a patentizar con mayor nitidez algo que venía gestándose desde antes: la conciencia de la contraposición irreductible entre una España degradada (la 'España que ora y bosteza') y la España a la que se aspira (la 'España de la rabia y de la idea').

[...]

¿Existió o no la Generación del 98? Una cosa está clara: en un amplio grupo de españoles existió la conciencia de desastre histórico; de esa idea participaron algunos grandes escritores, lo cual condicionó, al menos en parte, su obra literaria. Pero eso no equivale a concebir a tal generación como un grupo ideológico uniforme.

(Fuente: Galeote, M. y Rallo Gruss, A. (edición) (1999) *La Generación del 98*, Madrid, Analecta Malacitana, pp. 153–6)

Glosario♦

tabarra   pesadez, molestia

casticismo   afición a lo puro o típico de un país, región, raza o grupo

finisecular   del final de siglo

El siguiente poema del autor cómico español Javier de Burgos (1842–1902) representa una reacción española contemporánea a la pérdida de Cuba.

¡Independientes!...

Ya Cuba no es española,
ya nuestra honrada bandera
dada a la brisa ligera,
en sus fuertes no tremola.
La luz de una estrella sola
brilla para los cubanos…
y ciegos, torpes y vanos
prefieren con odio fiero,
el yugo del Extranjero
al amor de los hermanos.

Independientes se llaman
y libres se consideran,
e ilusionados esperan
los derechos que proclaman.

El nombre honra lo difaman
del noble pueblo español…
Ya fundirá en su crisol,
sin dejar rastro ni huella
de la solitaria estrella
el americano sol.

De garduñas♦ en poder,
hijos de Cuba, os halláis;
hasta el nombre que lleváis
le llegaréis a perder.

Independientes al ser,
dichosos osáis llamaros,
pero, el tiempo, que ha de daros
desengaños elocuentes,
del nombre de Independientes,
¡qué poco habrán de dejaros!
os han de quitar el *In*,
para que seáis *dependientes*
y el *de*, para que *pendientes*
del amor quedéis al fin.

Víctimas de usura ruin
ni *dientes* os quedarán,
porque hasta el *di* os quitarán;
y ya norteamericanos,
de *independientes* cubanos
en *entes* os dejarán.

De los años a través
y patricios a Cervantes
para ladrar en inglés.
No habrá ya *Cucalambés*♦
que os canten a maravilla,
"Por la deliciosa orilla
que el canto baña en su giro
iba montando un guajiro♦
sobre su yegua rosilla…"

(Javier de Burgos)

(Fuente: García Barrón, C. (edición) (1974) *Cancionero del 98*, Madrid, EDICUSA, pp. 175–7)

Glosario♦

garduña   animal parecido a la comadreja (aquí, despectivo)
Cucalambé   referencia al poeta popular cubano Juan C. Nápoles Fajardo ('el Cucalambé')
guajiro   campesino cubano

- ¿Qué imagen de España nos presenta cada texto?
- Según el artículo, ¿qué papel cumple el patriotismo y qué evidencia se encuentra de este en el poema?
- El artículo de Bustos Tovar habla de Estados Unidos como "la nueva potencia mundial". ¿Qué peligros advierte el poema sobre la influencia de este país? ¿Cree usted que esta predicción se ha cumplido en Cuba?

No se puede hablar del tema de la identidad en España sin hacer referencia al legado andalusí. Los dos textos que siguen describen diversos aspectos de la España musulmana, en la que convivieron durante ocho siglos (711–1492) una variedad de culturas. El primero explica las características de los diferentes pueblos y las mutuas influencias entre ellos, y el segundo describe una típica ciudad española de la época.

Una sociedad de muchas razas

Árabes y bereberes

Los árabes eran la raza privilegiada de la España musulmana: ellos ocupaban las tierras más fértiles de cada valle, poseían las mejores casas de cada ciudad y detentaban los principales puestos del gobierno. Sin embargo, desde el momento mismo en que entraron en el país empezaron a contraer matrimonio con mujeres de la región, de manera que la población se fue haciendo cada vez más mixta. Los gobernantes musulmanes se fueron casando con muchachas españolas que les daban hijos, hasta que al final los emires tenían muy poca sangre árabe en sus venas: la mayor parte de ellos eran rubios o pajizos, en vez de tener el pelo negro como los árabes, y sus ojos eran azules.

Además, lo cierto es que jamás hubo demasiados árabes en España. Los bereberes, por ejemplo, eran mucho más numerosos, pues ellos habían formado el grueso de los ejércitos invasores. Éstos estaban diseminados por las regiones montañosas menos fértiles [...]. Eran musulmanes, pero los árabes ricos los odiaban y despreciaban, considerándolos unos bárbaros incultos, útiles sólo como guerreros. A causa de todo esto, los bereberes se mostraban descontentos y de vez en cuando planeaban conspiraciones y revueltas contra los señores árabes.

Por debajo de estas dos razas se encontraban los españoles convertidos al islamismo. Aunque los árabes no trataban de obligarlos a que se hicieran musulmanes, a muchos les atraía el islamismo, aunque sólo fuera para ahorrarse los impuestos que pagaban los cristianos y los judíos (y que los musulmanes no pagaban). Así, la conversión de España al Islam fue rápida y extensa, y poco después la mayoría de la población estaba compuesta por musulmanes españoles que hablaban árabe.

Cristianos y judíos

Aun así, los que decidían seguir siendo cristianos recibían un buen trato, al igual que en todo el resto del imperio islámico. [...] Mientras que pagaran sus impuestos y no insultaran al profeta Mahoma, los cristianos podían practicar libremente su religión bajo la supervisión de sus obispos, aunque tenían que pagar unos impuestos especiales por la 'protección' que les brindaban los gobernantes musulmanes.

[...]

Por lo general, los musulmanes y los cristianos solían llevarse bastante bien, llevaban más o menos el mismo tipo de vida y vestían de manera parecida. [...] Ni siquiera la guerra consiguió enemistarlos: los cristianos de los países musulmanes eran leales al emir, y muchos luchaban junto a sus gobernantes musulmanes contra los reyes cristianos del norte, mientras que en los tiempos de paz esos mismos reyes cristianos enviaban a sus hijos para que aprendieran buenos modales en la corte de Córdoba. Luego casaban a sus hijas con príncipes musulmanes, y así las novias se convertían en musulmanas también.

Además, tanto la lengua musulmana como su literatura fascinaban a los cristianos españoles, al igual que sus ciencias y su arquitectura. Estaban tan impresionados por los árabes que los imitaban en muchas cosas y, al final, estos cristianos acabaron recibiendo un nombre específico, el de mozárabes (procede de la palabra árabe *musta'rib*, que significa 'arabizante').

(Fuente: Townson, D. (1990) *La España musulmana*, Cambridge, AKAL, pp. 25–6)

Civilización y cultura musulmanas

La ciudad es de gran homogeneidad. Una muralla encierra la medina y en las afueras quedan pequeños barrios, los arrabales, que en caso de guerra eran abandonados. El centro de la vida ciudadana fue la mezquita mayor, que solía unirse al palacio del califa, del rey o del gobernador, y a su alrededor se distribuían los zocos o mercados agrupados por gremios, en un laberinto de calles estrechas. Sus tiendas se reducían a una pequeña habitación. Estos barrios comerciales se llamaban bazares, pero a veces había bazares especiales para cada mercancía, en los que se situaba el comercio de lujo, separado de los otros por puertas y guardas. Bazares judíos eran la *Alcaná* de Toledo y el *Coch* de Valencia, ocupado por joyeros. Los bazares especiales de sederías se llamaban alcaicerías y fueron célebres los de Sevilla y Granada. En el barrio industrial se destacaban amplios edificios destinados a hosterías (*fondaks*), con un amplio patio central a cuyo alrededor se abrían las tiendas y almacenes en el piso bajo, mientras en las galerías altas se instalaban dormitorios para los viajeros y mercaderes. Tuvieron gran importancia las casas de baños públicos y los de particulares.

La vida privada, silenciosa y oculta, se situaba en el resto de la medina. Las calles eran tortuosas y estrechas, para evitar en lo posible las molestias del sol y por la necesidad de aprovechar el terreno. Servían de pulmón a las abigarradas◆ ciudades los palacios con sus huertas y jardines y los zocos o plazas de mercado. Había barrios reservados a las razas, como las juderías, y otros de mozárabes. Córdoba fue sede del Imperio, centro de la ciencia, faro de la religiosidad, asiento de la nobleza y de la primacía. Se dice que pasaban de 500.000 sus habitantes. Abderramán II mandó empedrar sus calles e hizo construir grandes tuberías para la conducción del agua de las fuentes públicas.

(Fuente: Sans Puig, J. M. (1994) *Historia de España*, Barcelona, Editorial Ramón Sopena SA, p. 98)

Glosario◆

abigarradas   llenas de cosas muy distintas

- ¿Qué semejanzas y diferencias pueden encontrarse entre la sociedad musulmana de entonces y la sociedad multiétnica de hoy en día?
- ¿Qué adjetivos utilizaría usted para describir la ciudad musulmana?

1.10

El siguiente estudio histórico relata la importancia que tuvo la agricultura en la España musulmana.

Agricultura

En al-Andalus fue en aumento su desarrollo urbano, desde el principio notable, vinculado al incremento industrial y al desarrollo de la agricultura, cuya importancia en al-Andalus es evidente, y las fuentes textuales lo proclaman, así Ibn Abdun en el XII: *La agricultura es la base de la civilización, y de ella depende la vida entera.* Los reinos de taifas, y su crecimiento económico local, impulsaron la agricultura, desde las incentivadas capitales y ciudades, y el impulso parece continuar en al-Andalus hasta el final, ganándose nuevos terrenos de labor.

Esa citada consideración de la agricultura como *base de la civilización*, que redundó en una *revolución agrícola* arabomusulmana medieval [...] se mide también por la abundancia de obras geopónicas◆ escritas en al-Andalus, especialmente durante el siglo XI, en una tradición que clausura el libro del almeriense◆ Ibn Luyun, en pleno siglo XIV.

En estas obras, y complementadas por otras fuentes, puede hallarse relación de lo que en al-Andalus se cultivaba, muy variado, y con una fuerte tendencia a producir nuevas especies, en cuyo incentivo destaca el poder político, convirtiéndose sus almunias◆ regias en loados *jardines botánicos*, aunque la experimentación agrícola, aconsejada y guiada por los tratados de agricultura, se generalizó en al-Andalus, y estuvo representada sobre todo por el arroz, cítricos y varias hortalizas (como las designadas con arabismos: berenjenas y alcachofas), además de la caña de azúcar, importantísima en el reino nazarí de Granada, pero también variedades como el llamado *trigo tunecino*, cultivado además del autóctono, designado con su romancismo de *trigo ruyun*, de *royo*, rojo.

Olivos y viñas continuaron siendo en al-Andalus cultivo destacado. La exportación de aceite y de pasas se documenta en las fuentes textuales. Los cereales, sobre todo trigo y cebada, no dejaron de estar representados en el conjunto andalusí, aunque hay registros continuos de que era necesario importarlo, y datos esporádicos sobre alguna exportación. La horticultura era gala◆ del regadío andalusí como la arboricultura, con prácticamente los mismos frutales que ahora existen: por ejemplo, un *Tratado agrícola andalusí*, anónimo, y seguramente compuesto a fines del X o comienzos del XI [...] precisa los tiempos de plantar: higuera, vid, olivo, peral, manzano, nogal, almendro, avellano, toronjo◆, moral, durazno, albaricoque, membrillo, cerezo, granado, castaño, pino, alfóncigo◆, azufaifo◆, ciruelo y encina. Importante cultivo de la morera. Plantas textiles, sobre todo cáñamo, algodón y lino. Plantas aromáticas, como el azafrán. Y plantas medicinales.

(Fuente: Mangas, J., Martín, J. L., Martínez Shaw, C., y Tusell, J. (edición) (1995) *Historia de España*, Madrid, Temas de Hoy SA, pp. 104–5)

Glosario◆

obras geopónicas   textos sobre agricultura

almeriense   de la ciudad o provincia de Almería

almunias   huertos, granjas

gala   orgullo

toronjo   pomelo

alfóncigo   pistacho

azufaifo   árbol frutal que da una fruta pequeña parecida a la aceituna, pero dulce y con la carne muy blanda

- ¿Por qué adquirió la agricultura un papel tan importante en la época? ¿Qué actividad económica cree usted que tiene en estos momentos una importancia similar?

- El texto es muy rico en vocabulario de frutas, hortalizas, cereales, árboles frutales y otras plantas. Identifique el vocabulario referente a los cultivos y clasifíquelo en estas categorías.

I.II

El romance es la composición poética más popular y persistente de la literatura española. Los romances, generalmente populares y anónimos, se solían inspirar en hazañas épicas. Este romance morisco del siglo XV refleja una conversación ficticia entre Jusef Aben Almao (Abenámar), infante musulmán nieto del rey de Granada, el rey Juan II de Castilla y la ciudad de Granada. Los tres conversan días antes de la batalla de Higueruela que tuvo lugar el 1 de julio de 1431, en la que los cristianos se enfrentaron a los árabes al pie de Sierra Elvira, cerca de Granada. Aunque los cristianos resultaron victoriosos, no supieron aprovechar su victoria, y Granada continuó siendo árabe hasta el final de la Reconquista. Mientras contemplan Granada en la distancia, Abenámar le cuenta al rey de Castilla las bellezas de la ciudad. Los poetas árabes llaman frecuentemente 'esposo' al señor de una región, y de aquí el romance tomó su imagen de la ciudad vista como una novia a cuya mano aspira el sitiador.

Romance de Abenámar

—Abenámar, Abenámar, —moro de la morería,
¿qué castillos son aquellos? —¡altos son y relucían!
—El Alhambra era, señor, —y la otra es la mezquita;
los otros los alixares♦, —labrados a maravilla.
El moro que los labró —cien doblas♦ ganaba al día.
La otra era Granada, —Granada la noblecida
de los muchos caballeros, —y de la gran ballestería♦.
Allí habla el rey don Juan, —bien oiréis lo que diría:
—Granada, si tú quisieses, —contigo me casaría:
darte he yo en arras y dote♦ —a Córdoba y a Sevilla,
y a Jerez de la Frontera, —que cabe si la tenía.
Granada, si más quisieses, —mucho más yo te daría.
Allí hablara Granada, —al buen rey le respondía:
—Casada só♦, el rey don Juan, —casada soy, que no viuda;
el moro que a mí me tiene —bien defenderme querría.
Allí habla el rey don Juan, —estas palabras decía:
—Échenme acá mis lombardas♦ —doña Sancha y doña Elvira♦,
tiraremos a lo alto, —lo bajo ella se daría.
El combate era tan fuerte —que grande temor ponía:
los moros del baluarte, —con terrible algacería♦
trabajan por defenderse, —mas facello♦ no podían.
El rey moro que esto vido♦ —prestamente se rendía,
y cargó tres cargas de oro; —al buen rey se las envía:
prometió ser su vasallo —con parias♦ que le daría.
Los castellanos quedaron —contentos a maravilla;
cada cual por do♦ ha venido —se volvió para Castilla.

(Fuente: *Romances viejos de España y de América* (1975) Buenos Aires, Editorial Kapelusz, pp. 60–1)

Glosario◆

alixares   alijares, tierras (ortografía medieval)

dobla   moneda medieval castellana

ballestería   conjunto de los soldados armados de ballestas, un arma con la que se lanzan flechas
    pesadas

arras y dote   Las arras son las trece monedas que tradicionalmente el hombre da a la mujer al
    celebrarse el matrimonio; la dote son los bienes que la mujer aporta al matrimonio.

só   soy (ortografía medieval)

lombarda   tipo de cañón antiguo

doña Sancha y doña Elvira   el nombre de las lombardas, ya que era frecuente dar nombres
    propios a las armas

algacería   algazara, ruido

facello   hacerlo (ortografía medieval; hacer = *facere* en latín)

vido   vio (ortografía medieval)

parias   tributos que un rey pagaba a otro

do   donde (ortografía medieval)

- ¿Cómo aparece personificada la ciudad de Granada? ¿Qué papel
  desempeña en el diálogo con el rey?

- ¿Cómo refleja el romance la actitud y las características de los cristianos,
  por un lado, y las de los moros, por otro?

I.12

El polifacético escritor granadino Federico García Lorca (1898–1936) pertenece a la llamada Generación del 27 en España. Dedicado al principio de su carrera literaria a la canción y poesía tradicionales, gradualmente desarrolla una vena dramaturga. El poema que aparece a continuación pertenece a su *Romancero gitano*, publicado en 1928. Como en el romance anterior, también aquí se desarrolla una conversación, esta vez entre un niño y la luna.

ROMANCE DE LA LUNA, LUNA

A Conchita García Lorca.

LA luna vino a la fragua◆
con su polisón◆ de nardos◆.
El niño la mira mira.
El niño la está mirando.
En el aire conmovido
mueve la luna sus brazos
y enseña, lúbrica◆ y pura,
sus senos de duro estaño.
Huye luna, luna, luna.
Si vinieran los gitanos,
harían con tu corazón
collares y anillos blancos.
Niño, déjame que baile.
Cuando vengan los gitanos,
te encontrarán sobre el yunque
con los ojillos cerrados.
Huye, luna, luna, luna,
que ya siento sus caballos.
Niño, déjame, no pises
mi blancor almidonado.

El jinete se acercaba
tocando el tambor del llano.
Dentro de la fragua el niño
tiene los ojos cerrados.

Por el olivar venían,
bronce y sueño, los gitanos.
Las cabezas levantadas
y los ojos entornados.

¡Cómo canta la zumaya◆,
ay, cómo canta en el árbol!
Por el cielo va la luna
con un niño de la mano.

Dentro de la fragua lloran,
dando gritos, los gitanos.
El aire la vela, vela,
el aire la está velando.

(Federico García Lorca)

(Fuente: García Lorca, F. (edición de 1962) *Obras completas*, Madrid, Aguilar, pp. 353–4)

Glosario◆

fragua   taller donde se trabajan los metales

polisón   estructura que antiguamente llevaban las mujeres sujeta a la cintura para dar mucho vuelo a sus vestidos

nardo   flor blanca muy olorosa

lúbrica   que tiende o incita a la lujuria

zumaya   tipo de pájaro zancudo

- ¿Cómo resumiría usted la historia que se narra en el poema?
- ¿Qué efecto cree que produce la repetición de ciertas palabras en el romance?

El baile es una de las expresiones más hermosas de la identidad de un pueblo. Los textos que aparecen a continuación tratan del flamenco ayer y hoy.

En el texto que sigue, la bailaora, coreógrafa y profesora Ángeles Arranz del Barrio presenta algunos de los aspectos más importantes del flamenco.

El baile flamenco

El flamenco

El flamenco es la expresión del pueblo gitano-andaluz, una inspiración popular profundamente arraigada♦ en la cultura hispanoandaluza que se manifiesta a través del cante, del toque y del baile. Se acompaña de percusiones naturales y de exclamaciones vocales.

Al ser el espejo y testimonio de numerosos siglos de vida española, se refleja en el todo de la persona: en su manera de ser, de entender la vida, de vestirse, de actuar, de estar. El flamenco no excluye a nadie. Todos los que sienten, los que viven el flamenco, forman parte de su mundo. El pueblo, a través del cante, del toque y del baile sigue manteniendo la 'esencia flamenca' y conservando sus leyes y códigos hasta nuestros días.

El flamenco, como las primeras danzas, obedece al esquema ritual mágico representado por el círculo, el maestro de ceremonias y los participantes. Así parece que algunos bailes flamencos han llegado hasta nuestros días, al menos en lo que concierne a su elemento colectivo y ceremonial. Aparecen, sin duda, en el flamenco todos los elementos del primitivo ritual: grupo reducido, construcción instintiva del círculo y afirmación simbólica del ser en posición central. Asimismo, está presente en algunos 'palos'♦ una base rítmica vocal materializada por exclamaciones y percusiones naturales con la finalidad evidente de estimular al ejecutante para que llegue a un trance.

El flamenco, como todo en la vida, evoluciona, se adapta a su tiempo incorporando cambios y elementos nuevos que, sin duda, marcan y marcarán la evolución de este arte hacia metas insospechadas.

Fuera de los circuitos comerciales y profesionales, menos afectados por consideraciones de carácter técnico-profesional, el flamenco resiste las influencias exteriores.

Hoy todavía encontramos en los circuitos flamencos esos momentos únicos e irrepetibles donde el fondo y la forma del baile flamenco se manifiestan ensamblados. En estos momentos se percibe que los movimientos del baile flamenco hablan con fidelidad su peculiar lenguaje. Se suceden instintiva y espontáneamente comunicando el sentir del pueblo a través del sentimiento del intérprete.

Vemos que el 'flamenco' aúna♦ diferentes aspectos de la tradición, de la cultura, vivencias, geografía, etc. de un pueblo. Este bagaje está ahí y no se puede separar del acto de bailar. Por ello, no es igual bailar flamenco que bailar una coreografía flamenca.

El panorama actual del baile flamenco es muy variado y confuso y nos

encontramos en ocasiones con que el fondo
y la forma del baile flamenco no se
corresponden. En el trabajo de algunos
artistas, no existe la coherencia interna
necesaria para que el mensaje que el
'flamenco' envía a su público, no llegue
distorsionado.

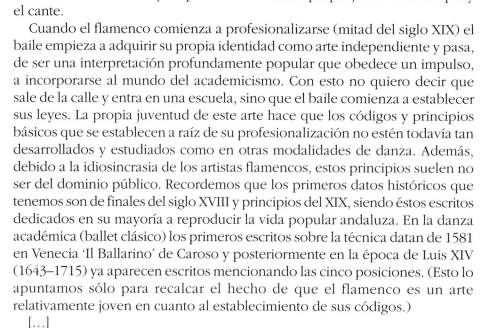

El baile flamenco como arte independiente

El baile flamenco, como expresión artística,
nace instintivamente de la necesidad de expresión del pueblo gitano-andaluz.
Ha ido consolidándose y adquiriendo fisonomía propia junto con el toque y
el cante.

Cuando el flamenco comienza a profesionalizarse (mitad del siglo XIX) el
baile empieza a adquirir su propia identidad como arte independiente y pasa,
de ser una interpretación profundamente popular que obedece un impulso,
a incorporarse al mundo del academicismo. Con esto no quiero decir que
sale de la calle y entra en una escuela, sino que el baile comienza a establecer
sus leyes. La propia juventud de este arte hace que los códigos y principios
básicos que se establecen a raíz de su profesionalización no estén todavía tan
desarrollados y estudiados como en otras modalidades de danza. Además,
debido a la idiosincrasia de los artistas flamencos, estos principios suelen no
ser del dominio público. Recordemos que los primeros datos históricos que
tenemos son de finales del siglo XVIII y principios del XIX, siendo éstos escritos
dedicados en su mayoría a reproducir la vida popular andaluza. En la danza
académica (ballet clásico) los primeros escritos sobre la técnica datan de 1581
en Venecia 'Il Ballarino' de Caroso y posteriormente en la época de Luis XIV
(1643–1715) ya aparecen escritos mencionando las cinco posiciones. (Esto lo
apuntamos sólo para recalcar el hecho de que el flamenco es un arte
relativamente joven en cuanto al establecimiento de sus códigos.)

[...]

El aprendizaje del baile flamenco

La historia del flamenco nos enseña que este arte se ha ido forjando gracias a
las aportaciones de los intérpretes-creadores y que se ha ido transmitiendo
visualmente de padres a hijos, de un aficionado a otro y de bailaor a bailaor.
Se ha ido asimilando a medida que se trabajaba en los locales flamencos al
lado de los artistas tradicionales y se participaba activamente en los ambientes
y fiestas flamencas.

Hoy en día, cada vez hay un mayor desconocimiento de lo genuino,
posiblemente porque cada vez lo genuino está más oculto, más desvirtuado
y apartado del original. Cada generación tiene menos oportunidades de
conseguir unos conocimientos que sólo se transmiten *in situ* y que se
adquieren a medida que se trabaja en los ambientes flamencos y con los
artistas tradicionales.

Diferencias con otras modalidades de danza

¿Pero qué elemento diferencia al baile flamenco de otras modalidades de
danza?

El baile flamenco nace como la expresión natural de un pueblo y se va consolidando como arte independiente en sí mismo por su valía. Todo ello dentro de unos códigos de comunicación, específicos para cada baile, entre el bailaor, el cantaor y el guitarrista. También importa el respeto mutuo entre todos ellos. Los intérpretes tienen libertad para expresarse tanto emocional como técnicamente. Las limitaciones las establecen las capacidades técnicas y expresivas de los intérpretes y la habilidad para improvisar y crear que tengan. A diferencia de otras modalidades de danza, el baile flamenco no consiste en aprender pasos, bailes o coreografías, ni tampoco en la búsqueda de la perfección técnica, ni en el dominio del cuerpo y de la técnica de los movimientos. En el baile flamenco sólo importa bailar flamenco. Con esto quiero decir que hay que aprender a desarrollar la capacidad de expresarse, de improvisar, de escuchar, de respetar al otro, de comunicarse con los otros y de establecer un diálogo entre cante, toque y baile. Es también necesario saber concretar todos los conocimientos en un instante que nunca podremos prever del todo porque hay tres artistas 'haciendo' ese instante: el bailaor, el cantaor y el guitarrista. En ese momento el cantaor se expresa a través de su cante, el guitarrista a través de su toque, el bailaor a través de su baile. Todos ellos actúan libremente y sin interferencias. En ese momento, en el escenario, es donde se establece el diálogo que sirve para que esas expresiones y técnicas se unan para dar forma al baile, para crear ese momento único e irrepetible.

Al bailaor, a diferencia del bailarín, le basta conocer, escuchar la guitarra y escuchar a su corazón para crear su propio mundo plástico. El bailaor no necesita estudiar música ni coreografiar sus bailes ni conocer las técnicas que requiere el arte de la danza, ni siquiera poseer condiciones físicas especiales. El bailaor parece tener una especial intuición por encima del aprendizaje o la disciplina. Es inevitable que, para que se reconozca el baile flamenco en su manifestación más tradicional, el bailaor debe saber expresarse sin limitarse a la técnica. Para ello debe desarrollar las capacidades intrínsecas de este arte (las dirigidas a potenciar la improvisación y la creación). Esto no quiere decir que los pasos que improvisa el bailaor sean cualquier cosa: implican el estudio y dominio de la técnica puesta al servicio del flamenco.

Cuando se cumplen estos requisitos podemos decir que en el baile flamenco cada intérprete-creador es único e irrepetible, lo que hace que el baile flamenco esté lleno de diferentes estéticas, cada una de ellas sorprendente y llena de matices.

(Fuente: Arranz del Barrio, A. (1988) *El baile flamenco*, Madrid, Librerías Deportivas Esteban Sanz SL, pp. 21–8)

Glosario◆

arraigada   ligada, vinculada

palos   tipos de baile, cante y toque del flamenco

aúna   incorpora, une

- Según la autora, ¿qué es el flamenco?
- ¿Por qué es el flamenco distinto de otros tipos de danza?
- ¿Ha visto usted algún baile flamenco? Describa sus impresiones.

1.14

A continuación puede leer una entrevista con el bailarín gitano Joaquín Cortés, realizada durante su visita a Buenos Aires. El éxito internacional de su espectáculo de música y danza refleja la enorme popularidad de la estética gitana y flamenca en la actualidad.

Flamenco en el mercado

Laura Falcoff

Con su espectáculo Pasión gitana, *el joven bailarín español Joaquín Cortés arrasó la taquilla porteña, nada muy distinto de lo que le viene ocurriendo en otros lugares del planeta. La pregunta es cuánto de gitano – en el sentido de flamenco – o mejor aún, cuánto de auténtica pasión trajo también consigo.*

[...]

El encuentro con el Cortés de carne y hueso deparó◆ algunas sorpresas: en una mezcla increíble de ingenuidad y agudeza, de franqueza y escamoteo◆, de modestia y vanidad, el bailarín madrileño apeló tanto a lo que parecía la repetición de un libreto bien aprendido ("Lo mío es un mestizaje cultural", "Yo he hecho renacer la danza en España") como a ciertas definiciones que parecían más personales y sinceras ("Lo que yo hago no es flamenco").

Del conjunto de la entrevista, con todo, no pudo menos que quedar una conclusión bastante evidente: Joaquín Cortés ha apostado con los ojos bien abiertos a una carrera exitosa, a alcanzar ese tipo de éxito que se mide en términos estrictamente cuantitativos.

[...]

¿Cómo empezaste a acercarte a la danza? ¿Primero fue al flamenco?

No, qué va, todo lo contrario. Yo me dediqué a la danza por mi tío Cristóbal. Él ha sido bailaor, coreógrafo, director de compañía. Un día llegó y me dijo: "¿Qué quieres ser de mayor?", y yo le dije: "Quiero hacer lo que tú haces". Entonces empecé a estudiar danza y *me enamoré*. [...] No empecé con flamenco precisamente, empecé haciendo ballet clásico, danza contemporánea, danza española, pero flamenco no. Apareció poco a poco y creo que fue el grito natural que me salió de adentro, puesto que yo soy gitano y los gitanos hacemos flamenco.

Yo soy tres cuartas partes gitano. Pero, vamos, aunque me he criado en las dos sociedades me considero un gitano auténtico. Desde pequeñito me han inculcado la forma de pensar, de sentir, de cómo es un gitano, de sus costumbres. Aunque soy un gitano medio atípico; he crecido en un barrio de Madrid, en el casco antiguo, donde convivían payos◆ y gitanos. Hay varios tipos de gitanos: está el chatarrero – el más marginado –, están los gitanos de clase media y también los millonarios, que viven como reyes. Yo estoy dentro de la clase media – humilde y he tenido la suerte de que de la noche a la mañana pude creer en una historia, triunfar y ser un personaje famoso, al que todo el mundo sigue y algunos copian. Esto para mi raza es algo especial, estoy ayudando a que la gente vea que los gitanos no sólo son la gente marginal, que pueden también ser importantes en algún campo.

[...]

Muchas compañías van por el mundo diciendo que hacen flamenco porque es lo que vende, pero lo que hacen es una danza española con algo de flamenco y que tampoco lo hacen bien. Yo, por ejemplo, no hago un espectáculo flamenco. [...] De todas maneras mi base es flamenca porque soy gitano, es mi raíz; pero lo mío es un mestizaje cultural.

[...]

Mestizaje cultural

¿Cómo entiende Joaquín Cortés el concepto de 'mestizaje cultural'? La idea de 'mestizo', un individuo en el que pueden identificarse los rasgos de quienes le dieron origen pero en el que también es posible reconocer una singularidad definida, resulta muy difícil de asociar al espectáculo que Cortés mostró en Buenos Aires. Su espectáculo *Pasión gitana* es una especie de refrito◆ de elementos de ballet neoclásico con ciertos datos que 'aluden' – es decir, que apenas rozan – al baile flamenco. Y esta referencia a la 'fritura' no es superficial; porque si hay algo que se puede percibir en *Pasión gitana* es que es un producto de cocción rápida. Todo lo que despliega el excelente conjunto musical que acompaña al espectáculo, por un lado, y el solo del bailaor Cristóbal Reyes, por otro – es decir, el resultado de una maceración estilística y conceptual inclusive ajena a ellos mismos – está ausente en los números que giran alrededor de Joaquín Cortés. Y es una pena; porque Cortés mismo es un bailarín sumamente dotado, con todas las dotes para el baile flamenco. Eso que él, al mismo tiempo, afirma y niega hacer.

(Fuente: *Tiempo de danza*, Año 2, nº. 5 (1996) pp. 13–15)

Glosario◆

deparó   trajo

escamoteo   ocultación

payos   para las personas gitanas, los que no son de su comunidad

refrito   cosa hecha con mezclas de elementos de obras anteriores (coloquial, peyorativo)

- ¿Cómo cree Cortés que está ayudando a todo el pueblo gitano con su arte?

- ¿Por qué encuentra la entrevistadora contradictorio el término 'mestizaje cultural' aplicado al espectáculo de Cortés?

Los siguientes versos son coplas anónimas de temas populares que se han venido cantando en todo el mundo hispano desde hace siglos. Note que la ortografía de algunas de las palabras intenta representar la pronunciación, en particular, del habla popular andaluza. Por ejemplo, la ortografía de 'tersera' representa la manera en la que un andaluz diría 'tercera'.

Cantos populares españoles

Copliyas y más copliyas;
Para mí son escusadas;
Me he dejado en casa er libro
Y no las traigo apuntadas.

Cante usté, compañerito;
Cante usté; bamos cantando;
Que si usté no sabe coplas,
Yo se las iré apuntando.

Cuando sales a bailar
Con los brazos extendidos,
Pareces águila real
Cuando sale de su nido.

Cuando sales a bailar
Con ese garbo y salero,
Una campana de plata
Pareces de pie en el suelo.

Las cuerdas de mi guitarra
Yo te diré cuántas son:
Prima, segunda y tersera,
Cuarto, quinto y er bordón.

Para cantar quiere gracia;
Para bailar quiere brío;
Para tocar la guitarra
Quiere tener buen oído.

(Fuente: Rodríguez Marín, F. (edición) (1981) *Cantos populares españoles*, Madrid, Ediciones Atlas, pp. 259–63)

- ¿Qué comparaciones se hacen de la figura del bailaor? ¿Y de la bailaora?

- Según las coplas, ¿qué características se requieren para cantar, bailar y tocar la guitarra? Y usted, ¿qué opina?

1.16

A continuación puede leer un glosario de los bailes surgidos a partir de la gran variedad de ritmos que desarrolló la música cubana.

GLOSARIO BÁSICO DE UN ACERVO◆
CASI INFINITO DE RITMOS Y CADENCIAS

Maurilio de Miguel

Bolero: es un tipo de canción de ritmo binario, tempo lento y letra romántica, muy cultivado en el oriente de la isla pero originario de la España del siglo XVIII.

Cha-cha-chá: baile de origen mexicano nacido de la combinación de la rumba y el mambo. Estuvo muy de moda en los años cincuenta.

Conga: se trata de un ritmo de raíz africana que se baila por grupos puestos en doble fila al compás de un tambor.

Danzón: muy popular en el siglo pasado, es una danza con influencias de la contradanza y otros bailes de salón. Generó la música del mismo nombre a partir de un compás de 2/4.

Guajira: la voz guajiro/a designaba al campesino blanco de la Cuba colonial, y en el siglo XIX pasó a denominar sus coplas populares. La más famosa es la *Guantanamera*, con versos de José Martí.

Guaracha: este baile, semejante al zapateado, está muy extendido en Cuba y Puerto Rico. Sus ejecutantes son llamados guaracheros.

Habanera: canción y danza nacida en España y desarrollada en Cuba, de donde regresó a Europa enriquecida por la música negra.

Mambo: se trata de un baile que mezcla los ritmos de la rumba y el *swing*. Pone el énfasis en el movimiento de las caderas.

Rumba: ritmo de origen africano y línea melódica compleja. Se acompaña con instrumentos de percusión y lo baila una pareja no enlazada.

Salsa: género surgido de la fusión de varios ritmos afrocaribeños, dominado por la percusión y acompañado por instrumentos de viento.

Son: es la base de la mayoría de los estilos cubanos. Mezcla de la copla española y ritmos africanos, tiene origen campesino. El más característico es el son montuno◆.

(Fuente: *Geo*, nº. 144, enero de 1999, p. 93)

Glosario◆

acervo   conjunto de bienes espirituales o materiales pertenecientes a un grupo o lugar

montuno   rústico (Amér.)

- ¿Qué tipo de música latinoamericana conoce usted?
- ¿Por qué cree que la música latinoamericana se ha vuelto tan popular en Europa y Estados Unidos en los últimos años?

Este artículo periodístico describe en qué consiste la fiesta popular de la 'rumba del solar' en Cuba.

Jesús Díaz

La rumba del solar

La palabra solar puede aludir a sol o a suelo; un suelo objeto de afecto. En Cuba, además designa un tipo de edificación popular urbana que es también un modo de vivir. El solar típico suele disponer de un patio central rodeado de decenas de habitaciones en cada una de las cuales se apiña una familia de muchos miembros. El resultado es un falansterio♦. Y también un anfiteatro.

El escenario es el patio: allí están los servicios comunes, la pila de agua y los baños, donde transcurre gran parte de la vida, a la vista de todos. Allí también tiene lugar la fiesta, que alivia las fortísimas tensiones de la convivencia forzada y los rigores del día tras día.

La fiesta, en el solar, ha devenido un sinónimo de aquello que la constituye, la rumba, riquísimo complejo musical y de danzas de los negros y de los blancos pobres cubanos. Unos pocos instrumentos de percusión hechos de cuero y madera, y cuando no los hay, simples cajones; manos encallecidas de trabajadores y lavanderas, voces esenciales de mujeres y hombres capaces de expresar alegría y fe de vivir durante siglos de esclavitud y sufrimiento; cuerpos bailando, fundidos con la música y el canto, en un erotismo

procaz♦ y delicado. Eso es la rumba.

De los tres modos que la constituyen, columbia, yambú y guaguancó, prefiero el último. Rompe con la diana, una llamada de atención en la voz del *apukón* o solista, que raja como un cuchillo la tristeza de la tarde de domingo y se va elevando en música, letra y danza se unen en un todo inextricable.

La pareja baila en medio del patio, rodeada por la gente del solar. El macho persigue a la hembra que se le niega y lo invita, le da un quiebro y lo invita, se le cierra y lo invita y lo enloquece y de pronto se da un giro y se le abre, lo sorprende y se hace la sorprendida hasta que él la penetra y ambos vencen.

Es el 'vacunao', el último golpe de tambor y de caderas. El final de la rumba. El origen mismo de la vida.

(Fuente: *Noticias Latin America*, marzo de 1998, pp.16–17)

Glosario♦

falansterio alojamiento colectivo para mucha gente

procaz desvergonzado, obsceno

● ¿En qué sentido es la rumba del solar 'erótica'?

I.18

En este artículo se presenta el panorama de varias corrientes dentro de la música procedente de los Andes.

http://www.andes.missouri.edu/Personal/DMartínez/Recensiones.MúsicaAndina.html

OBSERVACIONES SOBRE LA MÚSICA CONTEMPORÁNEA ANDINA

Para quienes no están familiarizados con ella, es posible dividir a la música andina en tres grandes categorías, dependiendo del origen y el destino que tenga. Nótese que en muchos casos algunas expresiones musicales pueden pertenecer a más de una categoría. Pero en aras de◆ la simplificación, se puede proponer lo siguiente:

1. Música étnica: Es la que algunos llaman 'auténtica' música andina (si bien es imposible descartar influencia española), y que se escucha principalmente en los lugares donde se genera. Ejemplos de esta música son las danzas tradicionales que por lo general están adscritas a alguna festividad.

Antes del advenimiento de la radio y de los discos, prácticamente toda la música andina pertenecía a esta categoría. Es también importante notar que los instrumentos utilizados no tienen que ser tradicionales o precolombinos: ya hace mucho tiempo que instrumentos europeos fueron adoptados en los Andes, como el arpa, el violín, la guitarra. Sin embargo de la presencia de estos instrumentos, las formas musicales de este grupo tienden a adoptar patrones rígidos pegados a la tradición.

2. Música popular: En esta categoría el huayno◆ es el rey. Por razones históricas que tienen que ver con la afluencia de los clientes y la cercanía a la capital, el huayno original de los 50 estuvo dominado por música de Ancash◆ y del centro. Con relativa rapidez se fue creando un mercado para esta música, apoyado por la profusión de estaciones locales de radio que pasaban la música que encontraban disponible. Esto hizo posible que se crearan estrellas de la música andina. Y también hizo posible algo que es quizá único en el continente americano: la formación de un mercado real y duradero para música con fuerte influencia precolombina.

Otra consecuencia de este fenómeno fue la difusión de algunas formas musicales étnicas a nivel de todos los Andes, y para consumo no de turistas o intelectuales, sino de la población en general.

3. Música 'cosmopolita' o 'internacional' (terribles adjetivos, pero no se me ocurre otra palabra)**:** Esta categoría abarca la música andina tal como se escucha fuera de los lugares de origen, e incluye a todos los llamados 'grupos' musicales que van por el mundo tocando quenas, zampoñas, charangos, guitarras y bombos legüeros (estos cinco instrumentos son la base). Los grupos originales fueron principalmente chilenos (al menos los que dieron el salto inicial de celebridades locales a universales), como Inti Illimani (que sigue haciendo música hermosísima y siempre novedosa), y el boom, primero en América Latina, coincidió con el triunfo de la Unidad Popular en Chile. El golpe de Pinochet ayudó a que esta música sobrepasara las fronteras de América Latina y se difundiera por el mundo. Si bien gran parte del repertorio original correspondía

charango

bombo legüero

zampoñas

quenas

a la mal llamada 'canción protesta' (hoy llamada, igualmente mal, 'nueva canción'), los fundamentos andinos siempre fueron fácilmente perceptibles.

Espero que estas notas ayuden a entender la música andina. Uno no tiene que elegir entre qué forma le gusta más, porque todo depende de las vivencias personales. Lo que es importante destacar es que la radio no ha significado necesariamente una amenaza a la música andina, sino, por el contrario, su afianzamiento en un mercado bastante amplio. La televisión es otro cantar.

(Fuente: http://www.andes.missouri.edu/Personal/DMartínez/Recensiones.MúsicaAndina.html) [esta dirección ya no se encuentra en Internet]

Glosario◆

en aras de   en honor o por interés de algo

huayno   Música y baile de carácter movido, muy popular en Bolivia, Perú y Ecuador. Se baila en forma de gran rueda en la que alternan hombres y mujeres cogidos de la mano.

Ancash   departamento de Perú situado entre el litoral y el curso del Amazonas

- Ayudándose de las ilustraciones, ¿cuál sería el equivalente europeo más cercano de cada uno de estos instrumentos?
- ¿Qué influencia ha tenido la radio en la música andina? En general, ¿de qué maneras influyen los medios de comunicación en nuestros conocimientos musicales?

Los tres artículos siguientes tratan de los orígenes del tango, su evolución, su técnica y sus repercusiones, y de los artistas más importantes, entre los que destaca Carlos Gardel, "la figura más grande del tango".

EL TANGO: A los cien años, más vivo que nunca

Alberto Rojas

Pocas expresiones musicales han desatado tantas pasiones en Latinoamérica como el tango. Esta música – surgida en el siglo pasado en los lupanares◆ del Río de la Plata, no importa de qué lado del río, según Jorge Luis Borges en su *Historia del tango* – está celebrando los cien años de existencia.

Buenos Aires fue en el siglo pasado lugar por excelencia de exilio para los europeos pobres. Allí, en el Río de la Plata, los lupanares se convirtieron en entretenimientos de la gente sin recursos y sitio de encuentro de pintores, poetas, músicos, artistas, donde no faltaban los malandras◆, policías y prostitutas.

El carácter multirracial se puede apreciar en muchos nombres vinculados al tango de origen italiano (Rodolfo Biaggi, Alfredo D'Angelis), francés (Carlos Gardel – Gardes, según pasaporte), polaco (Roberto Goyeneche), por citar unos pocos.

En las primeras décadas de este siglo, el tango empieza a introducirse en todas las capas sociales. Es Carlos Gardel (1887–1935)[1], a pesar de que sólo empieza a cantar tangos en 1917, quien lo dio a conocer en el mundo entero.

Un accidente aéreo en Medellín

(Colombia), truncó una carrera meteórica. Regresaba Gardel de una triunfante gira de varios meses, que lo había alejado de su Buenos Aires querido, donde proyectaba cantar respaldado por la orquesta del llamado Beethoven de la música popular, Francisco Canaro. En ese fatídico 21 de junio de 1935, nace la leyenda más espectacular que conozca la música hispanoamericana.

Hacia los años 20, predominan los sextetos, como el de Julio de Caro, expulsado del hogar en plena adolescencia por dedicarse a esa *música del arrabal*.◆ De Caro, junto a Eduardo Arolas, Roberto Firpo, Agustín Bardi, etc., empieza a buscar en las orquestas y en los arreglos escritos una estructuración cada vez más bella y acabada del tango.

[…]

A pesar de que Astor Piazzolla es considerado como el mayor renovador del tango, a nivel orquestal, con excelentes cantantes como Goyeneche, Susana Rinaldi, Francisco Firentino, Edmundo Rivero, ha cosechado muchas críticas, por haber *descafeinado* el tango, quitándole la fuerza y la pasión originales.

En lo que sí coinciden unos y otros es que la década de los 40 fue la época dorada del tango. Aparecieron y se perfeccionan las grandes orquestas típicas, acompañadas de cantantes muy bien elegidos. […]

En la actualidad, gran actividad tanguística se observa en todo el mundo. En casi todas las capitales existen escuelas de baile del tango. Por ejemplo, en Londres existen cinco […]; en España se edita la revista *Tangoncón*, en Alemania *Tangoinfo* y en Inglaterra *El Once*.

(Fuente: *Noticias Latin America*, julio de 1997)

Glosario◆

lupanares prostíbulos, burdeles

malandras delincuentes

arrabal barrio de las afueras de una población

[1] La fecha de nacimiento de Gardel no se sabe con certeza. Véase también el texto 1.21.

El hombre rodea con su brazo derecho el talle de la mujer. Ella apoya su mano izquierda sobre el hombro de su compañero, y con la derecha toma la mano izquierda de él. Entonces, con los pies entablan un diálogo aparentemente telepático: la propuesta improvisada del hombre y la respuesta espontánea de la mujer se producen simultáneamente. Es un entendimiento misterioso al que contribuyen la casi imperceptible conducción del hombre, la receptividad de la mujer, la inspiración de los dos, las sugerencias de la melodía y el compás de la música.

Existe un repertorio básico de pasos, *adornos*, figuras y combinaciones surgidos en diferentes épocas y correspondientes a distintos estilos de baile de tango. Pero, potencialmente, la variedad es infinita, y depende de la creatividad del bailarín. Pasando por las acrobacias complicadas y toscas del estilo escénico *for export*; el baile *liso*, austero y elegante del *tango de salón*; el tipo de baile rítmico y sencillo que propicia mayor contacto entre los cuerpos; […] y muchas otras variantes.

Introducción al tango como baile

Se supone que el baile de tango sería más antiguo que la música a la que finalmente se ligó indisolublemente: fue una variedad de piruetas o morisquetas◆ ideadas por los compadritos porteños de fines del siglo pasado, inspiradas en los *cortes* y figuras propias del candombe◆ de los negros.

Un baile considerado procaz, por ser materia de antesala en los prostíbulos porteños, y admitir cierto entrevero◆ físico *inconveniente*. Una música desestimada. […] Con estos antecedentes, el tango parecía tener asegurado un destino marginal. Sin embargo, para los primeros años del siglo XX las niñas decentes ya contrabandeaban partituras para tocar en el piano de la sala, y ensayaban los primeros pasos de baile con la complicidad de un hermano o de algún tío. Y el tango comenzaba a salir de la clandestinidad para desparramarse, a lo largo de décadas, por los patios familiares, las esquinas, las academias, los cabarets, los salones aristocráticos de París, el centro, los clubes, los escenarios.

La vida escénica del baile de tango no comenzó mucho más tarde, ni fue menos intensa, que su vida en las pistas populares. A lo largo de la historia, una y otra siguieron rumbos que, alternativamente, se cruzan, se interponen, se distancian o marchan paralelos.

1935 fue un año clave. El país remontaba penosamente la crisis del 30. En junio, la gente se resistió a creer la noticia atroz de que Carlos Gardel había muerto en un accidente de avión. Ese mismo año una nueva orquesta inaugura, con cinco años de anticipación en la elástica cronología del género, lo que se conoce como la *Década del 40*: una etapa de inmensa popularidad del tango, bailes multitudinarios, orquestas típicas en la radio, producción inagotable de piezas, proliferación de los clubes y salones con pista habilitada.

La declinación de la popularidad del baile de tango, después de más de cincuenta años de reinado, suele atribuirse a distintas causas. La opresión ejercida por el gobierno de la llamada *revolución libertadora*, con su instauración de estado de sitio, seguramente pesó en la retracción del público de las milongas◆. Por otro lado, el talentoso Astor Piazzolla ya había inaugurado en 1946 una nueva evolución del tango, ahora destinado a ser escuchado antes que a ser bailado. Para bailar estaban, en todo caso, los primeros discos de Elvis, recién llegados.

En los escenarios, quedaba espacio para un tipo de tango estilizado, del que da cuenta la aparición de conceptos como el de *tango-ballet* (en alusión, por ejemplo, a coreografías de conjunto). Y, durante más de dos décadas, los hombres y las mujeres de una raza aparentemente condenada a la extinción se deslizaban sobre las pistas de salones semidesiertos.

1.20

(Fuente: *Tiempo de danza*, Año 2, n°. 5, (1996), pp. 20–2)

Glosario◆

morisquetas   muecas; aquí, movimientos expresivos

candombe   danza de origen africana de la población negra de América del Sur

entrevero   contacto

milongas   bailes públicos o privados

Carlos Gardel,
la figura más grande del tango

Gardel es, sin duda, la figura del tango más conocida en el mundo, y si ello ocurre a más de sesenta años de su muerte es porque el tirón del artista es muy fuerte y su seducción interpretativa muy convincente. A la persuasión de su obra se unen la disputa acerca de aspectos de su biografía y la devoción que le presta buena parte de la población argentina.

Gardel siempre se refirió a doña Berthe Gardes como a su madre, pero nunca quiso vivir con ella – ni con otra mujer. Del padre, en vida del cantante, no se supo nada, tal como en la letra de los tangos. Igualmente, sus diversas novias o amantes no llegaron nunca al matrimonio, y alternaron con algunas señoras mayorcitas, de las cuales Gardel era una suerte de *gigolo* que también parece extraído de una letra de tango.

A partir de este embrollo un tanto folletinesco se atribuyeron a Gardel padres de diversa clase, desde un aristócrata francés hasta un mero viajante de comercio. Del lado uruguayo, por el contrario, se insistió en que Gardel era hijo natural de un militar, quien lo habría entregado en crianza a una tal Anaís Ducaux y luego a doña Berthe, con una pensión disimulada, para que lo cuidase. El año de nacimiento remonta, entonces, a 1881. Berthe era planchadora y tenía parientes en Toulouse donde vivió alguna temporada.

Ocupaciones diversas, como las de camarero, cochero, vendedor de periódicos y tramoyista de teatro, desembocan en la de cantor aficionado, que le gana el apodo de *El Zorzalito*. Actúa en Montevideo y Buenos Aires, y en 1913 forma un dúo que pasa al cabaré por gestiones de algunos clientes de influencia. El cabaré mejora la situación económica de los cantantes y les asegura vivir de un sueldo y no de la voluntad del público. Ese año de 1913 ya hay discos de Gardel como tenor, cantando aires criollos.

En 1916 Carlitos debuta en el cine como galán, en *Flor de durazno*, sobre una novela popularísima, y en 1917 empieza sus actuaciones como solista en varietés y teatros. A partir del año siguiente, cuando lleva al éxito *Mi noche triste*, se convierte en cantor de tangos. En 1923 hace el primer viaje a Europa y a partir de 1928, con un nuevo viaje a Europa, Gardel residirá, sobre todo, en Nueva York y París, volviendo a Sudamérica de vez en cuando. Con la aparición del cine sonoro hará buenas incursiones en él, desde unos cortos con tangos en Buenos Aires hasta los largometrajes filmados en Francia.

Gardel vuelve a Buenos Aires y Montevideo de vez en cuando, y no siempre sus espectáculos atraen a grandes masas. Su voz, oscurecida por los años, y su repertorio, un tanto anticuado, lo alejan del público. En 1932 se instala en Nueva York, participando en la producción y regalías◆ de sus películas, y firma algunas obras cuya letra y música son de otros. Su dramática muerte, seguida de multitudinarios funerales en Buenos Aires, restituye su dimensión de máximo intérprete del tango cantado.

Gardel es uno de los codificadores del tango moderno. Ha fijado sus normas de interpretación, sus géneros, su melodismo, su fraseo, su ligado de inspiración italiana, su dicción diferente cuando se trata de letras coloquiales y lunfardescas◆ o de poemas eclécticos, derivados de la experiencia modernista.

(Fuente: Matamoro, B. (1996) *El tango*, Madrid, Acento Editorial, pp. 53–7)

Glosario◆

regalías   derechos o privilegios de autor

lunfardescas   del lunfardo, jerga hablada por la gente de los barrios bajos de Buenos Aires

- ● ¿Qué diferencias sociales y musicales existen entre el tango en sus orígenes y el tango en la actualidad?
- ● ¿Qué consecuencias tuvo la muerte de Gardel para la evolución del tango?
- ● ¿En qué sentido es considerado Gardel a la vez un mito y un personaje de folletín?

tema 2

Arte

El arte, reflejo de la sociedad

El estudio del arte hispánico nos acerca al vasto patrimonio cultural que encierran los países de habla hispana. La lengua española es el nexo de unión entre millones de personas de distintos países en ambas orillas del Atlántico. A España, incluyendo las islas Canarias y Baleares, se le unen todos los países iberoamericanos, cuya singularización se debe al mestizaje ocurrido a partir del siglo XVI. Esta diversidad geográfica, y las enormes diferencias entre las regiones, dan lugar a concepciones artísticas muy variadas, desde las pinturas rupestres de Altamira y la arquitectura islámica hasta la aportación al arte moderno y contemporáneo de destacados creadores hispanohablantes. Artistas de diferentes generaciones han ido dejando su huella e influido de forma importante en creadores y movimientos posteriores, entre los que se destacan Velázquez, El Greco, Goya, Picasso, Julio González, Frida Kahlo, Diego Rivera, Gaudí, Miró y Salvador Dalí entre otros. El arte, como reflejo de una sociedad, nos ayuda a comprender más a fondo los valores de las distintas épocas. De ahí lo fascinante del arte, que es historia viva, y que forma parte de la identidad cultural de cada pueblo. Por lo tanto, al analizar a continuación algunos ejemplos de estas manifestaciones artísticas, es preciso hacer hincapié en el contexto social e histórico en el que fueron creadas y, así, poder llegar a comprender mejor cómo son y qué sienten los pueblos hispanohablantes.

Según el pueblo y según la época, el arte ha tenido connotaciones muy diferentes. Según el contexto sociohistórico, el arte puede ser "la más sublime misión del hombre en su intento de comprender el mundo", en palabras del escultor francés Auguste Rodin, o bien "una creación social… donde el arte se emplea como arma", tal como afirmó el pintor mexicano Diego Rivera. El arte puede ser reflejo del prestigio social o la representación de las creencias de una colectividad; puede estar influido por las normas de la época o los caprichos del mecenas, o bien una experiencia completamente libre y personal. Pero sea cual sea la 'definición' del arte, hay sin duda un elemento común a todas las manifestaciones intrínsecas del espíritu humano: la imaginación. Como proclama irónicamente el joven cineasta español Juanma Bajo Ulloa, premiado en numerosos festivales de cine, "que alguien me diga qué hacer con dólares y sin imaginación: nada".

A pesar del desamparo económico en que viven algunos de estos países, el mundo hispánico resulta de una riqueza cultural impresionante, gracias a la influencia y el mestizaje de pueblos europeos, americanos y africanos. El derroche de imaginación es patente en cada visión artística. En España, el arte está vivo en la calle y entre la gente. Las ciudades están llenas de magníficos monumentos, impresionante arquitectura y numerosos museos antiguos y recientes. Por ejemplo, la persona que visita Barcelona se quedará maravillada ante las casas modernistas de Gaudí y su Sagrada Familia; el turista en Madrid, al recorrer el llamado paseo del arte, pasará del mundo antiguo a lo más actual en los museos del Prado, Thyssen-

Bornemisza y Reina Sofía; los amantes del arte viajan a Bilbao desde todo el mundo para admirar el estilo vanguardista del museo Guggenheim. En todo el mundo hispano el arte está también presente en las fiestas populares – en las fallas valencianas construidas a lo largo del año y quemadas la noche de San José, en las expresivas tallas de Cristos y Vírgenes que recorren las calles de Sevilla en Semana Santa, en las figuritas policromadas del Día de los Muertos en México, por citar solo algunos ejemplos.

En la cultura popular la artesanía coexiste con el arte y, a veces, es difícil distinguirlos. La artesanía y las llamadas 'artes menores' también nos dejaron auténticas obras de arte: ebanistería, orfebrería, cerámica, tejidos y trabajos en cuero, mimbre y cristal. Hoy día, la creación artesanal, que estuvo a punto de desaparecer en muchos lugares, se ha visto potenciada por el auge del turismo, aunque esto podría acarrear repercusiones negativas por estar enfocada la producción al mercado de consumo. Si algunos definen la artesanía como la creación de objetos de utilidad, habría que preguntarse, por ejemplo, qué diferencia hay realmente entre una pieza de cerámica firmada por Picasso y la anónima cerámica mallorquina que tanto le influyó en su obra.

Cómo distinguir entre bellas artes y artesanía es solo un aspecto del debate sobre el significado del arte. Una polémica cuestiona si el arte es simple creación de belleza o si debe cumplir propósitos más bien sociales; la aparición del cubismo a principios del siglo XX cuestiona además la relación entre el arte y la belleza. Como hizo Einstein en la física con su teoría de la relatividad y Freud en la psicología con el desarrollo del psicoanálisis, el arte cubista empezó a indagar en la mismísima materia de las cosas, replanteando los presupuestos conceptuales y estéticos de modo radical. El cubismo fue decisivo en el desarrollo de estilos posteriores como el expresionismo, el futurismo o el arte abstracto en la primera mitad del siglo XX.

No es de sorprender que este periodo histórico constituya un hito en el mundo del arte, reflejo de convulsivos acontecimientos en el mundo occidental. Una guerra asolaba Europa, implicando a gran parte de los países industrializados. El arte se puso al servicio de cada bando, desde el futurismo italiano profascista al arte comunista de la entonces Unión Soviética. Además de ser en ocasiones propagandista, el arte desempeñó un papel importante de testimonio y de grito. Un ejemplo destacado de este arte protesta es el gran mural *Guernica*, inspirado en los acontecimientos de la Guerra Civil española y encargado a Picasso para el pabellón español de la Exposición Internacional en París en 1937. Este cuadro plasma la destrucción de Guernica, capital histórica del País Vasco y símbolo de sus fueros, arrasada por la aviación alemana con autorización del General Franco. El *Guernica* eleva el hecho real del bombardeo a la categoría de símbolo para fijarlo en la memoria colectiva. Así, el llanto de una mujer con su hijo muerto en brazos representa el dolor de todos, mientras que todas las víctimas están representadas por el guerrero que yace muerto. A pesar de renunciar al color y plasmar la escena en tonos grisáceos, el cuadro contiene rastros de optimismo con la lámpara, la herradura y la rosa, que simbolizan esperanza, suerte y vida respectivamente.

La guerra y el sufrimiento siempre han incidido en la sensibilidad de los artistas, quienes luego transmiten los acontecimientos y sentimientos de cada época. Otro ejemplo magnífico de esto es la obra de Goya, testimonio pictórico sobre la Guerra de la Independencia contra Napoleón. Los famosos cuadros *El 2 de mayo* y *Fusilamientos del 3 de mayo*, con su gráfica representación de víctimas aterrorizadas y cadáveres ensangrentados, cuentan los acontecimientos del 2 y 3 de mayo de 1808, cuando los madrileños se alzaron contra el invasor y los franceses se vengaron con saña ejecutando a rebeldes e inocentes. Los *Fusilamientos* de Goya preceden al *Guernica* como una de las más perdurables imágenes de lo inhumano. De hecho, Picasso dejó constancia en su obra de su admiración por Goya: si nos fijamos en el personaje con los brazos en alto en la parte derecha del cuadro de Picasso, nos recuerda la víctima central en la obra de Goya. Los dos presentan el mismo gesto contra la tiranía y la barbarie.

Hemos mencionado dos lienzos que dan testimonio de momentos clave de la historia española, pero el arte como reivindicación de paz y cambio social no se encuentra únicamente en los museos. Fuera, en las plazas y en los campos, se celebran victorias, se lamentan derrotas y se educa al pueblo a través de la expresión artística. Un ejemplo destacado del llamado 'arte público' son los murales mexicanos encargados por el gobierno revolucionario de los años 20 para plasmar los ideales revolucionarios y reivindicar la cultura indígena, anticolonial y antiimperialista. Tal como los antiguos frisos griegos describían escenas mitológicas o la simbología religiosa del arte medieval educaba a los iletrados, estos murales representan la gloria de la revolución para fomentar sus valores entre el pueblo. Otra expresión del sentir del pueblo es el canto popular que surge en España y sobre todo en los países latinoamericanos como la 'nueva trova' cubana que celebraba la revolución en ese país. De hecho, toda América Latina canta al son de la guitarra canciones con un mensaje social, como el himno a la reforma agraria del uruguayo Daniel Viglietti, que exhorta a los latifundistas a devolver la tierra a los campesinos que la trabajan:

A desalambrar, a desalambrar,

que la tierra es nuestra,

es tuya y de aquél…

En Chile, sin embargo, cantaban como protesta contra el golpe militar del General Pinochet, que en 1973 acabó con el gobierno legítimo y la vida de innumerables disidentes, incluida la gran figura del canto popular chileno, Víctor Jara, que murió por cantar, torturado por los militares tras el golpe de Estado.

A través del canto, a través de su arte, los países iberoamericanos reafirman su identidad. Durante siglos, desde la conquista española, el Nuevo Mundo sufrió el dominio extranjero, primero de Europa, y más recientemente de Estados Unidos que impone su voluntad con políticas intervencionistas. Hoy día, América Latina se esfuerza por volver a encontrar sus raíces y reafirmar su propia identidad. Pensemos, por ejemplo, en las muy distintas reacciones suscitadas por el quinto centenario del descubrimiento de América, celebrado en el año 1992. España montó la gran Exposición Universal en Sevilla, y en Estados Unidos se organizaron varias fiestas y ceremonias. Pero, ¿cómo celebrar en América Latina el 500 aniversario de la aniquilación de sus pueblos indígenas y la imposición de una lengua, religión y cultura ajenas? Como respuesta surgió la contraexposición *Ante América*, dirigida por el comisario y crítico de arte cubano Gerardo Mosquera, para hacer frente a los clichés habituales sobre Latinoamérica. Como afirma Mosquera, la historia del arte es obra exclusiva de europeos y norteamericanos, que suelen olvidar que la cultura precolombina, es decir, anterior a la llegada de Cristóbal Colón, fue una de las más importantes del mundo antiguo. Los pueblos maya, inca y azteca se desarrollaron paralelamente a las culturas griega, romana y medieval de la Europa occidental, aunque no tuvieron ningún contacto con ellas. Esto explica la fascinante diferencia entre las culturas europea y precolombina, pero también la tremenda falta de comprensión y respeto de los invasores hacia los pueblos que encontraron. Hoy en día tan solo queda una mínima parte de la riqueza artística de estos pueblos – bajorrelieves casi abstractos, orfebrería, tejidos, tocados y complejos arquitectónicos como la fortaleza de Machu Picchu en Perú. Afortunadamente, las culturas indígenas no desaparecieron del todo y ahora son numerosos los artistas contemporáneos que proclaman su importancia e indagan en el pasado para incorporarlo en sus obras. Por ejemplo, Roberto Mamani Mamani, uno de los artistas contemporáneos más famosos de Bolivia, rinde homenaje a sus antepasados indios en obras llenas de luz y color. "Para que no nos coma la oscuridad", dice el pintor en un gesto simbólico de dignidad latinoamericana frente a la influencia externa.

A principios del siglo XXI, el arte y la cultura se enfrentan a nuevos retos. La globalización junto con el auge de Internet y las nuevas comunicaciones entrañan también el riesgo de una nueva 'colonización' diferente a la del siglo XVI: actualmente, el inglés se impone como lengua internacional, lo que influye inevitablemente en el ámbito de la cultura. La globalización va difuminando la variedad cultural del planeta, pero también ofrece nuevas posibilidades de expresión. El nuevo arte seguirá reflejando los desarrollos tecnológicos de nuestra sociedad, de esta pequeña parte de la historia que nos toca vivir. Como casi todo hoy en día, el ordenador da acceso al arte, pero nada puede sustituir el placer de contemplar una obra de cerca, de vivir el arte en su entorno, entre el pueblo que lo ha creado.

2.1

La imaginación desempeña un papel primordial no solo en el arte, sino en la literatura, la vida diaria, y ¡hasta en el fútbol! A continuación aparecen algunas citas y refranes sobre la imaginación.

CITAS – LA IMAGINACIÓN

La facultad de degradar las obras divinas es llamada por los pintores su imaginación.
Santiago Rusiñol (1861–1931), pintor y escritor español.

La hija directa de la imaginación es la metáfora nacida al golpe de la intuición, alumbrada por la lenta angustia del presentimiento.
Federico García Lorca (1898–1936), escritor español.

Imaginación suelta, en un instante anda mil leguas.
Refranero español.

La imaginación hace cuerpo de lo que es visión.
Refranero español.

Cuando la realidad visible parece más bella que la imaginada es porque la miran ojos enamorados.
Luis Cernuda (1902–1963), poeta español.

Que alguien me diga qué hacer con dólares y sin imaginación: nada.
Juanma Bajo Ulloa (1967–), director de cine español.

La política se ausenta en verano y vive de la imaginación y de la novela.
José Esteban (1936–), crítico literario español.

El fútbol necesita tanto de la imaginación como de la corrección.
Ángel Cappa (1949–), entrenador de fútbol argentino.

(Fuente: *Muy Interesante*, n°. 206, julio de 1998, p. 52)

- ¿Cuál de estas citas le gusta a usted más? ¿Por qué?
- ¿Qué es la imaginación para usted? ¿Cómo la definiría?

Los textos que aparecen a continuación tratan del arte, la artesanía y la cultura popular.

En el primer texto las autoras explican las dificultades que plantea toda definición de los conceptos de arte y cultura populares. Además, comentan la diferencia entre arte popular y artesanía.

Arte y cultura popular Antonia María Perelló y Catalina Aguiló Ribas

Toda posible definición en torno al concepto de cultura y arte popular entraña una evidente dificultad derivada de la complejidad que encierran ya en sí mismos ambos conceptos. En un sentido amplio se entiende por cultura popular el conjunto de manifestaciones procedentes del pueblo. Éstas estarían constituidas por las canciones y bailes populares, fábulas, leyendas, cuentos y todos aquellos instrumentos que, de algún modo, configuran el trabajo y la vida cotidiana de una comunidad. Por extensión de este concepto, arte popular sería la creación de determinados objetos útiles, originados por la necesidad social. [...]

Cultura popular frente a cultura oficial

La cultura popular existe por oposición a una cultura no popular, oficial, establecida por las clases dominantes; de este modo aquélla se podría definir como la cultura de los que no están integrados en dichas clases. Entre ambas existe una relación dialéctica, en la que son realidades vivas y cambiantes.

Por lo general la cultura 'oficialista' ha intentado manipular y controlar toda manifestación de tipo popular. De este modo el franquismo entendió la cultura popular no como una creación del pueblo, sino como una creación para el pueblo. Recogía la tradición, la depuraba y la devolvía a las clases populares como producto de consumo. Frente a esta apropiación ideológica de dicha cultura por parte del poder, se da una reacción de signo contrario que la entendería como base de una cultura nacional, como reencuentro de la propia identidad.

Arte popular y artesanía

Si por arte popular entendemos el conjunto de objetos creados con una utilidad real frente a las necesidades de una comunidad social determinada, la artesanía sería la consecuencia de la ampliación de demanda de dichos objetos. Demanda que vendría dada no por unas necesidades reales de uso, sino por un deseo nostálgico de recuperación basado supuestamente en la cercana desaparición de los modos de vida que los originaban. Como hemos señalado anteriormente, el turismo ha jugado un papel muy importante en la aparición del artesano, en contraposición al artista popular. Si anteriormente éste ajustaba su producción a las necesidades funcionales de su comunidad, ante la nueva demanda se ve forzado a aumentar su producción y en ocasiones a crear nuevas formas y modelos, intentando ofrecer una mayor diversidad de objetos al mercado. El artesano se halla, de este modo, fuera de su contexto de origen, por lo que el arte popular pierde la que había sido su esencia: la funcionalidad dentro de su contexto.

(Fuente: *Batik*, nº. 63, (1981) pp. 28–30)

- ¿Qué diferencia hay entre arte popular y artesanía? Escriba una lista de objetos que pertenecen a su cultura y decida cuáles son arte popular y cuáles son artesanía.

- Lea los textos 2.3 y 2.4 y decida a qué concepto de cultura podrían adscribirse estas tradiciones.

2.3

El arte popular mexicano, que mezcla elementos de distintas tradiciones, explora en su temática los temas de la vida y la muerte.

La temática del arte popular

Resultado del mestizaje en nuestro arte popular

Don Salvador Novo[2] describe magistralmente el mestizaje básico de nuestro arte popular:

> El primer encuentro entre las artesanías de dos culturas tuvo lugar en Santa María de la Victoria en Tabasco, en 1519… Cortés ordenó a dos carpinteros de los blancos que hicieran una cruz de madera muy alta e hizo que los indios alzaran 'un buen altar y bien logrado'. Los trabajadores españoles y los indígenas, como en un doble rito, dieron así nacimiento a la nueva artesanía con su doble origen: el español, rico de influencias europeas, y el indígena.

Adquiere así, nuestro arte popular, un atractivo singular de misteriosos y velados orígenes, rodeado de una atmósfera inconfundible que combina de modo admirable el misticismo y la alegre fantasía, impregnados de una dulce ingenuidad.

Este mestizaje múltiple es la característica que señala al arte popular de nuestro país, dando lugar a una de las producciones artesanales más ricas y variadas, no sólo de América, sino del mundo. […]

La transculturación♦ de los diversos pueblos que contribuyen a formar nuestra artesanía le da una gran complejidad en técnicas, formas y estilos. La mezcla de culturas explica la riqueza en variedad y originalidad de este gran arte llamado menor♦.

La temática del arte popular

Debido a la complejidad de sus orígenes, nuestros artesanos se expresan a veces en temas insólitos para otras latitudes y otras sensibilidades.

La muerte

Destaca especialmente el tema de la muerte, familiar para nosotros desde las grandes esculturas del México prehispánico, de las que es máximo exponente la majestuosa y terrorífica Coatlicue, diosa de la Tierra y de la Vida, que ostenta sin embargo la máscara de la muerte, o las bellísimas esculturas talladas magistralmente por el orfebre♦ azteca en el duro cristal de roca, pasando por el agridulce humor de los grandes dibujantes populares como Santiago Hernández, Manuel Manilla o Guadalupe Posada, que comentan los acontecimientos de la vida del pueblo a través de figuras de esqueletos, con una expresión irónica o llena de humorismo sarcástico, donde la 'pelona'♦ es una muerte de rasgos humanos, es el amigo o compadre con el que nos permitimos gastar una broma. […]

Mientras para el hombre del Viejo Continente o para el que heredó de él su cultura, la idea de la muerte es algo pavoroso♦ que lo angustia, para la

[2] Escritor mexicano (1904–74)

generalidad de los mexicanos no es una negación de la vida, sino parte complementaria de ella, y la aceptan en forma tan natural que se la comen en calaveras de azúcar, juegan con ella en títeres de esqueletos que se manipulan con una cuerda por detrás, danzando grotescamente; en pequeñas figurillas denominadas 'padrecitos', que tienen un garbanzo por cabeza y adheridas a una tira de papel van en procesión cargando un ataúd o en sarcófagos que, al tirar de un hilo, dejan salir al esqueleto con una botella en la mano; la representa en barro o cartón con toda clase de figuras esqueléticas que asumen, paradójicamente, actitudes llenas de vida, ciclistas, sacerdotes, charros◆, madres con sus niños en brazos, grupos de

mariachis, hasta una pareja vestida de novios: la muerte tomando parte en el sacramento dedicado a perpetuar la vida. Es una idea que tiene su base más profunda en los estratos indígenas de nuestra nacionalidad. Para el hombre del México prehispánico, cada muerte no es sino algo necesario para la resurrección; perecer es necesario para nacer; la Muerte es la gran engendradora de la vida.

(Fuente: Gutiérrez, E. y Gutiérrez, T. (1970) *El arte popular de México*, México, Artes de México y del Mundo SA, pp.7–9)

Glosario◆

transculturación adopción y adaptación que hace un pueblo o grupo social de una cultura procedente de otro pueblo o grupo

arte menor cada una de las artes decorativas, bajo las que se comprenden objetos de arte creados con fines ornamentales, como muebles, cerámicas y tejidos

orfebre persona que trabaja metales como el oro y la plata para hacer objetos de arte

'pelona' figura que representa la muerte

pavoroso que da miedo o asusta

charro jinete que lleva traje tradicional mexicano (Méx.)

- ¿Cómo afecta el mestizaje a la cultura o al arte?
- ¿Cómo se representa la muerte en el arte y la cultura de su país?
- ¿Cuáles son los temas fundamentales en la cultura de su país?

2.4

Este artículo presenta una perspectiva histórica de la contribución artística de las culturas maya, inca y azteca en México y Perú.

Incas y aztecas

Toda la cultura india de Norteamérica produjo un arte muy variado, incluidas las cerámicas más delicadas del mundo, hechas en épocas prehistóricas en el sudoeste de los Estados Unidos. Pero la cumbre del arte nativo americano se alcanzó en México y en Perú. Cuando los europeos descubrieron América, encontraron dos civilizaciones que contaban con soberbias obras de escultura, orfebrería♦, cerámica, bordados♦ y arquitectura. En estas zonas existían los únicos ejemplos comparables con la arquitectura del Viejo Mundo.

En México cierto número de tribus se sucedió en el dominio del país. Durante el tiempo que corresponde a la Edad Media europea, los mayas ostentaban el poder. Sobresalieron en escultura, aunque sabían esculpir figuras realistas, la mayoría de sus tallas♦ se basaban en seres sobrenaturales, los dioses y diosas del México primitivo, que son espléndidas y alucinantes imágenes de la divinidad. Muchas veces eran bajorrelieves y las figuras no tenían proporciones redondas sino cuadradas. En todas partes se destacó el aspecto cuadrado de las formas. Este estilo ha influenciado a un buen número de escultores europeos modernos.

Parece que la cultura maya tuvo un fin repentino y desastroso. En la época de Carlomagno en Europa, en el siglo VIII, los toltecas♦ se hicieron con el poder. Éstos fueron grandes constructores y se desarrolló un noble estilo arquitectónico. Grandes pirámides a las que se ascendía por medio de peldaños♦. En la cúspide plana de cada una de ellas se levantó un templo pequeño, desde donde se sacrificaban a su dios los esclavos y cautivos. Los dioses toltecas eran deidades de la naturaleza. Había el dios Sol, la diosa de la cosecha del maíz, Tlaloc, el dios de la lluvia, el gran dios Quetzalcóatl (serpiente emplumada) y

El arte perdido de los pueblos olvidados

Santiago García Retuerta

muchos más. Al pie de estas pirámides se distinguen otros edificios religiosos, patios y caminos procesionales. Mucho más tarde, cuando los españoles descubrieron México, encontraron que los aztecas habían desbancado a los toltecas en el gobierno del país.

La civilización azteca floreció entre 1330 y 1520 mientras que la mayor parte de las otras antiguas culturas mexicanas se hallaban en decadencia. Era gente agresiva y guerrera y su arte está impregnado de figuras violentas y terroríficas. No hacían los objetos sólo por la belleza, sino que se valían de una gran artesanía para crear obras en honor a sus dioses. La religión era el principal motivo de su realización artística tal como lo ha sido también en la historia de otras culturas. Los aztecas crearon una escultura y arquitectura poderosas pero poca pintura o dibujo que valiera la pena.

Del mismo modo, cuando los españoles descubrieron el Perú y desbarataron♦ la poderosa organización del Imperio inca, encontraron grandes obras de arte, aunque los periodos más brillantes del arte peruano datan de más antiguo que los de los incas. El periodo conocido como el de la Edad de Oro peruana empezó hacia la época de Jesucristo, cuando los alfareros♦, orfebres, tejedores♦ y bordadores produjeron soberbias obras. Afortunadamente, la parte costera peruana es muy desértica y los exquisitos bordados se preservaron gracias a las condiciones extremadamente secas. Se habrían perdido mucho antes si hubieran

permanecido en el húmedo clima interior, en los Andes.

Las plumas desempeñaron un importante papel en el adorno de las tribus americanas. Es familiar la pluma guerrera de la cabeza de los indios norteamericanos y las tallas mayas nos revelan que también en el antiguo México se llevaban elaborados tocados♦ de plumas en la cabeza. Los primitivos peruanos hicieron lo que se conoce como mosaicos de plumas. Plumas pequeñas y de diferentes colores que se fijaban en un tejido, hilera sobre hilera, para formar ricos patrones y simples cuadros. Esta obra de plumaje es suntuosa por su rica suavidad.

La antigua arquitectura peruana no tenía fines exclusivamente religiosos. Se construyeron fortalezas, torres de defensa y terrazas, así como tumbas y pirámides de templos.

Algunas paredes son piedras cuadradas, otras de forma poligonal, y sus lados tan exactos, que encajan perfectamente. Para construir los edificios empleaban enormes piedras, algunas de varias toneladas; sus mejores ejemplos pueden apreciarse actualmente en Cuzco, Perú. Bloques, de incluso doce ángulos, encajan cómodamente con los próximos sin mortero ni otras argamasas. Los métodos de construcción que utilizaron eran similares a los empleados por otras culturas del antiguo mundo egipcio, griego o chino, pero no existe ningún testimonio firme de que los incas tuvieran contactos con estos países.

(Fuente: *Quipu*, nº. 24, enero de 1999, pp. 6–7)

Glosario♦

orfebrería　arte y oficio de trabajar el oro y la plata para hacer objetos artísticos

bordados　adornos en relieve que se hacen sobre tela con hilo y aguja

tallas　esculturas de madera

toltecas　antiguo pueblo amerindio que vivía en el altiplano central de México

peldaño　parte de la escalera en la que se pone el pie para subir o bajar por ella

desbarataron　desmontaron, destruyeron

alfareros　artesanos que fabrican objetos de barro

tejedores　artesanos que se dedican a hacer telas

tocados　adornos que se llevan en la cabeza

- Escriba unos apuntes sobre las actividades artísticas de los mayas, aztecas e incas que se describen en el artículo.

- ¿Hasta qué punto cree que las representaciones artísticas de un pueblo reflejan la personalidad de sus habitantes? Busque ejemplos en los textos 2.2, 2.3 y 2.4 para razonar su respuesta.

Rafael Alberti (1902–99) está considerado como uno de los grandes poetas de la literatura española contemporánea. En la producción de Alberti alternan la poesía pura, la tradicional, lo barroco, lo vanguardista, el humor, la angustia y la pasión política. Destacan las obras *Marinero en tierra, Sobre los ángeles* y *A la pintura*. Además de escritor, Alberti fue también pintor y tuvo un contacto muy estrecho con pintores como Picasso y Miró. Los dos poemas que aparecen a continuación rinden homenaje a este último.

M	M	M	M	M	M
Miró	mira	marciano	mirto	mirabel	mi
Mar	miro	mira	mágico	maraña	meteorito
Miró	misterio	mimbre	milagro	mito	móvil
Mira	molino	mano	muy	multiespacio	módulo

I	I	I	I	I	I
Ícaro	icono	ileso	imán	impronta	impulso
Iris	ilapso	isla	idioma	irídeo	izaga
Insomne	insecto	impar	insoluble	ígneo	invento
Isótero	izaluna	inmune	idea	ir	íntegro

R	R	R	R	R	R
Rabel	racimo	ráfaga	raíz	rama	rasgueo
Rastrillo	raya	red	reloj	río	rehilete
Refinador	retina	rueda	rondel	rey	rosa
Resol	registro	rumbo	rubí	rayo	ruptura

O	O	O	O	O	O
Objeto	oboe	octava	ojiva	olivo	olé
Oriente	orión	oído	orfeo	orilla	oh
Oxígeno	oropéndola	ónice	oval	oc	ola
Olor	ovidio	otoño	oral	oreo	orí

(Rafael Alberti)

El carnaval de Arlequín, por Joan Miró, Albright-Knox Art Gallery, Buffalo

Miró

OH la O
de MirÓ
Todo en el mundo es O
La línea se dispara
   recta
    curva
     zig-zag
La mano queda
aunque se va
    Punto
Todo en el cielo es punto
   Oh noche puntuada
    Música celestial
Signos
   Persiste el OJO
    Mujer
Te enamoro y escribo
con pájaros y estrellas
priapillos◆ alados
   patas de araña
   duendes
   rasgos de peces y centellas
   TÚ
AEIOU
   YO
AEIOU

Claro de luna
blanco
azul
verde
amarillo
malva
negro
morado
El rocío matinal no está mojado
Flor
Un fantasma cornudo
una sirena
Canta un color que escala otro color
El hilo-de-la-virgen se entrelaza
con la baba-del-diablo
Nada está fijo
Vuela
El sueño se ha escapado del sueño
Niño
Pinta los muros al volver de la escuela
Sin edad el diseño
Ladra un perro a la luna
Sale un sol asombrado
Mira un nuevo planeta escrito
desvelado
Algo va a suceder
Oh la O
de MirÓ
Todo en la noche es O
Montroig
Ver
Un cometa de un ojo acaba de aparecer

(Rafael Alberti)

(Fuente: Alberti, R. (1978) *A la pintura (poema del color y la línea), 1945–1976*, Barcelona, Editorial Seix Barral SA, pp. 146–8)

Glosario♦

priapillos Pequeños príapos. Príapo era el dios romano representante de la virilidad y el amor físico.

- Mire el cuadro de Miró y escriba las palabras que le sugiere.
- Vuelva a leer los dos poemas y relaciónelos con el cuadro. Compare las palabras que aparecen en cada uno con las que usted escribió antes.
- ¿Por qué no intenta ahora escribir un poema sobre el cuadro de Miró, siguiendo el modelo de uno de los dos poemas de Alberti?

2.7

Los textos que aparecen a continuación plantean desde ángulos distintos la imposibilidad de desligar el arte de su contexto, tanto desde el punto de vista de la producción como de la crítica. De esta forma, la función del arte se ve no solo como la necesidad de lograr una calidad artística, sino también como la necesidad de expresar o demostrar un compromiso político.

El primer texto analiza la relación entre el arte producido en Latinoamérica y los lugares de promoción artística fuera de los países latinoamericanos.

La especificidad del arte latinoamericano

[...] A escala planetaria, a pesar de las diferencias de grado de desarrollo, de las injustas desigualdades en el progreso tecnológico y en la acumulación y usufructo de la riqueza, se ha generalizado el consenso de que vivimos en una sociedad en acelerada mutación, en un mundo que cambia vertiginosamente, merced sobre todo al acrecentamiento de los poderes de transformación de la materia por el hombre. Este continuo trastrocamiento acarrea modificaciones fundamentales en los modos de vivir, de percibir, de concebir, de operar y de representar el mundo. El arte de nuestro tiempo es un arte de ruptura, caracterizado por una permanente voluntad de innovación, por una inestabilidad y una mutabilidad acrecentadas que son el correlato de nuestra aceleración histórica, del permanente proceso de adaptación del hombre a la movilidad de un universo controvertido sin cesar.

América Latina, a pesar de sus atrasos sociales y económicos, de sus estructuras a menudo obsoletas, de sus abismales diferencias internas, de sus primordiales insuficiencias, no escapa al dictamen de la época. Continente explosivo por su alto crecimiento demográfico, por la velocidad de su desorganizada urbanización, por la presión de las masas sojuzgadas◆ que reclaman nivel de vida decoroso y verdadera participación política, por la violencia de los enfrentamientos sociales, en él se agudizan las crisis, las rupturas, los contrastes, la inestabilidad, la movilidad, los altibajos y antagonismos.

En un continente donde la inmensa mayoría de la población campesina está doblemente marginada, marginada de la sociedad rural y de la sociedad global, donde casi un tercio de la población total tiene ingresos de 60 a 70 dólares anuales que prácticamente la excluye de la economía monetaria o de consumo, cincuenta millones de receptores y diez millones de televisores exaltan los beneficios de la vida moderna. Los pueblos entran auditiva y visualmente en una realidad contemporánea cuyo aprovechamiento les está vedado◆. Actualmente en Latinoamérica el arte popular más extendido es el que difunden los *mass media*. Por ahora, la plástica está condenada a ser privilegio de minorías, a pesar de que en los países más urbanizados es reproducida en revistas que se tiran a escala industrial y que se venden en los quioscos.

Como en otras áreas, en el arte latinoamericano contrastan dos movimientos: uno marginal, de repliegue◆, centrípeto, localista, y el otro expansivo, centrífugo, internacionalista. El primero promueve y consagra valores que no trascienden las fronteras nacionales y que alcanzan en el mercado local cotizaciones a veces desmesuradas◆. Se trata en general de artistas tranquilizadores, previsibles, de tendencias asimiladas por el gusto social, 'legibles' para la mayoría y estéticamente más o menos anacrónicas.

Frente a estos artistas de reconocimiento exclusivamente nacional, hay valores internacionales que se incorporan al circuito mundial por contacto directo con las metrópolis culturales y rara vez a partir de sus países de origen. A veces, los artistas que tienen formación e información actualizadas, producen obras de avanzada◆ que son rechazadas por el medio, cuyo grado de permeabilidad y de cosmopolitismo superan excesivamente. También se da a menudo, como ha ocurrido en Buenos Aires en varias ocasiones, la falta de repercusión de manifestaciones premonitorias pero realizadas fuera del gran circuito mundial. Para ingresar a éste se impone fatalmente el exilio.

Esta diferenciación inicial y esquemática permite desde ahora entrever el funcionamiento de la promoción artística en Latinoamérica. Su situación marginal con respecto a los centros mundiales de decisión económica, política y cultural, su condición de sociedad dependiente de metrópolis exteriores al continente, el carácter del neocolonialismo imperante◆ en nuestro ámbito impone también subordinaciones estéticas. Así como somos países exportadores de materias primas e importadores de productos manufacturados, lo somos también de productos culturales, exportamos artistas e importamos estéticas. Tanto las pautas◆ de nuestros sistemas económicos como las pautas de nuestro sistema educativo han sido impuestas desde afuera o trasplantadas por minorías cosmopolitas con adecuación insuficiente a la realidad local. […]

(Fuente: Yorkievich, S. 'El arte de una sociedad en transformación', *Arte y sociedad*, Barcelona, Editorial Seix Barral SA, pp. 176–7)

Glosario◆

sojuzgadas   dominadas bajo violencia, oprimidas

vedado   prohibido

repliegue   el hecho de encerrarse en sí mismo

desmesuradas   excesivas

obras de avanzada   obras de vanguardia

imperante   dominante, reinante

pautas   normas

2.8

Mario Benedetti (1920–) es un escritor uruguayo cuya obra incluye novelas, cuentos, poesía, teatro y ensayos. Después del golpe militar en su país en 1973 vivió exiliado en Argentina, Perú, Cuba y España, pero ahora vive en Montevideo, el lugar de su nacimiento.

Situación del intelectual en la América Latina

[…] El problema está en que nosotros no somos europeos, y esto lo digo sin ninguna clase de prejuicio, tan sólo como un registro de distancias. No somos europeos y en consecuencia no hemos alcanzado aún la fría capacidad de contemplar el mundo a través de un inteligente cansancio. Somos latinoamericanos, y en consecuencia ciertos fenómenos típicamente europeos, como el *nouveau roman* o aun la *nouvelle critique*, suelen parecernos un formidable desperdicio de talento, un prematuro museo de nuevas retóricas. No descarto la posibilidad de que yo esté profundamente equivocado; que los actuales módulos europeos constituyan en verdad una etapa de progreso y hasta una inmóvil revolución, para la que no estamos ni intelectual ni sicológicamente preparados; que la verdadera distancia sea la que va del intelectual de un medio desarrollado al intelectual que es inevitablemente producto del subdesarrollo. Realmente, es verosímil que así sea, y quizá llegue el día, no de admitirlo como conjetura sino como hecho irrebatible♦. Pero mientras tanto, mientras la América Latina siga siendo un volcán, mientras la mitad de sus habitantes sean analfabetos, mientras el hambre constituya la mejor palanca para el chantaje del más fuerte, mientras los Estados Unidos se consideren con derecho a presionar, a prohibir, a invadir, a bloquear, a asesinar, a impedirnos en fin que ejerzamos nuestro pleno derecho a existir, e incluso nuestro derecho a morir por nuestra cuenta y sin su costosa asistencia técnica; mientras América Latina busque, así sea caóticamente y a empujones, su propio destino y su mínima felicidad, permítasenos que sigamos pensando en el escritor como en alguien que enfrenta una doble responsabilidad: la de su arte y la de su contorno.

Nuestro mundo es otro que el de Europa, con otras exigencias, otras tensiones, otra actitud hacia un presente, el nuestro, que para muchos europeos tiene, lógicamente, características que se asemejan bastante a las de su propio pasado, ya abolido. Está bien, pero déjennos aprender nuestra lección. Quizás lleguemos, con el tiempo, a las mismas conclusiones, al mismo lúcido cálculo infinitesimal de posibilidades semánticas, a la misma retórica de lo objetivo; pero, mientras tanto, la adopción de semejantes actitudes tendría sobre nuestra quemante situación continental el efecto de un ridículo parche de esnobismo♦. Libertad absoluta para el creador. ¿Cómo no defender esa divisa♦, sobre todo ahora que tenemos toda la opaca e interminable historia del realismo socialista para comprobar que las militancias políticas, por nobles que sean, no constituyen de ningún modo una garantía de alta calidad artística y mucho menos de verdadera profundidad social? Cuentos realistas o fantásticos, novelas de envase clásico o experimental, poemas de rígida frontera o de rupturas en cadena. Después de todo, en éste como en cualquier siglo, la única fórmula invencible sigue siendo el talento. No creo en el compromiso forzado, sin profundidad existencial; ni en la militancia que desvitaliza un tema, ni menos aún en la moraleja◆ edificante que poda la fuerza trágica de un personaje. Pero tampoco creo en un hipotético deslinde◆, en esa improbable línea divisoria que muchos intelectuales, curándose en salud◆, prefieren trazar entre la obra literaria y la responsabilidad humana del escritor. Estoy dispuesto a reconocer, dondequiera sea capaz de detectarla, la alta calidad literaria de un escritor que, por otros conceptos, pueda parecerme repudiable; pero no estoy dispuesto a que, en mérito a esa excelencia artística, eximamos a ese mismo escritor de su responsabilidad como simple ser humano. Se me ocurre que sería muy lamentable para cualquier artista auténtico la mera aceptación de la idea de que una de las posibles funciones de la obra de arte sea la de absolver mágicamente a su creador de todas sus cobardías. El hecho de que reconozcamos que una obra es genial, no exime◆ de ningún modo a su autor de su responsabilidad como miembro de una comunidad, como integrante de una época. […]

(Fuente: Benedetti, M. (1971) *Literatura y arte nuevo en Cuba*, Barcelona, Editorial Estela, pp. 149–51)

Glosario◆

irrebatible   irrefutable, indiscutible

parche de esnobismo   medida provisional para copiar lo que está de moda, sin asimilarlo

divisa   lema, frase que resume un ideal de conducta

moraleja   enseñanza que se deduce de un cuento, fábula o experiencia

deslinde   límite, línea divisoria entre dos cosas

curándose en salud   tomando precauciones para evitar un daño

no exime   no libra (de una obligación o responsabilidad)

- ¿Qué relación establecen los textos entre desarrollo económico y actitud intelectual?

- ¿Está usted de acuerdo con Benedetti cuando afirma que los artistas e intelectuales tienen ciertas responsabilidades como miembros de una comunidad?

2.9

En este texto el pintor boliviano Mamani Mamani explica su obra como reflejo del profundo sentir de su propia cultura.

Los colores de la Madre Tierra

Roberto Mamani Mamani, uno de los pintores más reconocidos de Bolivia, siente que tiene una misión muy personal. Sus pinturas son algo más que una representación pasiva del estilo de vida y la cultura de los indios aymaras del altiplano♦ boliviano. A través de sus obras busca preservar y estimular una visión de vida diferente a la del moderno e industrializado siglo XX. "Hemos cambiado la vida serena que tenían mis antepasados… Lo importante para mí es mostrar que nosotros, los aymaras, tenemos otra cultura con otros valores, principios y otras formas de ver el mundo", dice el pintor.

"Soy aymara y lo reflejo en mis obras. No podría expresarme como un japonés o un europeo porque ellos tienen su propia cultura y sus propias tradiciones". Debido a su adiestramiento♦ poco convencional, su pintura es diferente de la mayoría de sus contemporáneos bolivianos. Aunque comenzó a pintar a los ocho años, estudió Agronomía en vez de Bellas Artes cuando era joven en La Paz. "No se espera que el hijo de una familia aymara vaya a la Escuela de Bellas Artes en La Paz", dice Mamani.

Después de ganar el primer premio en el concurso artístico más prestigioso de Bolivia, el Salón Pedro Domingo Murillo, en 1991, Mamani Mamani finalmente se dedicó de lleno a la pintura. Cree que el no haber estudiado académicamente pintura le ha permitido explorar más temas de la cultura boliviana que otros artistas del país. "En Bolivia no hay artistas que salgan afuera, hay un estancamiento por la formación académica de la escuela europea, no hay

▼ Las intensas imágenes del pintor plasman los tonos y las formas de la naturaleza andina, y son símbolos de la dignidad cultural aymara. ▲

la visión de ver nuestra propia cultura. Como artista he tenido mucha influencia de mi cultura, de los rituales, de las fiestas, de todo ese colorido, esa cultura grande que nos han dejado nuestros antepasados".

En vez de mencionar a los antiguos maestros como la inspiración de su estilo y sus temas, Mamani Mamani habla de su abuela. "Mi abuela no sabía hablar ni una palabra de castellano, sólo aymara. Ella tenía otra visión, la visión del aymara. No conocía la palabra estrés o depresión. Éstas son palabras occidentales… Sembraba sus papas y su quinoa y ha vivido casi hasta los noventa años".

En su exposición de 1996 en La Paz titulada *M'hamas, cholas y w'awas*, Mamani Mamani rindió tributo a mujeres como su abuela. Explica que las *M'hamas* son las mujeres más viejas, *cholas* es el término utilizado para la típica mujer aymara en vestimenta tradicional, y *w'awas* son sus hijos. Sus cuadros las muestran como formas estilizadas con enormes manos desgastadas y vestidos tradicionales. Las figuras son monolíticas y sin rasgos, y sus voluminosas formas aparecen a menudo protegiendo a sus hijos con una tierna caricia. Mamani Mamani dice que ha pintado estas imágenes en homenaje a la mujer aymara porque "trabaja más que el hombre, carga a su *w'awa*, sigue arando la tierra, tiene cinco o seis hijos, sale a vender y lucha por la vida a veces

Arcángel del Niño, por Roberto Mamani Mamani

más que el hombre".

Mamani Mamani crea un tono emocional en consonancia con la vida andina con sus vibrantes colores. Sus pinturas, principalmente en acrílico y pastel, irradian las brillantes combinaciones de rojos, turquesas, violetas y naranjas que caracterizan las telas y las cerámicas de la región. "Utilizo muchos colores del altiplano. Una vez le pregunté a mi abuela por qué utilizaban colores tan fuertes en el campo, y me dijo que era para ahuyentar los malos espíritus, para que nosotros estemos felices y no nos coma la oscuridad". Mamani Mamani utiliza estos colores en simples diseños ondulantes para transmitir una sensación de paz y armonía que surge de la estrecha interrelación de los aymaras con la tierra. Es este sentido de lo sagrado en la naturaleza lo que emana gran parte de su obra.

"Para mí, el arte es algo que se origina en la profundidad del ser, para mí, el arte es la *Pachamama* (Madre Tierra). Es igual que la Tierra", dice el pintor. Sus pinturas expresan esta relación con la tierra, y tienen un profundo mensaje ecológico. "En la cultura aymara siempre existe una estrecha relación entre el hombre y su medio ambiente… Existe una comprensión del ecosistema en el mundo aymara. Por esta razón agradecemos a la *Pachamama*".

En las obras de Mamani Mamani también se repite un tema histórico: el de la ruptura de la vida indígena que se produjo con la llegada de los españoles hace

▼ Mi abuela me dijo que en el campo utilizan colores fuertes para ahuyentar los malos espíritus, para que nosotros estemos felices y no nos coma la oscuridad. ▲

unos quinientos años. Pinta muchas de las fiestas del campo que incluyen temas de conquista y resistencia. En una de estas obras, *La fiesta de Yawar*, o la fiesta de la sangre, se amarra un cóndor al cuello de un toro. El cóndor picotea la cabeza del toro hasta que éste muere. "Este ritual es muy fuerte para nosotros", dice Mamani Mamani. "El cóndor representa el pueblo de los Andes y el toro a España. Esta fiesta simboliza la reivindicación de la dignidad latinoamericana sobre la conquista española". […]

Su obra no sólo muestra las tradiciones aymaras, sino que devela◆ un conjunto de valores universales. Los arcángeles indígenas de Mamani Mamani muestran la forma en que dos mundos opuestos pueden unirse para formar una nueva expresión cultural. Sus paisajes y figuras se mezclan para formar un ser espiritual único, que ofrece un respeto por la tierra. Pero lo más importante es que su lucha diaria por promover el bienestar de su pueblo nos estimula a celebrar diferentes formas de ver y relacionarnos con el mundo.

"En Bolivia somos casi el 60 por ciento de indígenas, es poca la gente de afuera", dice Mamani Mamani. "Por esta razón es importante que valoremos nuestra cultura, que la gente se sienta orgullosa de su diferencia. Éste es mi trabajo como artista y como hombre".

(Fuente: Grant, J. (1998) *Américas*, pp. 20–4)

Glosario◆

altiplano   llanura extensa en la parte superior de la cordillera andina entre Perú, Bolivia y Chile

adiestramiento   preparación, formación

devela   revela

- Según el pintor, ¿qué relación existe entre el arte y la identidad cultural?
- ¿Cómo define Mamani Mamani los valores de su cultura en contraposición a los valores occidentales?
- ¿Por qué exalta el artista en su obra la figura de la mujer?

2.10

El muralismo mexicano fue un movimiento estético de introspección que viró su mirada de Europa hacia la realidad más cercana de México. Coincidiendo con un fervor patriótico y un apoyo por parte de los dirigentes del país, los pintores trabajaron por restituir a México unas señas de identidad que habían quedado difuminadas por años de colonialismo. El movimiento tuvo una influencia muy importante en América Latina.

El muralismo mexicano

El muralismo mexicano constituye un fenómeno singular en la primera mitad del siglo XX, muy digno de atención por su valor ejemplar. Se manifiesta como una coherente escuela de pintura mural, de intención político-social, muy vinculada a la tradición del mural y con un vigoroso lenguaje plástico muy moderno.

Esta escuela surge como un empeño patriótico del pueblo mexicano, auspiciado por ilustres gobernantes y alimentado por un patriotismo de auténtica autoctonía, basada en el indigenismo, el espíritu anticolonial y antiimperialista.

Este muralismo mexicano nos brinda uno de los pocos mensajes artísticos con cumplido◆ contenido ideológico del que puede hacer gala nuestro siglo XX, plasmado◆ en la forma que se hace más asequible a las masas, que es el mural. Su aparición se debe, pues, como corresponde a los genuinos y pletóricos◆ movimientos artísticos, a la feliz concurrencia de un desvelado pueblo, ciertos conscientes gobernantes y muchos entusiastas y capaces artistas. Este conglomerado actuó animado por un mismo legítimo orgullo nacional, zaherido◆ por viejas y nuevas heridas, que reclaman para retornarse una exaltada conciencia y unidad nacional, que necesitan que el arte los despierte. Tal es la motivación del muralismo mexicano, que plásticamente cumplió cabalmente◆ la función que le correspondía, empleando un lenguaje a la vez asequible, convincente y artístico, de buena ley, y apelando unas veces a soluciones tradicionales, otras veces iniciando técnicas muy nuevas.

Además de la anterior motivación, falta para que esta evocación sea suficiente, citar el nombre de los principales artistas de esta escuela y alguna de las cualidades que los distinguen. Entre los pioneros merecen destacarse Roberto Montenegro y el doctor Atl, con obras de valiente composición. Enaltecen el movimiento Diego Rivera, de gran monumentalidad, dibujo expresivo y dinámico que nos recuerda a Gauguin, y bello color, plasmados en importantes conjuntos de México y EEUU. También debe considerarse uno de los grandes del muralismo mexicano a José Clemente Orozco, de gran vigor dramático, expresado en un sintético lenguaje, de gran eficacia expresiva. Más recientes son otros dos grandes muralistas, el apasionado David Alfaro Siqueiros, ora tierno, ora sarcástico◆, pero siempre grandioso; y el lírico y poético pintor de la raza que fue Rufino Tamayo.

La escuela ha echado hondas raíces y sigue su cada vez más prolífico y prestigioso desarrollo, que tratan de exportar a otros hermanos países, en empeños proselitistas, las más de las veces frustrados, por faltarles las favorables condiciones que brinda el pueblo mexicano para este desarrollo artístico.

(Fuente: Prat Puig, F. (1984) *Conferencias de historia del arte*, Santiago de Cuba, Editorial Oriente, pp. 210–11)

Glosario◆

cumplido grande, abundante

plasmado representado

pletóricos optimistas

zaherido ofendido, herido

cabalmente completamente, perfectamente

ora tierno, ora sarcástico a veces tierno, a veces sarcástico

El movimiento de muralistas mexicanos

Los muralistas mexicanos produjeron el mayor arte público popular revolucionario de este siglo, y su influencia en toda América Latina – últimamente en los muros de Nicaragua – ha sido de gran alcance tanto en el tiempo como en el espacio. Hubo un momento, década de 1930, en que llegó a sentirse incluso en Gran Bretaña y Estados Unidos, pero desde entonces rara vez entran en el discurso artístico de Europa. [...]

Estos artistas fueron lo más creativo y lo más activo de la vanguardia revolucionaria de México, con un fuerte sentido del valor social de su arte. La violenta revuelta de 1910 contra el régimen de Porfirio Díaz restallaba una y otra vez durante los diez años siguientes, tiempo en que la silla presidencial estuvo muchas veces vacante. La Revolución – un acontecimiento de tipo cataclísmico, que nunca llegó a articularse totalmente en torno a ningún programa completo ni a ningún conjunto de intereses (aunque la lucha de Zapata por la reforma agraria en Morelos fue un problema fundamental) – trajo consigo una nueva conciencia al país. La inauguración del periodo presidencial del viejo líder revolucionario Álvaro Obregón, en 1920, inició ese periodo de esperanza y optimismo en que nació el movimiento muralista. "La Revolución nos reveló a México – diría Octavio Paz – o mejor dicho, nos dio ojos para verlo. Y se los dio a los pintores…" En contraste con la respuesta un tanto pasiva de los novelistas, los pintores inundaron los muros con un torrente de imágenes de todo tipo: realistas, alegóricas, satíricas, presentando toda una serie de aspectos de la sociedad mexicana, sus aspiraciones y conflictos, su historia y su cultura. [...]

En 1922, la *Declaración de principios sociales, políticos y estéticos* del recién formado Sindicato de Obreros, Técnicos, Pintores y Escultores repudiaba siglos de dependencia artística de Europa en favor de una estética nativa:

"No *sólo* todo lo que es trabajo noble, todo lo que es virtud es don de nuestro pueblo (de nuestros indios muy particularmente), sino la manifestación más pequeña de la existencia física y espiritual de nuestra raza como fuerza étnica brota de él y lo que es más su facultad admirable y extraordinariamente particular de *hacer belleza: el arte del pueblo de México es la manifestación espiritual más grande y más sana del mundo y su tradición indígena es la mejor de todas*. Y es grande precisamente porque siendo popular es colectiva, y es por eso que nuestro objetivo estético fundamental radica en socializar las manifestaciones artísticas tendiendo a la desaparición absoluta del individualismo pequeño burgués".

Pero, en la práctica, las diferencias entre el arte popular nativo y el arte popular de los muralistas no se resolvieron. [...]

(Fuente: Ades, D. (1988) *Arte en Iberoamérica 1820–1980*, Nueva York, Harry N. Abrams Inc., pp. 151–4)

- ¿Por qué cree usted que el muralismo se considera una forma artística asequible a las masas?

2.12

La Revolución cubana también sirvió de inspiración para otra producción artística: la música. En este ensayo el novelista guatemalteco Miguel Ángel Asturias (1899–1974), Premio Nobel de Literatura en 1967, describe el ambiente de una Cuba que acaba de proclamar la Revolución y canta para criticar la última dictadura y celebrar su fin.

La revolución canta

Así como se oye. La revolución canta en las calles. Cantadores profesionales, improvisadores, de viva presencia, por la radio, o la televisión se tropiezan a cada momento, en las horas de la tarde y por las noches, las voces de un pueblo que canta su revolución en esta fabla♦ tan graciosa y amputada de 'eses' del cubano. Algunas de estas canciones evocan el tiempo negro de la tiranía, de la última tiranía, Cuba sí ya puede decir con toda la boca 'la última tiranía' porque el pueblo tiene las armas. Otras celebran la gesta heroica de Sierra Maestra♦. Las luchas, los combates, el avance del ejército revolucionario a través de tierras y ciudades. Y no faltan aquellos que cantan la Ley Agraria♦, celebrando su promulgación y ejecución inmediata, visible en la entrega de los grandes latifundios a los campesinos. Todo sobre los cordajes y puentes de las guitarras rasgadas con alegría en las calles de La Habana. Pero igual ocurre, en otras ciudades y poblados, y en los campos mismos, nos cuentan, el guajiro♦ ha dejado su canción nostálgica de mejores tiempos, por estos nuevos cantos revolucionarios, que hacen presentes sus sueños y ambiciones. Y con qué gracia cantan:

> Entre los ricos hay muchos
> contra la ley de la tierra
> que pretenden que la tierra
> la repartan en cartuchos♦…
> Hay gente llena de histeria
> gritando con voz extraña
> que primero está la caña
> que el hombre con su miseria.
> Mientras se mantenga en pie
> la injusticia que esto encierra
> y haya un guajiro sin tierra
> latifundios para qué…
> Que se mantengan en paz
> la reacción y los fusiles
> porque aunque llevan railes
> la reforma agraria va
> que ya la ley del embudo♦
> no está en el cañaveral♦
> que ya no hay guardia rural
> que ahora tenemos barbudos♦…

(Y aquí el estribillo que corean todos):

> Pero la reforma agraria va
> de todas maneras va
> de todas maneras va...

La llegada y estancia de los campesinos en La Habana, cerca de medio millón de campesinos que asistieron a la concentración del 26 de julio, regó en la ciudad, en los hogares, en las gentes, ese sentimiento de solidaridad con el cubano desconocido, ése que labora la tierra de sol a sol, sin haber tenido jamás tiempo de alzar la cabeza, para ver la estrella de su bandera. A través del contacto humano con el guajiro, el hombre de la ciudad aprendió a quererlo, y a comprender sus problemas, y el principal de todos: la necesidad de entregarle la tierra cubana, hoy explotada por unos cuantos, para que la haga producir con sus manos, y aproveche de sus frutos. Es una hermosa lección de solidaridad humana, que no fue impuesta como exigencia política por un partido triunfante o un gobierno necesitado de propaganda y popularidad, sino nacida espontáneamente del corazón del pueblo que recuerda épocas anteriores y se queja...

> Eran verdes tus perfiles
> cuando la tierra era clara
> pero te ensució la cara
> la razón de los fusiles.
> Estrecho camino largo
> que en la distancia te pierdes
> orilla de mares verdes
> pariendo azúcar amargo.
> Me paro en firme y escucho
> tu voz que me luce extraña
> con ser tan dulce la caña
> a Cuba la amarga mucho.
> Traigo un latido en la entraña◆
> de cubanas opiniones
> y el fusil y las razones
> para endulzarte la caña...

No hay nada de esto escrito ni recogido en disco. Son canciones que se van cantando, que se van improvisando. Poetas populares, algunos conocidos, pulsan la guitarra y las entonan, seguidos de la atención expectante de los que les escuchan, de las risas en aquellos pasajes de doble intención contra la dictadura o alguno de sus secuaces◆, y de júbilo cuando se alude al movimiento 26 de julio◆, o la Sierra Maestra y su ejército de barbudos. Nosotros copiamos a correr de pluma◆ esas pocas estrofas, para darlas como muestra de una revolución que trabaja, se defiende y canta. Mientras se intentan y planean invasiones, mientras se reúnen los grandes pequeños Ministros de Relaciones, a ver qué se hace con el Caribe, un pueblo canta a la orilla del maravilloso mar, en una isla que ahora destila dulzuras de gloria, porque la libertad conquistada con sangre sabe a gloria, y sólo a gloria.

Es una vela de armas◆, una constante vela de armas la de este pueblo, que no por eso olvida que se pueden velar las armas cantando el regreso de los campesinos a sus tierras, ya como dueños, la alegría mojada en lágrimas de sus mujeres, de sus hijos que no serán más unos desposeídos. Pero lo que más conmueve es el coro, ya que mientras uno lleva la voz cantante◆, los demás, todos, se unen a corear los estribillos, y entre éstos, el que más nos conmovió lo escuchamos en el Paseo del Prado. Un conglomerado de gente del pueblo, de todas edades, repetía a cada momento, entre estrofa y estrofa de una canción muy hermosa, este estribillo:

¡Patria, ahora da gusto cantar, porque tu pueblo es feliz!

(Fuente: Callan, R. (edición) (1972) *América, fábula de fábulas y otros ensayos*, Caracas, Monte Ávila Editores CA, pp. 295–7)

Glosario◆

fabla   habla, lenguaje

Sierra Maestra   sierra en la que se situaba la base de las fuerzas rebeldes de Fidel Castro, y desde donde se inició el sitio de Santiago de Cuba

Ley Agraria   ley de reforma agraria que, en 1959, bajo el régimen de Castro, entregó tierras expropiadas a los campesinos

guajiro   campesino cubano

cartucho   cucurucho, bolsa de cartón o papel (que contiene dulces, frutas)

ley del embudo   ley injusta que se aplica arbitrariamente

cañaveral   lugar plantado de cañas (de azúcar)

barbudos   que tienen barba; aquí, revolucionarios

entraña   víscera; aquí, corazón

secuaz   seguidor de una persona o de sus ideas (peyorativo)

movimiento 26 de julio   Nombre que se dio al grupo dirigido por Fidel Castro, que encabezó la Revolución cubana; su nombre recuerda el fracasado asalto al cuartel de Moncada el 26 de julio de 1953.

a correr de pluma   muy rápidamente

vela de armas   guardia continua, vigilancia

lleva la voz cantante   dirige

- ● ¿Cuáles son los temas que se tratan en la música cubana de la revolución?
- ● ¿Conoce otros ejemplos de música social y políticamente comprometida?

Esta entrevista realizada tras un recital por la justicia y por la paz celebrado en 1983 nos presenta a dos célebres cantautores, el catalán Raimon y el uruguayo Viglietti, famosos por sus canciones de protesta contra las dictaduras de los años 70, que comentan la función social de su música.

Para Raimon y Viglietti, la canción es un elemento que forma parte de la cultura y transmite vida, duda y esperanza.

FRANCESC ARROYO

"Nosotros trabajamos para defender la alegría"

Mario Benedetti dijo una vez "nosotros trabajamos para defender la alegría". Daniel Viglietti hace suya la frase, y con él, Raimon. Ambos cantantes protagonizaron el pasado lunes un recital en el teatro Poliorama, de Barcelona, en favor de Justicia y Paz. Horas después mantuvieron la charla que a continuación se transcribe. En ella se define la canción como elemento de vida y de duda. Se habla de esperanzas, no siempre satisfechas, de deseos, de derrotas. Y de seguir marchando hacia adelante.

E l pasado lunes actuaron en el teatro Poliorama, de Barcelona, Raimon y el uruguayo Daniel Viglietti. El éxito de público fue total. Con todo, era evidente que algo había cambiado. Raimon explica que "el recital se ha convertido ahora en un acto artístico normal. El problema está en pensar que nosotros sólo habíamos cantado una canción o un tipo de canción. Hemos cantado temas reflexivos, de amor y canciones claramente combativas. Todo. Y siempre ha sido todo. Lo que pasa es que, en un determinado momento, la sociedad recogía solamente la parte de reivindicación más urgente"... "y a su vez otra parte de la sociedad", sigue Daniel Viglietti, "digamos todos los sistemas de control y administración del pensamiento, nos excluían"... "y nos continúan excluyendo" remacha◆ Raimon, para que siga el uruguayo: "Nos clasificaban con etiquetas, protesta, testimonio, intervención cívica, política, todos los adjetivos con los que se impedía definir lo nuestro como canción de la vida o simplemente humana". [...]

Las funciones de la canción
Con todo, hay cosas que siguen manteniéndose. Para Viglietti,

la función de la canción es "despertar cierta curiosidad. La canción creo que debe funcionar siempre como una pregunta, y no como una respuesta. La canción pregunta, convoca, busca. Detrás de esto se unen pequeñas células de sentimientos, que es en definitiva lo que buscamos,

tocar un poquito ciertos estados de conciencia para ayudar a tomar conciencia del estado en que estamos". [...]

"En el caso concreto de la canción catalana", prosigue Raimon, "cuando se inicia, la función principal es de afirmación lingüística, pero inmediatamente después de

iniciada hay otra función que cobra más fuerza◆, que es la de contribuir al cambio de una sociedad que se considera injusta. Llega el final de la dictadura y adquiere una función de convocatoria y de afirmación constante que no tenía en los años sesenta o que la tenía muy esporádicamente".

Viglietti, por su parte, considera que "vivir en lo que podríamos llamar el país del exilio, ha sido un desafío. Sentimos que estamos cantando con dos gargantas. Dentro de nuestro país hay un movimiento, la nuevita canción, que ha proseguido, hay nuevos cantantes que han surgido, un nivel muy importante en su calidad. Ésa es una garganta. La otra, la del exilio. Ese desafío nos hizo centrar nuestro trabajo, reflexionar más y sentirnos desnudos, sin los puntos de referencia habituales que uno tiene dentro del país. Cuando oigo cantar a Raimon en Cataluña, siento sus puntos de referencia, ¡tan vivos, tan presentes! A nosotros nos faltan, y eso estimula nuestra reflexión y afecta al lenguaje; aunque la canción siga siendo la misma, no es la misma canción". [...]

Ambos son cantantes que han concebido la canción, por lo menos en parte, como una batalla por las libertades. [...]

(Fuente: *El País Artes*, 5 de febrero de 1983, pp. 1–5)

Glosario◆

remacha insiste (coloquial)

cobra más fuerza empieza a tener más fuerza

● ¿Cuál es la función de la canción, según los entrevistados?

2.14

A desalambrar, un canto que pide que se haga justicia con los campesinos, es una de las canciones más conocidas de Daniel Viglietti.

A desalambrar

Yo pregunto a los presentes
si no se han puesto a pensar
que esta tierra es de nosotros
y no del que tenga más.

Yo pregunto si en la tierra
nunca habrá pensado usted
que si las manos son nuestras
es nuestro lo que nos den.

A desalambrar, a desalambrar,
que la tierra es nuestra,
es tuya y de aquél,
de Pedro y María,
de Juan y José.

Si molesto con mi canto
a alguien que no quiera oír,
le aseguro que es un gringo
o un dueño de este país.

A desalambrar, a desalambrar,
que la tierra es nuestra,
es tuya y de aquél,
de Pedro y María,
de Juan y José.

A desalambrar, a desalambrar,
que la tierra es nuestra,
es tuya y de aquél,
de Pedro y María,
de Juan y José.

(Daniel Viglietti)

● En su opinión, ¿hasta qué punto puede la música contribuir a provocar cambios sociales?

La llegada al poder en las elecciones de noviembre de 1970 de Salvador Allende representó un viraje radical en la vida política de Chile. El periodo de gobierno de la Unidad Popular, encabezada por Allende, fue marcado por una auténtica revolución cultural. La 'nueva canción chilena', sobre todo, creó una música nueva cuyos compositores y cantantes se convirtieron en una voz de esperanza y un grito de libertad para todos aquellos pueblos sometidos a la opresión. Los jóvenes españoles de los 70, por ejemplo, sabían estas canciones de memoria y las cantaban en su propia lucha contra el franquismo.

Víctor Jara, una de las figuras más conocidas de la canción chilena, fue una de las muchas víctimas de la dictadura militar del General Pinochet, que derrocó al gobierno de Allende.

VÍCTOR JARA, LA SEGUNDA GRAN VÍCTIMA DEL GOLPE

El canto que logró vencer a la muerte

A 25 años de su muerte, la figura del chileno tiene la potencia del mito. La actriz Emma Thompson prepara un guión cinematográfico sobre su vida.

Guillermo Pellegrino

Su muerte, lejos de apagar su figura, lo convirtió en leyenda. Un 14 de setiembre de 1973, su cuerpo apareció sin vida después de sufrir torturas en el estadio Chile, tres días después del golpe militar que terminó con el Gobierno socialista de Salvador Allende. Pocas horas antes, el hombre que junto con los Parra, Patricio Manns, Inti Illimani y Quilapayún era uno de los principales exponentes del canto popular chileno, intentó registrar parte de ese horror en un poema cuyo último verso decía:

¡Canto, qué mal me sales
cuando tengo que cantar
espanto!
Espanto como el que vivo
como el que muero; espanto
De verme entre tanto y tantos
momentos del infinito
en que el silencio y el grito
son las metas de este canto.
Lo que veo nunca vi,
lo que he sentido y lo que siento
hará brotar el momento…

En ese instante, los guardias lo fueron a buscar. Le pasó rápidamente el papelito a un compañero y éste, a su vez, lo escondió en una media. Así fue que este último poema se pudo salvar. Fue el último coletazo◆ de su actividad creadora, la de un canto en la agonía. A partir de ese día comenzó a edificarse el mito.

(Fuente: *El Mundo*, 13 de setiembre de 1998, p. 25)

Glosario◆

el último coletazo   la última manifestación

2.16

Te recuerdo, Amanda es una de las canciones más famosas de Víctor Jara. Habla del amor entre una mujer, Amanda, y un joven obrero que se unió a la guerrilla y murió luchando.

Te recuerdo, Amanda

Te recuerdo, Amanda
la calle mojada,
corriendo a la fábrica donde trabajaba Manuel.
La sonrisa ancha,
la lluvia en el pelo,
no importaba nada,
ibas a encontrarte con él, con él, con él, con él, con él
Son cinco minutos,
la vida es eterna
en cinco minutos,
suena la sirena
de vuelta al trabajo.
Y tú caminando
lo iluminas todo,
los cinco minutos
te hacen florecer.
Te recuerdo, Amanda
la calle mojada,
corriendo a la fábrica donde trabajaba Manuel.
La sonrisa ancha,
la lluvia en el pelo,
no importaba nada,
ibas a encontrarte con él, con él, con él, con él, con él
que partió a la sierra,
que nunca hizo daño,
que en cinco minutos
quedó destrozado.
Suena la sirena
de vuelta al trabajo,
muchos no volvieron,
tampoco Manuel.
Te recuerdo, Amanda,
la calle mojada,
corriendo a la fábrica donde trabajaba Manuel.

(Víctor Jara)

● ¿Por qué se ha convertido Víctor Jara en un mito?

Una de las obras de arte más emblemáticas del siglo XX es sin duda el *Guernica* de Pablo Ruiz Picasso (1881–1973). Inspirado en uno de los acontecimientos más terribles de la Guerra Civil española, este cuadro, testimonio del bombardeo del pueblo de Guernica por las fuerzas aéreas alemanas aliadas al General Franco, representa el sufrimiento causado por la guerra; además, para varias generaciones de españoles ha simbolizado la lucha por la libertad y la democracia.

Rafael Alberti compaginó siempre la poesía con su pasión por la pintura. En este poema, que aparece en su libro *A la pintura*, Alberti se dirige a Picasso y describe el *Guernica*.

Guernica, por Pablo Picasso, Museo Nacional Centro de Arte Reina Sofía, Madrid

Tú hiciste aquella obra

Tú hiciste aquella obra y le pusiste un título.
Ése y no otro. Siempre,
desde el primer llanto del mundo,
las guerras fueron conocidas,
las batallas tuvieron cada una su nombre.
Tú habías vivido una:
la primera más terrible de todas.
Y sin embargo, mientras
a tu mejor amigo, Apollinaire♦,
un casco de metralla le tocaba las sienes,
tu desvelada mano,

y no a muchos kilómetros de lo que sucedía,
continuaba inventando la nueva realidad maravillosa
tan llena de futuro.
Pero cuando después,
a casi veinte años de distancia,
fue tocado aquel toro,
el mismo que arremete por tus venas,
bajaste sin que nadie lo ordenara
a la mitad del ruedo♦,
al centro ensangrentado de la arena de España.
Y embestiste con furia,
levantaste hasta el cielo tu lamento,
los gritos del caballo
y sacaste a las madres los dientes de la ira
con los niños tronchados,
presentaste por tierra la rota espada del defensor caído,
las médulas cortadas y los nervios tirantes afuera de la piel,
la angustia, la agonía, la rabia y el asombro de ti mismo,
tu pueblo,
del que saliste un día.
Y no llamaste a esto
ni el Marne♦ ni Verdun♦ ni ningún otro nombre merecedor del recuerdo más hondo
(aunque allí la matanza fue mucho más terrible).
Lo llamaste Guernica.
Y es el pueblo español
el que está siempre allí,
el que tuvo el arrojo♦ de poner en tu mano
esa luz gris y blanca que salió entonces de su sangre
para que iluminaras su memoria.

(Rafael Alberti)

(Fuente: Corredor-Matheos, J. (edición) (1976) *Rafael Alberti: Poemas del destierro y de la espera*, Madrid, Espasa Calpe SA, pp. 275–6)

Glosario♦

Apollinaire   poeta francés, muerto durante la Primera Guerra Mundial (1918) por una granada que le atravesó el casco

bajaste a la mitad del ruedo   te dispusiste a luchar (alusión a las corridas de toros)

Marne, Verdun   dos de las batallas más terribles de la Primera Guerra Mundial

arrojo   valor, valentía

En este poema, José Moreno Villa, poeta y pintor español (1887–1955),
describe los horrores de la guerra.

El avión nocturno

Apodérate de la noche,
pajarraco♦ de mala entraña♦,
y apodérate de los cuerpos
indefensos bajo las sábanas.
Ven y hunde, destroza y quema;
salgan cunas por las ventanas,
rueden ancianos impedidos
entre cascotes, hasta la calzada.
En la negrura de la noche
esconde tu proeza de infamia,
desarticula hogares tibios,
desmembra familias de un alma.
Toda la fuerza es tuya, tienes
un pueblo dormido y sin balas.
Ensáñate♦, que nadie te ve;
la noche sin luna te ampara.

(José Moreno Villa)

(Fuente: Mantero, M. (edición) (1973) *Los derechos del hombre en la poesía hispánica
contemporánea*, Madrid, Editorial Gredos SA, pp. 117–18)

Glosario♦

pajarraco   pájaro grande, feo y desagradable; persona con malas intenciones que actúa de
forma ilícita no deseada; aquí, metáfora para describir el avión

de mala entraña   de fondo o de alma indeseable

ensañarse   disfrutar causando todo el mal posible a algo o alguien que no se puede defender;
hacer daño a alguien repetidamente y con mucha crueldad

- Observe el cuadro de *Guernica*, fíjese en el lenguaje del poema de Alberti
e identifique en el cuadro los detalles que aparecen en el poema.

- ¿De qué manera le han ayudado estos poemas a comprender mejor el
cuadro de Picasso?

2.19

El pincel de Francisco de Goya (1746–1828), una de las cumbres de la pintura de todos los tiempos, reflejó con versatilidad pasmosa el entorno aristocrático que le apadrinó, la efervescencia de los momentos históricos que le tocó vivir y su atormentado mundo interior. Nacido en un pequeño pueblo de Zaragoza, vivió sin embargo intensamente la vida de Madrid e hizo de su obra un retrato de la capital en el siglo XVIII.

El siguiente texto nos ofrece un recorrido histórico por la obra del artista aragonés.

Goya

Francisco de Goya, contemporáneo estricto del francés Jacques Louis David, es uno de los artistas más importantes de cuantos trabajaron en toda Europa entre los dos siglos, y a través de su pintura se puede seguir perfectamente la manera en que la Ilustración♦ va dando paso al Romanticismo.

Su formación fue absolutamente tradicional: tras pasar varios años en el taller de un modesto pintor local, Goya, como tantos otros jóvenes artistas de su momento, intentó completar su aprendizaje en la Academia de Bellas Artes de San Fernando – donde no consiguió ingresar a pesar de haberlo intentado en dos ocasiones – y después, en Italia, donde obtuvo algunos éxitos que le sirvieron para permitirle regresar con un cierto renombre y conseguir, a su vuelta a Zaragoza, algunos encargos de cierta importancia en las decoraciones al fresco de la basílica del Pilar (1772) y de la Cartuja del Aula Dei (1774).

En Zaragoza se casó con la hermana del discípulo preferido de Mengs, Francisco Bayeu, y, a partir de este momento, su cuñado le proporcionó toda su protección y apoyo para irse introduciendo en la corte. Gracias a él, en 1775, empezó a pintar *cartones* para los tapices que, tejidos en la Real Fábrica de Santa Bárbara, iban a servir para la decoración de los palacios reales. Unos cartones para los que, siguiendo la moda venida de Francia, se preferían los temas populares, pero con una visión muy concreta de lo popular, que no era, en absoluto, la del pueblo sino la de la aristocracia: una visión falsamente idílica que seleccionaba sólo sus aspectos amables y pintorescos – el de sus diversiones y juegos – pero que ocultaba su verdadera realidad. Y es exactamente este mundo de lo popular el que va a recoger Goya, en sus primeras series de cartones, cuyos títulos son por sí mismos sumamente significativos: *Baile a orillas del Manzanares* (1777), *La novillada* (1780). Se trataba, en definitiva, de escenas grandes que se diferenciaban muy poco de los cartones pintados por Francisco Bayeu o José Castillo.

Goya, que hasta este momento se había movido entre la pintura de historia y la religiosa, había descubierto en lo popular un nuevo tema, que para él sería fundamental. A finales de la década de los ochenta pinta dos obras muy representativas de este peculiar interés aristocrático por lo castizo: un pequeño cuadro de caballete, *La pradera de San Isidro* (1788), y un gran cartón para tapices, *La gallina ciega* (1788). En el primero vemos juntos, en medio de una romería♦ tradicional, a los miembros de la aristocracia y a gente del pueblo; en el segundo, quienes practican un juego tan popular no son sino nobles disfrazados de majos♦, algo que, por otra parte, resultaba habitual como demuestran los famosos retratos que, vestidas de maja♦, hizo Goya a la duquesa de Alba (1797) y a la reina María Luisa (1799).

Pero no era ésta la única mirada posible hacia el pueblo. Había otra, la de tantos y tantos geógrafos y economistas ilustrados, que, abandonando cualquier clase de pintoresquismo superficial, quería captar la verdadera esencia de la realidad española. Y Goya, que se movía en los círculos ilustrados de la corte y que era amigo de hombres como Jovellanos o Moratín, también hizo suya esta visión. Es la que le llevó, en su serie de *Los trabajos y los días* (1786–7) a representar a esta gente del pueblo ya no divirtiéndose sino ocupada en sus labores cotidianas – *La era, La vendimia* – o mostrando también en ocasiones – *El albañil herido* o *La nevada* – las durísimas condiciones en medio de las cuales se desarrollaba una existencia que no era tan feliz como se pretendía.

Goya era un hombre ambicioso, que difícilmente se habría podido conformar con una posición tan modesta como la de pintor de tapices. Él quería triunfar en la corte y lo va a intentar de las dos únicas maneras a su alcance: como pintor religioso y como retratista. […]

En retratos como *La familia del infante don Luis* (1783) y *La familia de los duques de Osuna* (1788), Goya, que se encontraba muy vinculado a sus modelos, consigue un tipo de retrato íntimo y cálido – radicalmente distinto del que ofrece cuando retrataba simplemente por encargo – que acentuará más aún en la numerosa serie de retratos que hace de sus amigos ilustrados, casi todos ellos escritores. Un tipo de retrato – sin precedente alguno en la pintura española – sencillo y penetrante, en donde se sacrifica el traje y el decorado para resaltar el carácter anímico del personaje. Buena prueba de ello son los de *Moratín* (1799), *Bayeu* (1795) o *Villanueva* (1800) y, sobre todo, el de *Jovellanos* (1798) que, aunque sentado ante su mesa de ministro, se muestra como un hombre melancólico profundamente preocupado por los problemas propios de su cargo. Goya fue un retratista dotado de una honda profundidad psicológica que, de la misma manera que sabe traducir el afecto que siente por sus amigos, es capaz de ofrecer una imagen despiadada de aquellos por los que no siente ninguna simpatía, aunque estos personajes sean los propios reyes o el todopoderoso Godoy. Con ellos se muestra profundamente crítico, y ésta es otra faceta crucial dentro de la vida y la obra del pintor. […]

La década de los ochenta fue una época feliz para Goya: había triunfado como artista y su pintura era alegre y optimista. Sin embargo, todo esto cambió bruscamente cuando, en 1792, una grave enfermedad le llevó a las puertas de la muerte y le dejó completamente sordo. Éste fue un momento crucial para la vida y el arte de Goya, pues los delirios de la enfermedad dieron entrada en su arte a un mundo visionario al que dio rienda suelta♦ en los 'cuadros de capricho' que pintó durante aquellos angustiosos momentos; unos cuadros pintados para sí mismo en los que representa un mundo onírico, de pesadillas (similares a las que por entonces estaba pintando Füssli), en las que los protagonistas son una colección de monstruos, brujas y demonios que anuncian ya la aparición del Romanticismo. Al mismo tiempo, el aislamiento al que le condenó su sordera produjo una exageración de su capacidad crítica: a partir de ahora es cuando pinta sus escenas de locos y de Inquisición, cuando graba sus *Caprichos* y cuando cambia radicalmente su visión del mundo popular, ahora romántica y atormentada, tal y como lo presenta en *El entierro de la sardina* o en *La corrida de toros en un pueblo* (1793). Así, los individuos que protagonizaban sus cuadros anteriores de diversiones populares han desaparecido en el interior de una muchedumbre hosca y violenta.

Otro acontecimiento capital, también para su vida y para su arte, se produjo cuando en 1808 se inició la Guerra de la Independencia, tema de algunas de sus obras más famosas: *El dos de mayo de 1808* (1814), *Los fusilamientos del tres de mayo de 1808* (1814) y *El coloso* (1810–18), además de bastantes cuadros de pequeño tamaño con escenas de la guerrilla y su serie de grabados sobre *Los desastres de la guerra* (1810–20). Independientemente de su tamaño o su técnica todos ellos tienen una cosa en común: la imagen antiheroica y terriblemente cruel de la guerra que presentan. [...] Eran una meditación sobre los acontecimientos concretos de la guerra, pero también sobre la propia condición humana; por ello la imagen fundamentalmente cruel y desesperanzada que ofrecen encuentra su paralelo en la crudeza de los grabados de la *Tauromaquia* (1815–16) o en la angustia de la cabeza de *El perro* de sus *Pinturas negras* que parece estar hundiéndose en unas arenas movedizas.

El mundo de Goya se va haciendo cada vez más oscuro: en el plano político vio cómo la reacción absolutista de Fernando VII frustraba cualquier esperanza progresista y en el personal vio cómo Vicente López (1772–1850) le sustituía como pintor de cámara y retratista oficial, lo que le hizo aislarse cada vez más, sobre todo a raíz de su enfermedad de 1819. Fruto de esta época especialmente oscura de su vida son la serie de *Los proverbios* (1815–24), en donde vuelve a incidir♦ sobre los temas que le habían inspirado *Los caprichos* pero desde una óptica mucho más sarcástica y pesimista, y las *Pinturas negras* que adornaban las paredes de su casa (1820–3) con escenas tan oscuras moral como cromáticamente. Como se ha señalado, *Los proverbios* y las *Pinturas negras* tienen un punto común: la sensación de desolación que producen, pero también la de 'disparate' (así se llaman también *Los proverbios*), de mundo al revés en el que domina el absurdo (los hombres vuelan, las fiestas son siniestras...)

El fin del trienio liberal y la inseguridad que rodeaba a su persona le hicieron tomar la decisión de expatriarse a Francia, donde vivió los últimos cuatro años de su vida en medio de una calma desconocida por él desde hacía mucho tiempo. Una situación nueva que se tradujo en una pintura otra vez luminosa y optimista de la que son buena prueba *La lechera de Burdeos* (1825–7), la serie de litografías conocida como *Los toros de Burdeos* (1825) y una colección de retratos de sus amigos españoles, compañeros en el exilio.

(Fuente: Espino Nuño, J. y Morán Turina, M. (1996) *Historia del arte español*, Madrid, Sociedad General Española de Librería SA, pp. 179–84)

Glosario♦

Ilustración   movimiento político y cultural basado en la importancia de la razón que tuvo lugar en Europa y América en el siglo XVIII

romería   fiesta popular junto a una ermita el día de una fiesta religiosa

majos, maja   personajes típicos de algunos barrios populares madrileños del siglo XVIII, que se distinguían por sus trajes vistosos, su arrogancia y su habla graciosa y desenfadada

dio rienda suelta   dejó en libertad, dejó de reprimir

incidir   tratar un tema insistentemente

En el siguiente texto se presenta un análisis de la significación social de la obra de Goya.

Significación social de la pintura de Goya

La relación arte-sociedad o artista-sociedad se evidencia con trazos muy claros en el caso de Goya; el pintor dotado de un vitalismo optimista de los cartones para tapices desaparece con la sordera y de manera más definitiva con la guerra para dar paso a un artista amargamente crítico y cuya fantasía crea un mundo alucinante de brujas y monstruos, que no ofrecen ningún punto de

Tristes presentimientos de lo que ha de acontecer (serie *Los desastres de la guerra*), por Francisco de Goya, Calcografía Nacional, Madrid

contacto con las manolas♦ de su primera época madrileña. Si se tratase de obra anónima sin duda se atribuiría a dos pintores diferentes.

Situada su biografía entre dos épocas históricas, el Antiguo Régimen, con sus monarquías absolutas y la prepotencia social de los estamentos privilegiados, y el Régimen Liberal, nacido de los principios revolucionarios franceses, con la exaltación de las clases medias, el papel inspirador de los intelectuales y la limitación de todo centro de poder mediante la redacción de cartas constitucionales que reconocen la soberanía del pueblo y el equilibrio contrastado de los poderes (*Ejecutivo, Legislativo, Judicial*), Goya es testigo no sólo de los acontecimientos sino también de los procesos profundos, que no se escaparon a su aguda pupila. Partidario de las nuevas ideas, no se limita a testificar sino que contribuye con su crítica a desmontar un mundo que declinaba, para lo que le favorecieron algunas circunstancias, por ejemplo un siglo antes la Inquisición hubiera impedido una parte no pequeña de su producción.

Desde el punto de vista social su experiencia no pudo ser más completa. Por familia pertenecía a la clase artesanal lugareña, por su trabajo se codeó con♦ las aristocracias de la corte e incluso con la familia real, por talante se convirtió en amigo y contertulio de los intelectuales reformistas, como Jovellanos, Moratín, Cea Bermúdez, por los que muestra en sus retratos predilección, especialmente en el espléndido de Jovellanos (Museo del Prado). Punto oscuro es el de su calidad de afrancesado, en nuestra estimación no probado. Goya es un patriota y su serie bélica una acusación contra los excesos de los invasores franceses. Si su colaboración con José I♦ fue ocasional, no una decisión de conciencia, indiscutible parece por el contrario su personalidad liberal, reflejada en el grabado *Por liberal*.

Algunas notas se desprenden de su extensa obra. En primer lugar el amor al pueblo, en el que puede leerse su intuición de que se aproxima la llamada *primavera de los pueblos,* la serie de revoluciones que lo convierten en sujeto protagonista de sus propios destinos. Las escenas populares, fiestas y trabajos, están plasmadas con simpatía y los cuadros patrióticos traslucen una honda compasión por los sufrimientos colectivos. En contraposición, aunque de manera sutil, un tanto disimulada, puede vislumbrarse en una serie de retratos reales y nobiliarios una posición crítica, que en parte se dirige a las personas pero también a las instituciones; los rostros abotargados♦ de Carlos IV, María Luisa de Parma, Fernando VII, sus figuras panzudas, no pueden citarse como un modelo de respeto, y las caras inexpresivas de muñecas de trapo de las figuras de escenas en ambientes ricos (por ejemplo, *La gallina ciega*) parecen algo más que casualidad. La crítica social, lo que ama y lo que aborrece el artista, se pone de manifiesto en los expresivos pies de sus grabados. Quizás la perspectiva goyesca haya de encontrarse en la apología de los contrarios; criticando los horrores de la guerra en la impresionante serie de *Los desastres* – en la que se exhiben la crueldad, la tortura, el absurdo, la orfandad, el hambre – se deducen las excelencias de la paz; exhibiendo lo monstruoso, lo irracional, se canta la necesidad de la razón; criticando ciertas tradiciones, como la aceptación por la mujer de las bodas desiguales de la joven con el viejo ricachón, (*La boda aldeana*), ensalza♦ una sociedad libre, que rompa las ataduras de los convencionalismos sin sentido. Tras el envés♦ de una sociedad llena de absurdos e injusticias Goya esconde en el trasfondo de su obra la imagen de una sociedad mejor, en la que los hombres vivan en paz, sometidos al imperio de la justicia y a las luces de la inteligencia crítica.

Una obra que encierra un valor de símbolo quedaría empequeñecida si se redujese a una dimensión estrictamente personal. Así lo intuyó el pintor aragonés♦, que a diferencia de los caricaturistas nunca redujo su crítica al personaje, sino que la amplió a lo que representaba, ni exaltó lo individual sino lo colectivo. En su estilo influyó un acontecimiento personal, su sordera, pero la transmutación definitiva la consiguió la guerra, un drama, un sufrimiento social.

(Fuente: Fernández, A., Barrechea, E. y Hart, J. (1988) *Historia del arte*, Barcelona, Ediciones Vicens Vives SA, p. 288)

Glosario♦

manolas   vecinas de algunos barrios populares de Madrid que se caracterizaban por su traje, su gracia y su desparpajo

se codeó con   se relacionó con

José I   Puesto en el trono español por su hermano, Napoleón Bonaparte, José I, conocido por el apodo de 'Pepe Botella' fue odiado por los españoles, que lo consideraban un intruso.

abotargados   hinchados, de expresión poco inteligente

ensalza   alaba

envés   la otra cara, el lado opuesto

el pintor aragonés   es decir Goya, nacido en Aragón

- ¿Qué temas sociales se ven reflejados en la obra de Goya?
- ¿Qué visión tenía Goya de la sociedad en la que le tocó vivir?

En este poema Manuel Machado (1874–1947), poeta, prosista, dramaturgo y crítico español, aborda el motivo de uno de los lienzos más célebres de Goya, *Los fusilamientos del tres de mayo*, que recoge el instante en que varios españoles son ejecutados por un pelotón francés, durante la ocupación de España por las tropas de Napoleón durante la Guerra de la Independencia (1808–14).

Los fusilamientos de la Moncloa

Él lo vio… Noche negra, luz de infierno…
Hedor de sangre y pólvora, gemidos…
Unos brazos abiertos, extendidos
en ese gesto del dolor eterno.
Una farola en tierra, casi alumbra,
con un halo amarillo que horripila,
de los fusiles la uniforme fila
monótona y brutal en la penumbra.
Maldiciones, quejidos… Un instante,
primero que la voz de mando suene,
un fraile muestra el implacable cielo.
Y en convulso montón agonizante,
a medio rematar, por tandas viene
la eterna carne de cañón al suelo.

(Manuel Machado)

● ¿Le parece que la violencia de la guerra es un tema apropiado para el arte? Justifique su respuesta.

tema 3
Sociedad

La sociedad en transformación

Las imágenes cinematográficas y televisivas son testimonio gráfico de la sociedad que las produce, y el cine y la televisión en España y América Latina ilustran los cambios por los que han pasado estas sociedades en los últimos años. Sin embargo, cualquier acercamiento al estudio de la sociedad latinoamericana y española ha de indagar en otros dos aspectos muy importantes: el proceso de emigración – y en cierta medida también de exilio – y la importancia de la Iglesia católica. Ambos temas son las claves que permiten entender la sociedad hispana.

Los acontecimientos principales de la historia de España en el siglo XX – la Guerra Civil, la dictadura de Franco, la transición y la llegada de la democracia – dejaron su huella en todos los aspectos de la sociedad española, incluyendo el mundo del cine. Tras la victoria de los nacionalistas en la Guerra Civil (1936–9) se impuso el punto de vista de los vencedores en todos los aspectos de la cultura. En el cine, igual que en otros ámbitos, se exaltaban los valores nacionalistas de la patria, la raza, la familia y la religión católica. Debido a la censura, era muy difícil hacer un cine que criticase el régimen franquista o la situación social. Sin embargo, no todas las películas producidas durante la dictadura se pueden clasificar como ejemplos de un cine monolítico y propagandístico: la gran mayoría de la producción consistía en comedias que, aunque respetaban los valores nacionalistas, tenían como función primordial la diversión y no la propaganda. También es importante resaltar que había notables excepciones a estas películas anodinas, y que varios cineastas conseguían despistar a la censura y realizar sus películas: el caso más famoso es quizás el de Luis Buñuel quien, en 1961, aprovechándose de una ligera apertura en el régimen, volvió a España para rodar *Viridiana*. La película, que fue interpretada como una crítica al cristianismo, fue condenada por blasfema en España y prohibida hasta 1977.

Con la llegada de la democracia y la abolición de la censura en noviembre de ese mismo año, los cineastas podían tratar abiertamente cuestiones políticas, sexuales, sociales, regionales e históricas, sin temor a la censura. Directores como Pedro Almodóvar lograron mucho éxito a nivel internacional y contribuyeron a reflejar y a formar una identidad nacional muy distinta a la anterior.

En Latinoamérica, los cambios sociales tuvieron un eco importante en el mundo del cine. Un nuevo espíritu de optimismo, inspirado en parte por la Revolución cubana, tuvo un profundo efecto en las artes. De los años 50 en adelante, numerosos cineastas latinoamericanos intentaron desarrollar una estética cinematográfica distinta de los parámetros vigentes en Hollywood y en Europa: un cine claramente latinoamericano. Uno de los directores más influyentes en este llamado 'nuevo cine latinoamericano' fue Tomás Gutiérrez Alea. Aunque en sus obras seminales había abogado por 'un cine imperfecto' – un estilo de cine que sacara partido de las restricciones económicas bajo las cuales se producían las películas – en su película más conocida, *Fresa y chocolate*, volvió a paradigmas más tradicionales para tratar las realidades contemporáneas de Cuba.

Nombrada para un Óscar, fue la primera película cubana que trató abiertamente el tema de la homosexualidad. En un país gobernado por un régimen intolerante hacia la homosexualidad, *Fresa y chocolate* cruzó claramente nuevas fronteras para el cine cubano. La película, que examina la relación entre Diego, un hombre abiertamente homosexual, y David, un joven comunista, indaga sobre las restricciones impuestas a la libertad personal por el régimen cubano. En el transcurso de la película David, refiriéndose a la relación entre Cuba y los Estados Unidos, comenta: "Todo lo que queremos es ser independientes, hacer lo que queremos hacer, y ésta es la razón por la cual no nos pueden soportar".

Mientras que mucho cine cubano ha intentado encontrar una trayectoria inconfundiblemente cubana y una voz latinoamericana, otros cineastas latinoamericanos han intentado explorar lo que se denomina 'la interdependencia de las culturas'. Quizá nadie lo haya explorado con la profundidad y la originalidad del autor argentino Manuel Puig (1932–90). *El beso de la mujer araña*, su novela de más éxito, que a su vez fue trasladada al teatro y al cine, presenta – entre varias posibles lecturas – una exploración del poder del cine: de cómo nosotros, los espectadores, nos identificamos con los personajes y con la trama; de cómo las imágenes cinematográficas influyen sobre nuestros pensamientos y fantasías. Para Puig, tales imágenes y narrativas no emanan exclusivamente de una cultura nacional, sino de la mezcla de culturas diversas. La realización misma de la película – una coproducción entre Brasil y EEUU, dirigida por el argentino Héctor Babenco, rodada en Brasil y adaptada por el estadounidense Leonard Schrader – es un perfecto ejemplo de lo que Puig entiende por ese vínculo de interdependencia de las culturas.

Aunque es cierto que el cine proporcionó algunas de las imágenes y narrativas de mayor impacto del siglo XX, también es cierto que hoy en día es la televisión la que más influye en la conciencia pública. En Latinoamérica el género televisivo dominante es el de la telenovela. A pesar de que muchos críticos las han condenado por escapistas y por conservadoras y patriarcales, recientemente las telenovelas han recibido una crítica más favorable. Está claro que si las telenovelas influyen en las ideas y los valores de los televidentes, también han ido evolucionando para reflejar los cambios que atraviesa la sociedad.

De todos los cambios sociales que sufrieron España y Latinoamérica a lo largo del siglo XX no cabe duda de que el exilio forzado de muchos ciudadanos es uno de los más traumáticos. El triunfo de los nacionalistas en la Guerra Civil española obligó a muchos republicanos españoles, entre los cuales se hallaba un número considerable de intelectuales y artistas, a exiliarse. La gran mayoría de exiliados fueron a Latinoamérica, donde muchos pudieron seguir trabajando debido a una combinación de factores económicos propicios y al hecho de que hablaban un mismo idioma. Entre los intelectuales que se exiliaron en Latinoamérica cabe destacar a Buñuel, que rodó muchas películas en México, y a Rafael Alberti – poeta, artista y dramaturgo comunista – que se fue a Argentina para no regresar a España hasta el año 1977, tras el retorno de la democracia.

En Latinoamérica la oleada de los exiliados comenzó con las dictaduras militares de los años 70. La cuestión del exilio en sí se convertiría en un tema constante en la poesía y la literatura de la época: poetas como la nicaragüense

Gioconda Belli intentaron asumir y comunicar el sufrimiento que produce el exilio. Mientras que los escritores y poetas pudieron seguir trabajando, la situación para los cineastas latinoamericanos en el exilio fue indudablemente más difícil. El cine chileno es quizás la excepción a la regla, ya que entre 1973 y 1986, la época de la dictadura de Pinochet, los exiliados chilenos produjeron alrededor de 200 películas, de las cuales muchas se centraron en los problemas del exilio y la inmigración. La gran concienciación del público internacional en lo referente a la situación política de Chile y la eficaz organización de campañas solidarias contribuyeron a crear un clima favorable en el cual los cineastas chilenos pudieron realizar sus películas. Sin embargo, algunos cineastas que huyeron de dictaduras en otros países, como Argentina por ejemplo, donde el trasfondo político no era tan conocido en el extranjero, se enfrentaron con obstáculos considerables.

Así como el exilio político ha representado un papel fundamental en la sociedad tanto en España como en Latinoamérica, la inmigración y la emigración por razones económicas también han tenido una influencia importante. Durante la dictadura de Franco muchos españoles se trasladaron a otros países de Europa más prósperos para trabajar, y numerosas familias en los años 50 y 60 se vieron divididas por la necesidad económica de salir a trabajar al extranjero. Esto contrasta con la situación actual donde España – ahora miembro de la Unión Europea – ha venido a ser un foco central para la inmigración proveniente de África y de Latinoamérica. Esta situación ha creado tensiones graves dentro de España; en muchos casos los inmigrantes se han tenido que enfrentar a un clima de hostilidad, prejuicio y discriminación. No cabe duda de que el tema de la inmigración constituye todo un reto para España y que la manera en que se resuelvan los conflictos y tensiones que genera determinará en cierta medida su progreso en el siglo XXI.

Este proceso de emigración por razones económicas ha afectado también la vida de muchos latinoamericanos. Por ejemplo México, que comparte una larga frontera con un vecino mucho más rico, siempre ha sentido una gran atracción por los Estados Unidos: miles de mexicanos se han querido escapar de la pobreza relativa de su propio país y, sin embargo, al cruzar a los Estados Unidos ilegalmente, han acabado siendo explotados, trabajando en condiciones pésimas y proporcionando mano de obra barata. A menudo, el sueño de una vida mejor 'al otro lado' se quebranta ante la cruel realidad a la que se enfrentan los emigrantes.

Mientras que los procesos de emigración y exilio han representado un papel fundamental en la formación de las sociedades hispánicas, no cabe duda de que la institución que ha ejercido más influencia ha sido la Iglesia católica. En Latinoamérica el papel de la Iglesia fue central durante la conquista de América y sigue siendo importante. Sin embargo, a pesar de su gran influencia en el continente, también es cierto que el contacto con el Nuevo Mundo ha cambiado a la Iglesia a su vez. Si bien está claro que a lo largo de la conquista de América la misión principal de la Iglesia era la de convertir a la población indígena al catolicismo, también es cierto que frecuentemente la Iglesia incorporaba ritos y símbolos de diversas religiones indígenas a la misa católica a fin de ganarse la aceptación local. Hoy en día aun se observan sutiles variaciones en los ritos católicos, frutos de la necesidad que ha tenido la Iglesia de adaptarse al contexto local para ser aceptada y testimonio de la mezcla de culturas que forma el mosaico hispano.

En la historia reciente, el cambio más profundo que ha afectado a la Iglesia católica ha sido inspirado por la Teología de la Liberación. En 1968, en Medellín, Colombia, con ocasión de la Conferencia General del Episcopado Latinoamericano, los obispos afirmaron la centralidad de los pobres y la necesidad urgente de luchar por su liberación: así nació la Teología de la Liberación, es decir, el compromiso de la Iglesia para suplir las necesidades tanto materiales como espirituales de los pobres. Arrancó con más fuerza en Latinoamérica, donde la penuria económica en la que se encontraba una gran sección de la sociedad, acompañada por una radicalización cada vez más aguda a nivel político, sirvió como caldo de cultivo para la propagación de sus ideas. Sin embargo, incluso el movimiento mismo de la Teología de la Liberación se ve afectado por cambios culturales, políticos, económicos y sociales: la hostilidad de la jerarquía católica; el fracaso de los Sandinistas en Nicaragua; el éxito de la economía de libre mercado y el auge en el campo del evangelismo protestante apuntan hacia un futuro incierto.

En España, la Iglesia católica representó un papel reaccionario durante la mayor parte del siglo XX. Después de verse considerablemente amenazada por las reformas seculares de la Segunda República (1931–6), la Iglesia apoyó a los nacionalistas durante la Guerra Civil y a Franco cuando se hizo con el poder. Uno de muchos privilegios con los que elogió Franco a la Iglesia fue la enseñanza obligatoria de la religión católica en la escuela. Sin embargo, con la llegada de la democracia y una constitución no confesional, el poder de la Iglesia empezó a disminuir. Es más, los cambios dramáticos que han sacudido a España desde la muerte de Franco y el nacimiento de una nación pluralista, liberal y moderna presentan a la Iglesia con uno de sus desafíos más grandes hasta ahora: cómo adaptarse al nuevo mundo laico.

3.1

Se ha dicho que el cine es un espejo que refleja la sociedad, aunque también puede cambiar nuestro modo de ver el mundo. La autora española Josefina Aldecoa (1926–) evoca en este hermoso texto la magia de las imágenes cinematográficas, que cambiaron su forma de ver el mundo y la de toda una generación.

Ojos como pantallas

Josefina Aldecoa

La primera vez que visité Madrid era el otoño de 1942 y yo tenía quince años. Mi padre me invitó a acompañarle en un corto viaje a la ciudad lejana y mitificada por nosotros, los adolescentes de provincias. Supongo que la visita, incluido el Museo del Prado, debió impresionarme. Pero lo curioso es que lo único que recuerdo claramente es el descubrimiento de dos catedrales del cine: el Callao y el Capitol, salas a las que mi padre me llevó en su afán◆ de mostrarme la importancia de Madrid.

Cuando regresé a León y todos me preguntaron qué tal la, entonces, excursión insólita, yo recuerdo que repetía: *"La ciudad maravillosa, sobre todo los cines. El Callao es como un palacio todo en amarillos y el Capitol otro palacio, todo en rojos"*. Más tarde nunca volví a preguntarme por la exactitud de esos colores que decoraban por dentro aquellas muestras de lujo y poderío. Yo venía de la grisura◆ y el apagado sobrevivir de la posguerra en una pequeña ciudad y la visión de Madrid, a pesar de las huellas de la reciente tragedia, me deslumbró. Y fueron los edificios que albergaban las salas de cine los que más me fascinaron. En las frecuentes reflexiones sobre el pasado, cada vez entiendo mejor esa reflexión mía, aparentemente exagerada. Porque ya entonces era el cine la única ventana abierta al mundo, la única vía de evasión de una realidad áspera y cruel.

La mía fue una infancia en blanco y negro. La guerra, la posguerra, la desolación de la época ha quedado reflejada en los documentales cinematográficos. Años después, en el Nueva York de los últimos cincuenta, Ignacio y yo veíamos por primera vez los documentales prohibidos. El texto de Hemingway, la voz de Orson Welles, la presencia de Buñuel. Tierra española destrozada y revivida en un cine de Broadway. El cine nos devolvía la historia de nuestra infancia en blanco y negro.

En cuanto a aquellas películas que de niños veíamos: Charlot, La Pandilla, El Gordo y el Flaco, Fu-Manchú, Tarzán, eran las que, en mi caso, pasaban en la sala de los Agustinos los domingos por la tarde para el público infantil. Y en todas ellas, el blanco y negro era el único y vigoroso soporte de las imágenes.

Pero fue en el año cuarenta y cuatro, al trasladarme a vivir a Madrid con toda mi familia, cuando el horizonte se amplió considerablemente y el cine empezó a tener un significado consciente en mi vida cotidiana. El cine era un refugio de la escasez y la pobreza. Cines de barrio que por edad y cercanía nos correspondían: Espronceda, Bilbao, Fuencarral. Programas dobles del Cine Chueca al que íbamos los hermanos mayores acompañados de los pequeños, con bocadillos incluidos. Tardes de jueves y domingos. Largas sesiones de alegrías y entusiasmo, ilusión y esperanza. Adolescencia ante la pantalla. Con todos sus recortes y doblajes aptos para menores, nos llegaban tantas cosas… Había un mundo ancho y ajeno que nos estaba prohibido. Y al menor destello de ese mundo, el ensueño◆ crecía, la imaginación se disparaba. Durante unas horas todo era posible en la pantalla. En la calle quedaban la triste realidad, las quejas familiares, los problemas: la difícil tarea de salir adelante.

El cine, el mensajero eficaz de las pequeñas o grandes historias, nos enseñaba, mientras tanto, un lenguaje que transformó nuestra capacidad de percibir. A través del cine descubrimos la épica, la denuncia de la injusticia, los gérmenes de las revoluciones. Una forma nueva de reaccionar ante las situaciones y una forma diferente de pensar y proyectar. Con una economía de elementos impresionante, el cine nos hizo conocer modelos de vida, formas de expresar los sentimientos, de imaginar lo apenas sugerido. La censura monolítica y torpe como era, no pudo impedir que el cine despertara en nosotros rebeldías, preguntas, dudas.

Al final de los cuarenta empiezan a llegar las películas de la Segunda Guerra Mundial: sangre, sudor y lágrimas también en blanco y negro. Soldados heroicos, enfermeras valientes, enemigos sanguinarios. Noticias de una historia que estaba sucediendo ahí, al otro lado de la frontera pirenaica. Noticias de países implicados, el horror de los combates, la angustia de la retaguardia.

Y con la primera juventud nos llegó el cine en color. Paisajes exóticos, musicales brillantes, la Historia con mayúscula, el paso de los siglos con vestuarios y decorados fastuosos. Comedias de costumbres, aventuras emocionantes. El Oeste y los indios. La vida en Tecnicolor.

Más tarde fueron los viajes a París en busca del cine prohibido, los libros prohibidos, en busca sobre todo del excitante sabor de la libertad. Y al pasar los años, cuando esa libertad alcanzó España, el cine siguió reflejando en las pantallas de nuestros ojos el ritmo cambiante de la vida, los objetos, los paisajes que nunca veremos, la luna que nunca pisaremos.

El cine nos ha hecho como somos. Para nosotros, el amor no volvió a ser el mismo después de *Breve encuentro*, *Rebeca* o *Intermezzo*. El terror no volvió a ser el mismo después de *Los pájaros*, la épica cobró todo su sentido en *El acorazado Potemkin*. La afinidad conmovedora con *El ladrón de bicicletas* nos afianzó en la necesidad de la denuncia testimonial.

Junto con los libros, el cine fue para nosotros, los adolescentes de entonces, el alimento básico que iba a contribuir al desarrollo de nuestras actitudes sentimentales y de nuestra formación intelectual.

El tiempo ha pasado sobre nosotros y sobre las inolvidables imágenes del cine en blanco y negro. Pero hoy como antes, resguardados en la confortable butaca de un íntimo minicine, seguiremos vibrando con el cine de hoy, más complejo, más elaborado, pero con la misma intensidad y parecida fuerza a aquella que tenía en sus comienzos.

Yo no sería la que soy, no me reconocería a mí misma si tuviera que borrar de mis ojos las imágenes imborrables de mil horas de cine. Ojos como pantallas por las que desfilaba la vida en imágenes amadas, sorprendentes, reveladoras. Una forma diferente de ver. Un modo de resumir y concretar el mensaje narrativo en una nube que pasa, un gesto, una lágrima, una música que adelanta el gozo, el miedo, la emoción de lo que va a venir. Ojos como pantallas, para siempre.

(Fuente: *Nickel Odeon, Revista trimestral de cine*, nº. 7, julio–septiembre de 1997, pp. 90–3)

Glosario◆

afán   deseo, empeño

grisura   cualidad de gris

ensueño   sueño, fantasía

- Aldecoa explica cómo el esplendor del cine contrastaba con el ambiente gris de la España de la época. ¿En qué momento histórico se sitúan la infancia y juventud de la autora?

- Para Aldecoa, "el cine nos ha hecho como somos". ¿Qué significa el cine para usted?

3.2

Con *Fresa y chocolate*, dirigida por Tomás Gutiérrez Alea (1928–99) y Juan Carlos Tabío (1943–), el cine cubano alcanza resonancia internacional. La película contrapone dos visiones opuestas de la revolución: la monolítica, hecha de consignas, representada por el joven David, y la creativa e independiente, encarnada en la figura de Diego, un homosexual lleno de amor por su país.

FRESA Y CHOCOLATE

David ¿Por qué tú eres…?

Diego *(algo sorprendido)* ¿Maricón?◆ Porque sí. Mi familia lo sabe.

David Ellos tienen la culpa.

Diego ¡No! ¿Quién dijo? ¿Por qué?

David Si te hubieran llevado al médico cuando chiquito… Eso es un problema endocrino.

Diego *(Atragantándose sin poder contener la risa)* ¡Por favor, David! ¿Qué teoría es esa? Parece mentira en un muchacho universitario. ¿A ti te gustan las mujeres? A mí me gustan los hombres. ¡Eso es perfectamente normal! Además, ocurre desde que el mundo es mundo. Y eso no impide que yo sea una persona decente y tan patriota como tú.

David Sí, pero tú no eres revolucionario.

Diego *(Poniéndose serio)* ¿Quién te dijo a ti que yo no soy revolucionario? *(Pausa. Diego se pone en pie)* Yo también tuve ilusiones, David. A los catorce años me fui a alfabetizar♦, ¡porque yo quise! Fui para las lomas♦ a recoger café, quise estudiar para maestro… ¿y qué pasó? ¡Que esto *(se señala la cabeza)* es una cabeza pensante, y ustedes, al que no dice que sí a todo, en seguida lo miran mal y lo quieren apartar!

David ¿Pero qué ideas diferentes son las que tú tienes? ¡Eso es lo que yo quiero saber! ¿Cuáles son? ¿Montar las exposiciones esas con esas cosas horribles?

Diego ¿Y qué defiendes tú, chico?

David Yo defiendo a este país.

Diego ¡Yo también! ¡Que la gente sepa lo que tiene de bueno! ¡Yo no quiero que vengan aquí los americanos ni nadie a decirnos aquí lo que tenemos que hacer!

David Está bien. ¿Pero tú no te das cuenta que con todas esas monerías♦ que tú haces nadie te puede tomar en serio? Tú te has leído todos esos libros, ¿verdad? Pero nada más que piensas en machos…

Diego *(Cada vez más alterado)* Yo pienso en machos cuando hay que pensar en machos, ¡como tú en mujeres! Yo no hago ninguna monería, ni soy ningún payaso. Dicen que soy un enfermo, un anormal, ¡pero no lo soy, coño, no lo soy! ¡Ríanse de mí, ríanse, yo también me río de ustedes! Formo parte de este país, ¡aunque no les guste! Y tengo derecho a hacer cosas por él. ¡De aquí no me voy ni aunque me den candela por el culo! ¡Sin mí le faltaría un pedazo, para que te enteres, comemierda! *(Va hacia la puerta y la abre, dándole la espalda a David)* Hazme el favor de irte. *(David vacila, pero sale. Diego cierra la puerta tras él.)*

(Fuente: Guión de la película *Fresa y chocolate*, de Gutiérrez Alea, T. y Tabío, J. C.)

Glosario♦

maricón homosexual (vulgar)

alfabetizar Enseñar a leer y a escribir. Después de la Revolución cubana se organizó una importante campaña de alfabetización en la que muchos jóvenes de la ciudad se fueron a vivir con familias campesinas para enseñarles a leer y a escribir. La campaña de alfabetización fue uno de los grandes logros de la Revolución castrista.

lomas elevaciones del terreno, montes

monerías Aquí, acciones o cosas propias de un mono. Diego es artista, y David no aprecia su obra, que es poco convencional.

- Compare las posturas de los dos amigos acerca de la homosexualidad.
- ¿Cómo imagina usted que puede continuar la relación entre los dos amigos después de esta discusión?

3.3

Muchas obras literarias han sido llevadas a la gran pantalla. Aquí tiene un fragmento de la novela *El beso de la mujer araña* (1976), del escritor argentino Manuel Puig (1932–), que fue llevada al cine por el director Héctor Babenco en 1985. En la infecta celda de la cárcel de Sao Paulo donde ambos se hallan presos, Luis Molina, preso común y homosexual, mata el tiempo contándole a Valentín Arregui, preso político, las películas que le apasionaron.

EL BESO DE LA MUJER ARAÑA

– ¿Y vos dónde la viste?

– Acá en Buenos Aires, en un cine del barrio de Belgrano.

– ¿Y daban películas nazis antes?

– Sí, yo era chico pero durante la guerra venían las películas de propaganda. Pero yo las vi después, porque esas películas las seguían dando.

– ¿En qué cine?

– En uno chiquito que había en la parte más alemana del barrio de Belgrano, la parte que era todo de casas grandes con jardín, en la parte de Belgrano no que va para el río, la que va para el otro lado, para Villa Urquiza, ¿viste? Hace pocos años lo tiraron abajo. Mi casa está cerca, pero del lado más chusma♦.

– Seguí con la película.

– Bueno, de golpe se ve un teatro bárbaro♦ de París, de lujo, todo tapizado de terciopelo oscuro, con barrotes cromados en los palcos y escaleras y barandas también siempre cromadas. Es de *music hall*, y hay un número musical con coristas nada más, de un cuerpo divino todas, y nunca me voy a olvidar porque de un lado están embetunadas de negro y cuando bailan tomándose de la cintura y las enfoca la cámara parecen negras, con una pollerita♦ hecha toda de bananas, nada más, y cuando los platillos dan un golpe muestran el otro lado, y son todas rubias, y en vez de las bananas tienen unas tiritas de strass, y nada más, como un arabesco de strass.

– ¿Qué es el strass?

– No te creo que no sepas.

– No sé qué es.

– Ahora está otra vez de moda, es como los brillantes, nada más que sin valor, pedacitos de vidrio que brillan, y con eso se hacen tiras, y cualquier tipo de joya falsa.

– No pierdas tiempo, contame la película.

– Y cuando termina ese número queda el escenario todo a oscuras hasta que por allá arriba una luz se empieza a levantar como niebla y se dibuja una silueta de mujer divina, alta, perfecta, pero muy esfumada, que cada vez se va perfilando mejor, porque al acercarse va atravesando colgajos♦ de tul, y claro, cada vez se la va pudiendo distinguir mejor, envuelta en un traje de lamé plateado que le ajusta la figura como una vaina♦. La mujer más divina que te podés imaginar. Y canta una canción primero en francés y después en alemán. Y ella está en lo alto del escenario y de repente a los pies de ella como un rayo se enciende una línea recta de luz, y va dando pasos para abajo y a cada paso, ¡paf! una línea más de luz, y al final queda el escenario todo atravesado de estas líneas, que en realidad cada línea era el borde de un escalón, y se formó sin darte cuenta una escalera toda de luces. Y en un palco hay un oficial alemán joven, no tan joven como el teniente del principio, pero muy buen mozo también.

– Rubio.

– Sí, y ella es morocha*, blanquísima pero de pelo renegrido.

– ¿Cómo es de cuerpo?, ¿flaca o bien formada?

– No, es alta pero bien formada, aunque pechugona* no, porque en esa época se usaba la silueta llovida*. Y al saludar se cruzan las miradas con el oficial alemán. Y cuando va al camarín* encuentra un ramo hermoso de flores, sin tarjeta. Y en eso le golpea la puerta una de las coristas rubias, bien francesa. Bueno, lo que no te dije es que lo que cantó fue algo muy raro, a mí me da miedo cada vez que me acuerdo de esa pieza que canta, porque cuando la canta está como mirando fijo en el vacío, y no con mirada de felicidad, no te vayas a creer, no, está asustada, pero al mismo tiempo no hace nada por defenderse, está como entregada a lo que le va a pasar.

(Fuente: Puig, M. (1976) *El beso de la mujer araña*, Barcelona, Editorial Seix Barral SA, pp. 56–8)

Glosario*

chusma   despreciable, vulgar

bárbaro   espléndido, extraordinario

pollerita   faldita (Amér.)

colgajos   cosas que cuelgan (generalmente despectivo)

vaina   funda

morocha   morena (Arg.)

pechugona   con mucho pecho (coloquial)

llovida   aquí, esbelta, fina

camarín   en un teatro, habitación en la que un actor o artista se viste y maquilla

- ¿Cuál es la actitud del personaje que cuenta la película? ¿Le gusta el cine?
- ¿Qué va a sucederle a la hermosa cantante?

3.4

Una de las figuras más destacadas de la historia del cine es el director español Luis Buñuel (1900–83). En esta entrevista, Buñuel comenta algunos aspectos de una de sus mejores obras, *Viridiana* (1961), y del escándalo que rodeó su estreno.

El retorno a España: *Viridiana*

–*Viridiana* es una de las películas clave de usted, una de las más famosas, y significa su reencuentro con España. ¿Cómo surgió? ¿De dónde viene el nombre?

–El nombre viene del latín *viridium*: sitio verde. Allá por 1910, cuando yo estaba estudiando con los jesuitas, había una revista, *La hormiga de oro*, que contaba, en un número, la vida de Santa Viridiana. No recuerdo si era una santa italiana, pero realmente existió. Aquí, en el Museo de la Ciudad de México, hay un retrato de ella: está con una cruz, una corona de espinas y unos clavos (esos objetos aparecen en la película). Bueno: después de filmar *Nazarín*, creo, Gustavo Alatriste, entonces casado con la actriz Silvia Pinal♦, me dijo que quería hacer una película conmigo: "Tiene usted libertad total para hacer la película a su gusto". Yo pensaba cobrar lo que había cobrado hasta entonces en México, pero Alatriste me ofreció cuatro veces más y quiso que filmáramos en España. Ahí empezó para mí el conflicto: ¿Debía ir a trabajar a España? Finalmente me dije: si la película es honesta, ¿por qué no hacerla?

–¿Cómo fue ese reencuentro con España?

–Conmovedor. Soy muy sentimental, vivo mucho de los recuerdos. Reencontré tantas imágenes personales, de la infancia, la adolescencia, la juventud, que fue como cuando volví a París después de la Segunda Guerra. Paseaba solo por las calles, con lágrimas en los ojos.
[...]

–¿La película trata de la inutilidad de la caridad cristiana?

–Más bien de su carácter contraproducente, porque produce catástrofes: el estropicio♦ de la casa por los mendigos, riñas entre éstos, la posible violación de Viridiana. Sin embargo, no se trata de una película anticaridad, ni antinada. No creo que criticar la caridad cristiana sea un asunto importante en nuestros tiempos. Sería un poco ridículo...
[...]

–La parodia de la Última Cena ha sido muy comentada, en todos los tonos, desde el elogio hasta la indignación.

–La indignación no la comprendo. Los mendigos están cenando y casualmente forman una composición como el cuadro de Leonardo.

–Una de las mendigas dice: "Voy a tomarles una foto con una camarita que mi madre me dio". Se alza las faldas y 'fotografía' – con el sexo, se supone – a sus compañeros en la composición 'leonardesca'.

–Es una vieja broma infantil española. Si alguien se coloca en una postura en que destaca mucho su trasero, se le grita: "¡Me estás fotografiando!" La mendiga repite esa broma, que es inocente, de niños.

–Pero, ¿es inocente que usted lo filme?

–Son mendigos españoles, son creyentes pero al mismo tiempo se toman libertades con la religión. Eso es muy español. No tienen mala intención. Además están borrachos, se divierten. Viridiana los ha tenido rezando y trabajando todo el tiempo. Esa orgía nocturna es para ellos una liberación. Otra cosa: a algunas personas les pareció mal que se viera la corona de espinas quemándose en una hoguera. ¿Qué hay allí de blasfemo? Los viejos objetos litúrgicos suelen ser quemados...

–Háblenos del escándalo que provocó *Viridiana*.

–Terminamos de filmarla poco antes del festival de Cannes y fue invitada a éste. El festival comenzó cuando aún se estaban haciendo las mezclas♦ en París. Dos o tres días antes de que terminara el concurso, Juan Luis llegó a Cannes con la copia, para exhibirla. Se le dio el premio ex aequo y un padre dominico, hermano de un banquero muy conocido, que estaba como corresponsal de *L'Osservatore Romano*♦ en el festival, escribió que *Viridiana* blasfemaba sobre los santos óleos♦, que el cine estaba perdido moralmente, etc. De *L'Osservatore*, esa opinión pasó a España, al episcopado♦, a los ministros. El director de Cinematografía español, que había recogido la Palma de Oro concedida a la película, fue destituido. El ministro de Información dimitió, pero Franco no aceptó su renuncia.

–La verdad es que el escándalo no sólo vino de parte de la 'España negra' sino también de la 'España de las luces'. Los exiliados republicanos españoles estaban indignados de que usted hubiera aceptado filmar en España bajo el régimen de Franco. El periodista Mirabal escribió en una nota: "Ya va el falso genio Buñuelito a España a servirle una película a Franco"... algo así.

–Ahora ya no me llama 'Buñuelito', sino don Luis.

(Fuente: *Documentos hispánicos – El cine español* (1992), Consejería de Educación, Centro de Recursos Didácticos)

Glosario◆

Silvia Pinal   actriz protagonista de *Viridiana*, presente también en otras películas de Buñuel

estropicio   destrozo

mezclas   aquí, combinaciones de imágenes y sonidos durante la edición de una película

L´Osservatore Romano   diario italiano, órgano de la Iglesia católica

santos óleos   aceite consagrado que se usa en algunas ceremonias religiosas

episcopado   conjunto de los obispos de la Iglesia de un país

- ¿Por qué vaciló Buñuel en ir a España a rodar *Viridiana*?
- Según lo que se deduce de la entrevista, ¿cuál es la actitud de Buñuel ante el catolicismo oficial?
- ¿Qué actitud adopta Buñuel durante la entrevista?

3.5

El director inglés Ken Loach (1936–) presenta en su película sobre la Guerra Civil española, *Tierra y libertad,* una visión particular de la solidaridad internacional obrera. La victoria de los falangistas (liderados por el General Franco) hizo imposible la realización de los ideales de justicia e igualdad de muchos jóvenes milicianos que lucharon junto al bando republicano.

Tierra y libertad: la utopia

El proyecto de *Tierra y libertad* se remonta a cinco años antes cuando la caída del muro de Berlín estaba todavía reciente, y el desmorona-miento♦ de Yugoslavia y el cerco de Sarajevo no suponían una tragedia presente en nuestros días sin posibilidad de acabar.

Con todos estos elementos de partida el director fue gestando la estructura de la película en la que aborda un modelo de solidaridad internacional auspiciado por la clase obrera durante la Guerra Civil española.

Para Loach, *"fue un modelo de solidaridad de clase, pero a favor de los obreros, y no de sus explotadores. La historia de los hombres y mujeres que estuvieron dispuestos a sacrificar sus vidas merece la pena ser contada".*

La búsqueda del ideal, la solidaridad, el sentido de la amistad que prevalece sobre todas las cosas, temas recurrentes en el cine de Ken Loach, están omnipresentes en *Tierra y libertad,* expresión de la vitalidad que caracteriza a sus personajes y a quienes la injusticia les afecta sobremanera♦.

Por unos instantes la ilusión se hace realidad, el reparto de tierras, la abolición de las fronteras, un lenguaje común, una tierra que necesita nuevas manos para ser labrada, manos de libertad.

Una ficción que traspasa la realidad

La realidad y la ficción forman parte de una misma idea para Loach. En sus películas pone todo su empeño en♦ vivir las experiencias, no describirlas, dotándolas de un naturalismo que confiere a sus imágenes el halo de la autenticidad. El director y el guionista de *Tierra y libertad* han conseguido que los

Tierra y libertad

Otoño de 1936. David, un joven comunista en paro, harto de las movilizaciones y la falta de acción efectiva, deja Liverpool para incorporarse a la lucha contra el fascismo en el inicio de la Guerra Civil española. A su llegada a España ingresa en la Sección Internacional de la Milicia Republicana en el Frente de Aragón. Luchando en las trincheras contra los fascistas, conoce a otros milicianos: Bernard, Lawrence, Coogan, Blanca y Maite. David resulta herido y tiene que ser hospitalizado en Barcelona. Allí descubre que su propio bando – el comunista – se preocupa más de resolver las diferencias con sus aliados que de luchar contra el enemigo común. David se encuentra dividido entre su lealtad al partido y su nuevo amor, Blanca. La resolución de este dilema y su regreso al frente parece conducir inevitablemente a una tragedia, pero, al final, su sueño revolucionario se mantiene.

actores se impregnen del personaje que encarnan.

[…]

El núcleo central de *Tierra y libertad* se encuentra en dieciséis milicianos y milicianas proced-entes, al igual que los actores que los interpretan, de toda Europa y Estados Unidos. *"Reunir a un grupo de personas para que se conozcan y estrechen lazos – comenta Loach – es una manera muy fructífera de trabajar ya que genera chispas que dan lugar a acontecimientos y relaciones que contienen en sí mismos su propia vida e identidad".* Ian Hart, que interpreta a David, el joven comunista que deja Liverpool para luchar contra el fascismo, dice que en un principio no comprendía realmente a su personaje. *"A medida que avanzó el rodaje, me di cuenta que esta confusión inicial era deliberada, al igual que le sucedía a David".*

Para Rosana Pastor – que incorpora a Ana, una mujer luchadora y apasionada que nunca se deja vencer por la derrota♦ – *"al vivir tan intensamente la película llegué a estar muy vulnerable, pero también muy fuerte... Trabajar con Ken Loach es una experiencia; personaje e intérprete constituyen una sola realidad".*

Icíar Bollaín, para quien Loach escribió expresamente su per-sonaje, comenta: *"Ken nos quitó toda referencia en que basarnos. Pero es emocionante, es muy físico, tienes que sentirte muy fuerte... En la escena en la que Coogan es asesinado todos estábamos realmente llorando. Fue entonces cuando nos dimos cuenta que era una forma válida de trabajar porque produjo sentimientos reales".*

(Fuente: Cine Renoir Princesa, (1995), Madrid)

Glosario◆

desmoronamiento   destrucción, desmembramiento

sobremanera   mucho

pone todo su empeño en   hace un gran esfuerzo por

derrota   fracaso

- ¿Qué quiere decir Rosana Pastor al afirmar que "trabajar con Ken Loach es una experiencia"?

- ¿Qué valores resaltados por *Tierra y libertad* siguen teniendo validez en el mundo actual?

- ¿Cómo se relaciona la historia de la Guerra Civil española, contada por Loach, con la historia europea reciente?

3.6

Si hubo un cineasta emblemático del cine español de las dos últimas décadas del siglo XX, ese fue Pedro Almodóvar; y si hay que citar una película que haya superado las fronteras del país para dar la campanada internacional, esta ha sido *Mujeres al borde de un ataque de nervios*. Estrenada en 1988, la película no ha perdido ni una gota de su frescura y actualidad.

Almodóvar

Omar Khan

La trascendencia del cine de Pedro Almodóvar reside en su capacidad para vibrar con el entorno y, al mismo tiempo, retratar las más arrebatadas♦ pasiones.

[...]

Mujeres al borde de un ataque de nervios traza una gruesa línea que divide la compleja y coherente filmografía de Pedro Almodóvar en un antes y un después. No solamente porque se trata de la película con la que se dio a conocer internacionalmente, sino porque, con ella, inicia un vuelco estilístico de envergadura♦ en lo que había sido su manera de ver y entender el cine. Es ésta la última gran película de su primera etapa como realizador.

La figura de Pepa sentada sobre una maleta, con el corazón desgarrado y la cama del desengaño♦ chamuscada♦ después del incendio, es más que un símbolo almodovariano. Es una imagen que se identifica como un icono del cine español de los ochenta y que define un modo de narración cinematográfica único, cuya invención es mérito total de Pedro Almodóvar.

[...]

¿La chica Almodóvar?

Algo es seguro. La *chica Bond* existe y es una tipología perfectamente identificable. Es más, hay dos categorías: la buena y la mala. Y ambas tienen en común el hecho de querer ligarse al agente con licencia para matar. Pero, con el correr del tiempo, dentro y fuera de España, se ha insertado la frase *chica Almodóvar* como si tal cosa. Habría que preguntarse primero si eso existe y luego, si la respuesta es afirmativa, qué es, qué función tiene y para qué sirve.

La mujer ocupa un lugar fundamental en el cine del director manchego♦ y no hay mejor muestra de ello que la pandilla♦ de *Mujeres al borde de un ataque de nervios*, cuyo título habla por sí solo. Pero reducirlas a buenas y malas, a viejas o jóvenes, a acomplejadas o extravagantes, no es lo que más ayuda.

Madres, lesbianas, agresivas... En su universo hay de todo. Libidinosas a montón♦, madres abnegadas a chorros♦, lesbianas en proporciones considerables, vampiras a granel♦, niñitas en cantidad♦ y agresivas por un tubo♦. Generalmente no son chicas débiles, aunque las hay. Sus prototipos de malignas son tías♦ que exudan sexo y levantan oscuras pasiones desde la platea, como la Assumpta Sema de *Matador* o la cínica Victoria Abril de *Kika*. Y a ellas se contraponen las entrañables amas de casa, donde es reina absoluta la Carmen Maura de *¿Qué he hecho yo para merecer esto?*, aunque no hay que olvidar las múltiples abuelitas caseras de Chus Lampreave. En el apartado madre, no hay que olvidar a la obsesa Marisa Paredes de *Tacones lejanos* ni las geniales construcciones de Julieta Serrano. En el capítulo de exóticas estrafalarias♦ están todas las Rossy de Palma y, recientemente, la Francesca Neri de *Carne trémula*. Siendo ellas tan diversas, parece arbitrario englobarlas dentro de esa abstracta categoría unificadora de *chica Almodóvar*.

(Fuente: *Cartelmanía* (1998) Madrid, PROGRESA, p. 2)

Glosario◆

arrebatadas   apasionadas

de envergadura   importante

desengaño   impresión negativa que se recibe al comprobar que una cosa o una persona no responde a lo que se esperaba de ella

chamuscada   ligeramente quemada

el director manchego   el director originario de La Mancha, es decir Almodóvar

pandilla   grupo de amigos

a montón, a chorros, a granel, en cantidad, por un tubo   muchas, en grandes cantidades (expresiones coloquiales)

tías   chicas, mujeres (coloquial, sobre todo en España)

estrafalarias   extravagantes y ridículas

- ¿Por qué ha sido *Mujeres* una obra tan significativa en la carrera de Pedro Almodóvar?
- ¿Por qué es difícil definir a 'la chica Almodóvar'?
- ¿Qué adjetivos se le ocurren para calificar el cine de Almodóvar?

3.7

Los tres textos que siguen presentan el fenómeno de las telenovelas desde perspectivas distintas: la del autor de telenovelas que defiende su profesión, pasando por la de la socióloga que se pregunta por su repercusión social, hasta la del guionista 'arrepentido' que echa pestes del género.

http://www.etheron.net/arsymachina/número_7/padron.htm

TRAS LA PISTA DE LA TELENOVELA INTELIGENTE

¿Cuál es su diagnóstico respecto al proceso de evolución de la telenovela en Latinoamérica?

Yo creo que el saldo ha sido positivo♦, es decir, que sí que veo una evolución tanto en la factura♦ técnica como en el espectro argumental♦, que se ha ampliado y se ha hecho más variopinto♦. No obstante, hay que reconocer que concretamente en Venezuela ha habido un proceso de retroceso, en el sentido de que se ha tendido a repetir esquemas, desgastando hasta el cansancio la forma clásica. Lo lamentable en este asunto es que quienes deciden son los gerentes de industria; ellos no suelen ser arriesgados, suelen andar sobre pasos seguros, repitiendo fórmulas exitosas. No buscan experimentar, abrir nuevas puertas, y esto es lo peor que le puede pasar a un género tan joven, todavía en pleno desarrollo.

Y en cuanto al nuevo papel asumido por la mujer en la sociedad, ¿piensa usted que las telenovelas están reflejándolo?

Sí, pienso que sí. Por ejemplo, ahora ves mujeres que trabajan fuera de casa, con ambiciones que van más allá del amor de un hombre, con metas personales y profesionales, con deseos de realización. Pero también es cierto que puedes encontrar telenovelas, y muchas, que siguen conservando los mismos estereotipos de los años 50 porque gran parte de la población tampoco ha evolucionado en cuanto a sus expectativas. Otra franja ni siquiera tiene expectativas, sino urgencias, afán de supervivencia. Buena parte de Latinoamérica está llena de sobrevivientes, no de ciudadanos, con un nivel de información precario y altas dosis de analfabetismo. Es gente que disfruta de un espectáculo elemental porque sigue siendo gente con un nivel estético elemental. Creo que nuestra televisión tiene una fuerte conexión con nuestra realidad social.

El oficio de escribir telenovelas se percibe entre los intelectuales como un trabajo 'de medio pelo'♦, ¿por qué decide usted lanzarse a ese terreno de la creación literaria tan desprestigiado?

A mi parecer hay demasiados intelectuales cargados de prejuicios, que no quieren mancillarse♦ con la 'cultura de masas'. Yo, por el contrario, siempre he pensado que a Venezuela le ha hecho mucho daño la distancia que mantienen sus intelectuales respecto a su propio país. La presencia de autores procedentes de la literatura ha hecho y puede hacer mucho bien al género.

(Fuente: http://www.etheron.net/arsymachina/número_7/padron.htm) [último acceso el 14 de marzo de 2000]

Glosario♦

el saldo ha sido positivo   el resultado final ha sido favorable

factura   ejecución

espectro argumental   conjunto de los elementos de la trama

variopinto   heterogéneo

'de medio pelo'   de poca clase o categoría

mancillarse   mancharse, ensuciarse (en el sentido moral)

3.8

JÓVENES Y TELEVIDENTES: LA ESQUIZOFRENIA EN ACCIÓN

¿Cuáles pueden ser las principales preocupaciones de las jóvenes venezolanas hoy en día? Una rápida encuesta entre jóvenes estudiantes entre 14 y 16 años de clase media, en la ciudad de Caracas, nos indica que su principal preocupación es finalizar sus estudios de bachillerato, quizá seguir alguna carrera universitaria o técnica, si antes no se casan o, luego, casarse. La minoría declara que, a lo mejor, trabajar en lo que estudiaron.

[...]

Quizá una de las causas que induce a estas respuestas sea la fuerte influencia de las telenovelas, las que, en Venezuela, constituyen el 'plato fuerte'✦ de la programación diaria de los canales de TV, especialmente concebidas para una audiencia masiva de mujeres, tanto en horario vespertino✦ como nocturno. Este género, que ha dado tanto que hablar a intelectuales, sociólogos, psicólogos, entre otros, sigue dictando pautas✦ de conducta y comportamiento a millones de personas que, pasiva y dócilmente, digieren estas historias fuertemente ideologizadas o ideologizantes, sin presentar a cambio ninguna posibilidad de intercambio crítico, constructivo o enriquecedor entre el público y quienes escriben guiones de *soap opera*, ese término tan peculiar con que se identifica al género en los Estados Unidos.

[...]

Ahora, la gran paradoja es que, mientras las jóvenes sueñan especialmente con casarse, en el país sigue aumentando el problema del alto índice de adolescentes embarazadas, de aborto clandestino, pero también sigue aumentando el número de mujeres que accede al mercado de trabajo. Se calcula que, del 16% de hace unos años, las mujeres están ocupando hoy en día el 38% de las plazas en el mercado. Ciertamente que la dura realidad del círculo de la pobreza, que atenaza✦ especialmente a la población femenina de escasos recursos hace que sus triples y cuádruples jornadas permitan seguir sosteniendo las riendas✦ de una familia en ruinas y que poco tiene que ver con cenicientas rescatadas por apuestos galanes y príncipes azules 'forrados en billetes' que siempre abundan en los libretos de las afamadas telenovelas...

Pero quizá haya que aceptar que de ilusiones también se vive, que son necesarias y que, por tanto, no haya que preocuparse mucho por este asunto. ¿Será así?

(Fuente: http://www.reuna.cl/fempress/base/1995fp159venezuela.htm) [esta dirección ya no se encuentra en Internet]

Glosario✦

plato fuerte tema o asunto más importante

vespertino de la tarde

pautas normas

atenaza oprime

seguir sosteniendo las riendas continuar teniendo control o procurando los medios económicos

3.9

DE LA TELENOVELA Y EL PERFECTO IDIOTA LATINOAMERICANO

Durante veinte años escribí telenovelas para ganarme la vida y costear◆ mis vicios. Pero hace falta mucho estómago para avenirse◆ a escribir con artera◆ soltura la misma nauseabunda pendejada◆ una y otra vez. Parafraseando un título de don Alfonso Reyes, la telenovela es un género de 'invariable invención'. En esto de la invariabilidad argumental, Venezuela se lleva la palma◆. Pero sin duda lo más exasperante de la actividad telenovelesca lo constituye la invasión de 'intelectuales' y reformadores sociales de que el género es objeto periódicamente. El libretista transido de pudores literarios◆ discurre de este modo: modifíquense los contenidos, cámbiese la chabacanería◆ sensiblera◆ por inverosímiles efusiones 'desideologizantes', maximalismos feministas, manidos◆ recursos de melodrama social... imprímase a la telenovela un efecto de 'distanciamiento brechtiano' y convertiremos al televidente en una cruza de ama de casa con hombre nuevo guevarista.

(Fuente: http://www.eud.com/1997/10/04/04104AA.shtml) [esta dirección ya no se encuentra en Internet]

Glosario◆

costear   pagar los gastos de algo

avenirse   acceder

artera   ingeniosa

pendejada   necedad, estupidez

se lleva la palma   es el mejor, es el triunfador, gana el primer premio

transido de pudores literarios   lleno de un fingido sentimiento de dignidad literaria

chabacanería   cosa grosera o de mal gusto

sensiblera   excesivamente sentimental

manidos   utilizados en exceso

● ¿Qué opinión de las telenovelas tienen los tres autores? Y usted, ¿qué opina de ellas?

Dos elementos que han marcado la sociedad española y latinoamericana son la inmigración y el exilio. Los textos que aparecen a continuación tratan el tema desde diferentes perspectivas.

El sueño de una vida mejor en Europa lleva a muchos magrebíes a desafiar el peligro y lanzarse a las aguas del estrecho de Gibraltar. Muchos encuentran en ellas la muerte, otros consiguen alcanzar la costa, pero lo que les espera a su llegada está muy lejos del paraíso que imaginaron.

http://www.gui.uva.es:80/fer/

EL TRÁGICO VERANO DE LA INMIGRACIÓN

Mientras la Unión Europea hace planes para limitar la entrada de inmigrantes, el Gobierno español estudia medidas para ampliar el cupo◆ de trabajadores extranjeros. Esta situación, que parece contradictoria, se explica a la vista del trágico verano vivido en nuestro país, que es la puerta sur del continente para miles y miles de ciudadanos de África que huyen de las tremendas◆ condiciones de vida de sus países.

Las autoridades españolas calculan que en los últimos nueve años han muerto ahogadas, al cruzar el Estrecho en pateras◆ (a veces en simples lanchas inflables o en patines náuticos), no menos de doscientas personas. Son datos de los naufragios conocidos, no se sabe cuántas tragedias se produjeron sin que se tuviera nunca noticia alguna. Es imposible calcular la cantidad de personas que intentan llegar al paraíso europeo a través de nuestro país.

Fue a raíz del hundimiento de una patera en el Estrecho con más de treinta inmigrantes a bordo, a mediados de septiembre, cuando Amalia Gómez, secretaria general de Asuntos Sociales, anunció que el Gobierno podría ampliar el cupo anual de quince mil trabajadores extranjeros. También aseguró que se agilizarían◆ los lentos trámites◆ para la obtención de permisos de trabajo y residencia. La promesa quedó en el aire, a la espera de acuerdos con los sindicatos y otras fuerzas sociales.

Pero, lejos de los escenarios del gran drama humano de la inmigración ilegal, representantes de los Gobiernos europeos parecen prepararse para suspender trámites de asilo, facilitar expulsiones colectivas y poner, en fin, aún más difícil el acceso al continente de la masa humana del Tercer Mundo. De llevarse a cabo, este atrincheramiento afectaría tanto a los que buscan trabajo como a los que reclaman asilo.

Según se comentaba a finales de septiembre desde Bruselas en los medios de comunicación, representantes de los quince países miembros de la Unión Europea estarían estudiando la posibilidad de limitar el convenio de Ginebra de 1951 sobre refugiados. En caso de llegadas masivas de inmigrantes, las autoridades podrían 'congelar' las peticiones de asilo por un periodo de hasta cinco años. Las mismas informaciones señalaban que se negocia con Marruecos, Argelia y Túnez para facilitar las expulsiones colectivas de personas sin los papeles en regla◆.

También se controlaría la 'convivencia' entre cónyuges, para evitar la proliferación de

matrimonios circunstanciales, celebrados simplemente para legalizar la situación de los refugiados, inmigrantes o asilados. Incluso se estudiaría la implantación generalizada del sistema 'Eurodac' en toda la Unión. El 'Eurodac' permite almacenar y comparar los datos de las personas, incluidas las impresiones dactilares. Según fuentes comunitarias, se trataría de evitar la 'picaresca' de aquellos que piden asilo a la vez en varios países, para ganar tiempo.

España, muy por debajo de la media

Lo cierto es que la Unión Europea acoge en estos momentos a unos diez millones de emigrantes legales, que son el cuatro por ciento del total de la población. En nuestro país, la población emigrante es mucho menor, pues apenas representa el dos por ciento del total. Cada año se producen unas doscientas cincuenta mil peticiones de asilo en Europa. La palma se la lleva♦ Alemania, con cerca de ciento treinta mil, más de la mitad del conjunto de solicitudes. Mientras tanto, en España las peticiones de asilo apenas superan el número de cinco mil quinientas anuales, muchas menos que la citada Alemania, pero también que el Reino Unido, Holanda, Francia, Bélgica y Suecia.

De enero a julio, fueron interceptados en Andalucía más de tres mil magrebíes indocumentados. En Ceuta y Melilla♦ la situación ha sido y sigue siendo más que preocupante. Varios miles de personas procedentes de Argelia y de la región subsahariana pasaron el verano hacinadas♦ en ambos lugares, muchas de ellas al raso♦, con escasa comida y poca agua. Sin la documentación en regla, carecían de lugares en los que solucionar sus problemas burocráticos. Y es que el dispositivo humanitario que en la actualidad da respuesta a las necesidades básicas de los inmigrantes en las dos ciudades españolas del norte de África ha tenido que revisar constantemente sus presupuestos asistenciales♦ en la medida en que el colectivo de recién llegados adquiría el tamaño de una avalancha, como ha ocurrido en Melilla durante el verano. [...]

(Fuente: http://www.gui.uva.es:80/fer/) [último acceso el 14 de marzo de 2000]

Glosario♦

cupo cuota

tremendas terribles

pateras barcas de fondo plano usadas frecuentemente por inmigrantes ilegales

agilizarían harían más fáciles y rápidos

trámites procesos burocráticos

en regla acorde con la ley

la palma se la lleva destaca, sobresale

Ceuta, Melilla las dos ciudades españolas en el norte de África

hacinadas amontonadas

al raso a la intemperie, viviendo y durmiendo fuera, sin techo

presupuestos asistenciales gastos del Estado para la ayuda médica o social

Hay que decirlo

Manuel Rodríguez

Comprendo lo embarazoso de la situación, pero, como apostillaba♦ Fraga♦ en sus mejores tiempos: "Hay que decirlo". Con dolor debemos reconocer que en la España del centro todavía queda gente que se comporta como si estuviéramos en el imperio. Quizá mucha gente, o, por lo menos, demasiada. Muchos españoles de corazón duro que no han entendido que ni la raza, ni el color de la piel, ni la falta de monedas en los bolsillos, ni la ausencia de papeles, pueden ser argumentos suficientes como para clasificar al rebaño entre buenos y malos, entre hijos de Dios y huérfanos de todo.

Pero aquí pasa. Y pasa demasiado. Ocurre en Madrid con esos niños a los que el Insalud♦ no atiende; ocurre en Melilla♦ donde una alambrada♦ separa el mundo de los elegidos de la pobreza de los infieles; ocurre en el poniente de Almería, donde se subasta a los esclavos como en las películas rancias de Kunta Kinte; ocurre en cualquier costa a la que mire el Estrecho donde, cada dos por tres, se ahogan algunos desgraciados que quisieron huir del mundo agónico en el que malvivían; ocurre en las bocas de metro, en los soportales de las ciudades lluviosas, en los charcos de los arrozales, debajo de los plásticos de los cultivos extratempranos, pasa, en fin, en la España del progreso, la modernidad y el futuro. En esa sociedad que nos pintan en tecnicolor todos los días y donde hace tiempo que perdimos el norte♦. Que lo perdimos tanto que cualquier calentón♦ del conde Lecquio♦ es más importante que la vida de un ser humano. Bien entendido que con la debida diferenciación entre los ciudadanos legales y los ilegales, que estos últimos, como se sabe, son cuerpos extraños de la civilización, hijos bastardos de un tiempo y de un lugar en el que no les tocaba vivir.

Por eso hay que decirlo. Que ya está bien de la solidaridad de las televisiones, de las nuevas cáritas diocesanas del programa en hora punta, maratón de corbatas en los presentadores, subastas de la camiseta de Raúl♦ o de la raqueta de Corretja♦, y si te vi no me acuerdo♦. No basta con el testimonio de las palabras, ni de las canciones, ni siquiera de los conciertos de mil modernos ayudando a los negritos que también van al cielo con vaqueros de marca y camisas de seda.

Serían necesarias más cosas. Cosas materiales de esas con las que uno se abriga, se calienta, come o se lava. Pero antes incluso con esas cosas que pasan por las cabezas de la gente y que sólo germinan tras ser sembradas. Y de esa siembra andamos cortitos, aunque los furtivos siembren tanto y tan barato. No hay un plan, ni una idea, ni una consigna para que desde la Administración♦ se atienda a todos esos que llegan con el hambre a cuestas y el drama en los ojos. Esos que desafían al mar y a los piratas que alquilan las pateras♦, que huyen de Senegal o de Santo Domingo buscando Eldorado de la madre patria o, simplemente, de la patria hermana. Un sitio donde se les respete, donde alguien vele porque no se les explote y donde, al final del día, no teman que una fiebre condene a sus niños a un calvario sin solución. Por eso estaría bien que ahora que estamos entrando en el reino de los cielos centrista algún profeta del tiempo nuevo escribiera una cuartilla, no ya una ponencia, en la que se acordara de estos espaldas mojadas que vienen aquí por la sencilla razón de que aquí tenemos lo que a ellos les falta. Bastaría con que alguien del poder hiciera un poder♦ por ellos. Ni muy grande ni muy pequeño. Probablemente sería suficiente con que se reconociera que son seres humanos, como usted y como yo. Quizá mejores que usted y que yo. Pero moros, negros, mulatos, cobrizos o amarillos. Y ese es el problema que no debiera serlo. Pero que lo es.

(Fuente: *Cambio 16*, 5 de febrero de 1999, p. 32)

Glosario♦

apostillaba   observaba, comentaba

Fraga   Manuel Fraga Iribarne (1922–), político conservador español

Insalud   Instituto Nacional de la Salud, departamento del Ministerio de Sanidad y Consumo español que se ocupa de la asistencia sanitaria

Melilla   una de las dos ciudades autónomas españolas en el norte de África

alambrada   barrera formada por tela metálica

perdimos el norte   perdimos la orientación; aquí, perdimos los auténticos valores

calentón   excitación sexual repentina y fuerte

el conde Lecquio   *playboy* italiano

Raúl   futbolista del Real Madrid

Corretja   jugador de tenis mallorquín

si te vi no me acuerdo   fórmula con la que se alude a la ingratitud de una persona hacia otra que le ayudó en algún momento

la Administración   conjunto de los organismos del Gobierno

pateras   barcas de fondo plano usadas frecuentemente por inmigrantes ilegales

hiciera un poder   se esforzara en hacer algo que ha dicho que era imposible

---

- ¿Cuál es la actitud de estos textos hacia la cuestión de la inmigración? ¿Qué diferencias existen en el modo de plantear el tema?

- Según los textos, ¿cómo está reaccionando España ante esta situación?

- ¿Cómo se recibe a los inmigrantes en su país?

3.12

Los dos artículos que aparecen a continuación reflejan las experiencias de las mujeres inmigrantes en España.

«Bayti», el hogar de Madrid para las mujeres magrebíes

ROSA MARÍA TRISTÁN

Fátima es una de las 12.000 mujeres magrebíes, principalmente de Marruecos, que viven en la Comunidad de Madrid. Como muchas compatriotas, llegó para trabajar de asistenta◆ en Aravaca, en una familia pudiente◆. Es en las áreas residenciales de la zona oeste, en el centro y en Peña Grande y el Barrio del Pilar, donde viven muchas de sus amigas.

Como un tercio de las mujeres marroquíes que trabajan en nuestra región, Fátima es analfabeta (otro tercio tiene estudios primarios y un 22% el bachiller) y cuando aterrizó en Madrid no sabía castellano y sentía que su honra◆ se mancillaba◆ por tener que trabajar fuera de casa y lejos de su familia.

Pese a estos problemas, cada vez son más las magrebíes que llegan a Madrid, con o sin pareja, y se dan de bruces con◆ un mundo ajeno al que han conocido sus antepasados y aún hoy está vigente.

Lugar de encuentro

Para ayudar en su integración, la Comunidad de Madrid, en colaboración con la Asociación Democrática de

La Comunidad◆ abre un edificio en el centro de la ciudad dedicado a la formación y ayuda a las inmigrantes.

Mujeres de Marruecos, ha abierto en el centro de Madrid un lugar de encuentro e intercambio al que se ha llamado *Bayti* (*Mi lugar*, en español).

Con ayuda de la Unión Europea, que ha puesto la mitad de la inversión total (100 millones de pesetas), la Dirección General de la Mujer ha acondicionado un edificio de cuatro plantas y 500 metros cuadrados para que estas inmigrantes reciban cursos de idiomas, de costumbres sociales, de confección◆, de cocina o de salud. Todos serán gratuitos, y sin necesidad de cumplir ningún requisito especial.

Además, se proyectarán películas en su lengua, habrá libros y música y se concertarán charlas sobre otras culturas. "El objetivo es la mejora de sus condiciones y que se integren en nuestra sociedad. Su llegada es un fenómeno reciente y requiere una atención especial", explica la directora general de la Mujer, Asunción Miura.

Con ludoteca◆, cocina y un salón de actos

Bayti tiene una gran cocina, ahora reluciente y sin mácula de grasa, en la que las mujeres aprenderán los guisos tradicionales españoles. "Así les será más fácil encontrar trabajo en la hostelería", explica Asunción Miura.

También cuenta con una gran ludoteca, donde podrán dejar a los niños mientras ellas se dedican a aprender habilidades sociales, técnicas de confección o la gramática de la lengua castellana.

La mayoría de los espacios, no obstante, son reconvertibles, de forma que pueden adaptarse a cualquier tipo de curso, en función de las necesidades que se vayan detectando. Y todos son gratuitos.

Información

Su asociación aportará al centro toda la información sobre los derechos de las marroquíes.

En *Bayti* trabajarán una coordinadora, una mediadora cultural y otra laboral, una administrativa y una asistente social, de las que algunas serán también de origen magrebí. "Cuando requieran asesoría legal, sobre malos tratos y otros temas concretos, las derivaremos a los servicios que trabajan en cada área", precisa Asunción Miura.

(Fuente: *El Mundo*, 20 de diciembre de 1998)

Glosario◆

la Comunidad   aquí, la Comunidad Autónoma de Madrid

asistenta   mujer que limpia en casa de otra persona (Esp.)

pudiente   rica

honra   reputación

se mancillaba   se ensuciaba

darse de bruces con algo   encontrarse con algo de repente o inesperadamente

confección   arte de cortar y coser ropa

ludoteca   sala para juegos

MUJERES DEL SUR EN EUROPA: DOMINICANAS EN MADRID

La vivencia del racismo

Una de las primeras ideas que surge al reflexionar sobre el racismo y la posición como mujeres del Sur es lo que implica la propia condición de 'mujer del Sur que vive en Europa'. A pesar de la diversidad de experiencias y vivencias que existen en función de la sociedad de origen y del país receptor en Europa varias cosas nos igualan. Probablemente, más destacadas sean la vivencia de la discriminación y las vicisitudes en el plano laboral.

La discriminación para las mujeres del Sur empieza en las fronteras, generalmente se prueba cuando bajas de un avión, en cualquier aeropuerto europeo, y al presentar tu pasaporte eres inmediatamente apartada de la fila, sin explicación. Se te obliga a esperar que pasen todos los ciudadanos del Primer Mundo y luego se te interroga como a un delincuente, te detienen y, si tienes suerte, después de largas horas de espera e interrogatorio puedes entrar al país, al menos eso pasa en España. Aquí diariamente decenas de mujeres del Sur son devueltas, pocas horas después de pisar la frontera. Y si bien es cierto que en muchos casos se trata de personas que tienen intención de permanecer en el país, también lo es el hecho de que cumplen con los requisitos para entrar.

Una vez has entrado al territorio de una de 'las ricas provincias europeas', es muy fácil saber que no has llegado 'al mejor de los mundos posibles', como tal vez soñaste o te hicieron soñar. La experiencia es que prácticamente nunca vuelves a ser persona de pleno derecho. Sientes el absurdo de que al dejar 'tu tierra', toda tierra te es ajena◆. Como si el mundo, salvo ese rincón de origen que añoras◆, te fuera enteramente ajeno. Si el pertenecer a la clase baja del planeta en el marco del Nuevo Orden Internacional era hasta entonces una abstracción aquí es una constatación ineludible.

La propia calificación de 'ilegal' te equipara con◆ quien comete un delito, cuando internamente sientes que tu delito es querer 'vivir mejor'. La permanencia irregular supone una vulnerabilidad extrema, un estado de indefensión absoluta, que hace que se acepten las condiciones laborales más negativas. En caso de las mujeres inmigrantes en España, que trabajan en más de un 80% en el servicio doméstico, puede suponer hasta la intimidación por parte de algunos empleadores y la total desprotección como trabajadoras.

Dentro del plano legal se da el acoso◆ policial que se vive ante la sospecha generalizada por parte de la policía de que las mujeres de color se dedican al ejercicio de la prostitución o al tráfico de drogas. La posibilidad de que andando por la ciudad te pidan tus documentos es muy alta. Esto nos hace sentir que el espacio que ocupamos es ajeno y que el derecho a estar en él es una concesión de quienes son sus dueños.

La diferencia racial y la cercanía de la pobreza no gustan a quienes prejuician. El aspecto de la mayoría de las mujeres de color no puede acoplarse◆ a los valores estéticos de esta sociedad y es percibido como 'agresión' por parte de los nativos. Nuestros cuerpos no se corresponden con la estética occidental de la mujer. Un cuerpo extraño invade el espacio y es temido. En la vida cotidiana se percibe con cierta frecuencia el recelo◆ y el rechazo, antes eran los más conservadores; personas mayores que se retraían en un autobús o en el metro ante la presencia de una negra: en la actualidad el rechazo es moda. Parece que crece paralelamente a la 'identidad europea', de momento una identidad de exclusión.

En la prensa se mezclan las noticias de la crisis económica y el desempleo con la detección de redes de tráfico de mujeres de color para la prostitución o se habla de 'el problema' de la inmigración, 'la invasión del Sur', 'los nuevos bárbaros', etc. En la calle se escucha con más frecuencia "son demasiados...", "vamos a peor...", "pronto nos van a echar de casa...". Es cada vez mayor la relación que se atribuye a la presencia inmigrante con los problemas socioeconómicos, el aumento de la delincuencia, la drogadicción y hasta con los problemas de salud.

He hablado sólo de lo peor... pero el racismo y la discriminación son eso para las inmigrantes.

(Fuente: http://www.eurosur.org) [último acceso el 6 de septiembre de 2000]

Glosario◆

ajena   que pertenece a otro

añoras   echas de menos, recuerdas con tristeza la ausencia de algo

te equipara con   te considera igual a

acoso   persecución

acoplarse   adaptarse, encajar en

recelo   falta de confianza

● ¿Cree usted que las mujeres inmigrantes se adaptan mejor o peor que los hombres a la cultura del país que las recibe? Justifique su respuesta.

Los inmigrantes de segunda generación están cambiando para siempre la sociedad española.

Nuevos españoles:
INMIGRANTES DE SEGUNDA GENERACIÓN

Nerea Fontán y Ana Isabel Sánchez

Son nuestros paisanos. Negros, anglosajones, magrebíes u orientales de aspecto. Pero españoles de papeles y corazón. Los hijos de los primeros inmigrantes en España se sienten de aquí sin renunciar a sus raíces.

"Mi madre quiere que vaya con ella al mercado. No se entiende bien en español, yo tengo que hablar con todo el mundo y pedir lo que quiere". Shi Ming es una barcelonesa de 14 años. Sus padres son chinos y regentan♦ un restaurante en el barrio de Gràcia. Como otros hijos de extranjeros, esta catalana de rasgos orientales tiene que hacer de lazarillo♦ para sus padres que, con muchos más años de residencia en España, aún no han logrado su desparpajo♦ a la hora de defenderse en castellano.

Shi Ming es uno de los 84.000 hijos de extranjeros que viven y estudian en nuestro país. El tener un pie entre dos países hace que estos jóvenes vivan en una esquizofrenia constante. Se sienten españoles, pero de fuera. Un apellido impronunciable, el no haber hecho la Primera Comunión con el resto de la clase o, simplemente, un color de piel distinto son pequeños apuntes dentro de una larga lista de diferencias. Todos coinciden: se sienten especiales, raros, exóticos.

Aunque casi todos están escolarizados y suelen ser buenos estudiantes, apenas se interesan por su otra patria. De visita, allí, se sienten extranjeros y cuando regresan siguen con esa sensación. Es en el país de sus padres donde se dan cuenta de que su ligero acento extranjero, sus distintos hábitos, tal vez una ropa poco adecuada o un tuteo desafortunado a sus mayores les delatan como forasteros♦. Quizá para escapar de esta permanente sensación de inseguridad, algunos confiesan que les gustaría elegir un tercer país para vivir.

La religión y los ritos de sus mayores son a veces interpretados por estos chicos como obligaciones opresivas. El resultado: un doble conflicto generacional. El caso de Ática no es extraño. Como una musulmana más, esta joven española de padres marroquíes confiesa que se 'sometería' a la voluntad de sus padres si éstos decidieran casarla. Pero se para a pensar y sólo unos segundos después explica que en el pueblo marroquí de donde vienen sus padres, los maridos pegan a sus mujeres. "Bueno", titubea♦, "preferiría quedarme en España y estudiar para maestra", resuelve.

La vida de estos muchachos no es fácil. En muchos casos, como el de Ática, y siempre en función del estatus económico y social, les resulta difícil combinar la libertad que respiran en su entorno de amigos con las costumbres de sus padres.

Dificultades de integración y apatía son las reacciones más comunes. Los más pobres son los que más arraigo♦ profesan a las tradiciones, muchas veces por el hecho de vivir agrupados en guetos con otros compatriotas. La regla de tanto tienes, tanto vales♦, también se cumple aquí. El difícil camino de la integración presenta mejores perspectivas a nivel económico más alto. En cualquier caso, desde el embajador al de un peón de albañil coinciden en algo y quieren que estudien y progresen en España. Las segundas generaciones suelen subir un peldaño♦ social y económico con respeto a las primeras.

Un póster de la mezquita de Rabat en su colegio es la idea más aproximada que tiene Nassima Benchej sobre Marruecos y Argelia, los países de sus padres. Nassima tiene nueve años y apenas habla árabe. Recuerda vagamente los cuentos marroquíes que su madre le contaba de pequeña. A sus nueve años, sus primeros contactos con la cultura de sus padres le han llegado gracias a Said, un profesor de árabe que imparte, en horario extraescolar, lengua y cultura para la comunidad magrebí de su colegio. Su familia trabaja todo el día en un restaurante, por lo que Nassima y su hermana Nadia, de 11 años, dependen de los ratos libres de sus mayores para poder acercarse a la cultura de sus ancestros. En el madrileño colegio Isabel La Católica donde estudia, hay, además de marroquíes, suramericanos y chinos. Nassima confiesa que ella nunca se ha sentido distinta, aunque ha visto cómo a los niños chinos a veces les insultan. "Es que a ellos se les nota más que no son de aquí", aclara. Confiesa que se siente mejor cuando juega con otros niños marroquíes. Su familia es musulmana, pero Nassima conoce poco las tradiciones y ritos de su religión y lo único que tiene claro es que aún es demasiado joven para practicar el Ramadán.

(Fuente: *El País semanal*, 26 de julio de 1998)

Glosario♦

regentan dirigen

lazarillo individuo que guía a una persona que no puede valerse por sí sola, generalmente por ser ciega

desparpajo desenvoltura, facilidad para manejarse en un ambiente

forasteros que son de otro país o región; extranjeros

titubea se muestra indecisa

arraigo hecho de estar establecido en un lugar

tanto tienes, tanto vales lo que vales se puede medir por lo que posees

peldaño escalón; aquí, nivel

• ¿Le parece importante que los hijos de inmigrantes mantengan las tradiciones y la cultura de sus padres? Razone su respuesta.

3.15

Si los trabajadores ilegales en España tienen una vida difícil, la situación de los trabajadores mexicanos ilegales que pasan la frontera para trabajar en empresas norteamericanas también es precaria.

MIGRACIÓN MEXICANA

"Los trabajadores mexicanos ilegales en EEUU contribuyen con unos 30.000 millones de dólares a la economía de ese país, pese a sus bajos salarios, y generan bienes y servicios a bajo costo", dijo Manuel Monreal, director de la Universidad Obrera de México.

Los trabajadores mexicanos que ingresan ilegalmente a EEUU son normalmente objeto de todo tipo de explotación por parte de los empresarios, reciben los salarios más bajos por los trabajos más pesados, y carecen de derechos de seguridad social y prestaciones◆ que tienen los demás trabajadores.

"Aunque las autoridades estadounidenses afirman que los indocumentados generan problemas a esa sociedad, lo que es cierto es que los mexicanos indocumentados aportan gran parte de la riqueza que ha elevado el nivel de vida de los ciudadanos estadounidenses", aseguró Monreal.

El director de ese centro docente señaló que el área de investigaciones de la Universidad Obrera elaboró un estudio sobre *Los trabajadores migratorios de México en el marco de la regionalización y globalización económica*, en el que participaron diversos especialistas mexicanos y de otros países. Entre las conclusiones del estudio destaca que los mexicanos ilegales en Estados Unidos han contribuido a crear la riqueza, pero ellos viven en la más absoluta pobreza.

El análisis reconoce que los indocumentados provocan gastos a la economía estadounidense, debido a que el Estado debe destinar cuantiosas sumas a la educación y servicios médicos, lo que supone unos 2.000 millones de dólares; sin embargo se olvida de lo que deja el trabajo de los mexicanos.

Monreal indicó que ese tipo de trabajador mexicano no tuvo subidas salariales en los últimos 20 años, su labor contribuyó a reducir los costos de producción de las empresas de Estados Unidos, y es una fuerza laboral utilizada para abaratar los salarios de los trabajadores de ese país. Además, son usados como 'chivos expiatorios'◆ para distraer a la ciudadanía sobre las verdaderas causas del desempleo y el narcotráfico en EEUU y, sobre todo en periodos electorales, se convierten en el objeto del odio racista y xenófobo.

Por otro lado, explicó que en los últimos años ha cambiado el perfil del trabajador mexicano que se desplaza al poderoso vecino país del norte, y añadió que hoy los emigrantes ya no sólo son campesinos sin trabajo, sino también habitantes urbanos con un porcentaje creciente de mujeres y niños. [...]

(Fuente: *Crónica Latina*, julio de 1997)

Glosario◆

prestaciones servicios

'chivos expiatorios' personas a quienes se hace pagar las culpas de todos

- Las autoridades de EEUU sostienen que los ilegales causan problemas en la sociedad norteamericana. ¿A qué tipo de problemas cree usted que aluden?

- ¿Cree usted que los inmigrantes mexicanos representan una aportación positiva o que plantean problemas a la sociedad estadounidense que los acoge?

Los textos siguientes tratan de la vivencia personal del exilio de dos autores: el poeta español Rafael Alberti (1902–99) y la autora uruguaya Cristina Peri Rossi (1941–).

Conversaciones con Rafael Alberti

Nosotros estábamos trabajando en la radio y todas las noches nos acostábamos a las siete de la mañana. Cuando estalló la Guerra Grande, fuimos locutores de los partes de guerra y de todas las cosas para América. Pero en el mes de febrero, con la guerra desde septiembre, al mariscal Petain, que era embajador de Francia en España, le protestaron de que los locutores de la Radio Francesa fueran dos españoles conocidos, dos rojos◆. Se habló en el Parlamento de nosotros y el director de la Radio, un muchacho que había sido socialista, nos llamó y nos dijo: "Mire, Alberti, yo soy muy amigo de ustedes, pero se ha producido una situación oficial sobre sus nombres y me piden que ustedes dejen la Radio". Y yo dije: "Bueno, pues la dejamos". Por otra parte, la situación era muy terrible: los alemanes habían roto la línea Maginot, había sucedido lo de Dunkerque y nosotros pensamos que no sería nada bueno que, si entraban los alemanes, nos encontraran allí. [...] Nos embarcamos para América. Fue un viaje a los comienzos malísimo, porque el mar, pero sobre todo a la salida del Mediterráneo, estaba lleno de submarinos alemanes. Era toda una navegación oscura y no se podía fumar en cubierta... Total, que llegamos a la Argentina.

Pregunto a Rafael a qué se debió la elección de la Argentina, cuando la corriente principal de exiliados se había encaminado hacia México.

Bueno, realmente nosotros íbamos a Chile. A la Argentina era auténticamente imposible ir como refugiado. Chile los había admitido por medio de Neruda◆. Además estaba el Gobierno de Aguirre Cerda, que era un Gobierno de Frente Popular y había admitido a mucha gente. Se había organizado este barco y yo tenía un documento que me servía para hacer este viaje y el permiso para entrar en

Chile. Yo iba a Chile, no iba a la Argentina, porque allí estaba Neruda. Pero al pasar por la Argentina, donde nos hicieron un recibimiento estupendo, teníamos que bajar y tomar el tren para atravesar la cordillera. Desembarcamos en Río de la Plata y me acuerdo que estaban esperándonos una escritora, que era cónsul de Chile precisamente, Marta Brunet, Ricardo Molinari y muchos más, y algún español que había llegado allá. Estaba también nuestro primer editor, Losada, que había fundado hacía dos años la editorial Losada. Bajamos y nos dieron permiso de cuarenta y ocho horas para estar en la ciudad antes de tomar el tren para Chile. Entonces, hablando con Losada, me dijo: "Mira, vosotros no debéis ir a Chile. Chile es un país estupendo, pero, en fin, yo soy vuestro editor, yo os puedo ayudar, podemos publicar lo que tengáis inédito y hacer una antología (como hizo la mía; yo estaba recibiendo ya algún dinero de él) y recomenzar la vida y a ver si se puede lograr un permiso para que os quedéis acá o por lo menos para que volváis de Chile, porque la situación en Chile, económicamente, no es tan buena como en la Argentina e incluso me he enterado de que Pablo [Neruda] se va de cónsul a México, de manera que si no está Pablo..." Entonces yo, aunque tenía muchos amigos chilenos encantadores, porque Chile es uno de los países más simpáticos de América, por razones bien claras, me quedé.

(Fuente: Velloso, J. M. (1997) *Conversaciones con Rafael Alberti*, Madrid, Jedmay Ediciones, pp. 83–4)

Glosario◆

rojos   (en el contexto de la Guerra Civil española) republicanos, antifascistas

Neruda   Pablo Neruda (1904–73), poeta chileno

3.17

ENTREVISTA A CRISTINA PERI ROSSI

–¿Me podría contar brevemente qué acontecimientos la llevaron al exilio?

–Me exilié en España, a fines del año 1972, pocos meses antes del golpe militar en Uruguay. Habían intentado destituirme◆ de mi cátedra de profesora; desde el gran ventanal de mi casa había visto, de madrugada, cómo arrojaban sospechosos bultos envueltos en arpillera◆ al Río de la Plata y mi mejor alumna, a quien protegía en mi casa, fue secuestrada al salir del portal, y no 'apareció' hasta años después, en un campo de concentración. Este secuestro determinó mi decisión de exiliarme. Pero lo hice contra mi deseo, y en medio de un inmenso dolor. Tuve que embarcarme (el barco era italiano, se llamaba *Giulio Cesare* y lo evoqué en mi novela *La nave de los locos*) sin poder ver a mi familia, ni llevarme más que la ropa que vestía y unas pocas cosas. Dejé mi apartamento, mis tres mil libros, mis doscientos discos, todos mis recuerdos. Para alguien tan fetichista como yo, la pérdida de los objetos es la pérdida de los afectos, la pérdida del deseo.

–Una vez en Europa, ¿cómo vivió la experiencia de la transterración?

–El barco tenía como destino Génova, pero mi billete terminaba en Barcelona, de modo que arribé◆ al puerto catalán una clara mañana de octubre de 1972, con diez dólares en el bolsillo y un dolor horrible en todas las vísceras del cuerpo y en las 'telas del corazón', como se dice en el libro fundacional de la literatura española, el *Poema del Cid*, la historia de otro desterrado. El exilio ha sido la experiencia más dolorosa de mi vida y también la más enriquecedora. Con el dolor podemos hacer dos cosas: convertirlo en odio, en rencor, o elaborarlo, sublimarlo y convertirlo en crecimiento, poesía, literatura, fraternidad, solidaridad con las víctimas. Éste fue mi camino.

(Fuente: *Cuadernos hispánicos*, noviembre de 1998, pp. 93–4)

Glosario◆

destituirme   quitarme (de mi puesto de trabajo)

arpillera   tela que se usa para fabricar sacos

arribé   llegué (se usa para hablar de barcos que llegan a puerto)

- Según los textos, ¿cuáles son los sentimientos de los exiliados hacia su nuevo país?
- ¿En qué cree usted que se diferencian la experiencia de un inmigrante de la de un exiliado?

El texto siguiente ofrece una visión poética del drama del exilio.

Exilio

Esto es el exilio,
este tenerme que inventar un nombre,
una figura,
una voz nueva. Este tener que andar diciendo
de dónde soy,
qué hago aquí.
Esto es el exilio,
esta soledad clavándose en mi carne
y este tiempo vacío.
Esto es el exilio,
este sentirse como caballo salvaje
trasladado a una cuadra de caballos y aristócratas
y dar coces y brincos
cuando nadie nos mira
y esperar que todo esto pasará pronto
– como un mal sueño –
y que de nuevo respiraré
la tierra
las flores amarillas

el campo
ahora que sólo carros y edificios veo
y gentes, miles de gentes,
cruzándose las calles en silencio.
Ahora que vivo
en un edificio de apartamentos
donde mi ventana
sólo ve a la ventana del frente
y siendo este desmedido◆ afán◆
de lucha y guerra,
de irme, esconderme,
y subrepticiamente regresar a mi tierra
a limpiar los cañones
a fabricar las trampas
y nada pasa
sino esta lenta,
desesperante,
espera…

(Gioconda Belli)

(Fuente: Belli, G. (1984) *Amor insurrecto*, Nicaragua, Nueva Nicaragua)

Glosario◆

desmedido   exagerado, desmesurado
afán   deseo, empeño

● ¿Qué echaría usted más de menos si tuviera que dejar su país?

3.19

No cabe duda que la religión ha representado siempre un papel importante en el mundo hispánico, no solo en lo que se refiere a cuestiones espirituales, sino también en la cultura, la política y la sociedad en general.

La extrema pobreza y la profunda religiosidad de las grandes masas populares en Latinoamérica han dado lugar a una importante corriente religiosa, la Teología de la Liberación, movimiento que denuncia la marginación y opresión de los pueblos, especialmente de Latinoamérica, y afirma la vocación social revolucionaria de la Iglesia. En el siguiente texto, Leonardo Boff, una de las figuras capitales de la Teología de la Liberación, expone el programa y los objetivos de la iglesia de los pobres.

http://www.uca.edu.ni/koinonia/relat/180.htm

Leonardo Boff

TEOLOGÍA DE LA LIBERACIÓN

En los años 90 nos vemos confrontados con una crisis mayor, la del sistema tierra. Es la crisis ecológica en sus varias vertebraciones: ambiental, social, mental e integral. La tierra no aguanta más la dilapidación sistemática de sus recursos. No sólo los pobres y oprimidos gritan. También la tierra grita. Ahora no hay ya un arca de Noé que salve a unos y deje que se pierdan otros. O nos salvamos todos o nos perdemos todos. Si el riesgo es mundial, la liberación ha de ser también mundial. Importa articular una liberación verdaderamente integral de la tierra y de los hijos e hijas cautivos de la tierra. Para eso es preciso inaugurar un nuevo paradigma de religación♦, de sinergia y de nueva alianza para con la Tierra Madre. Ahora la Teología de la Liberación tiene la oportunidad de ser verdaderamente integral. [...]

Como en una lectura de ciego que sólo capta el relieve, subrayaremos algunos ejes principales de la Teología de la Liberación. [...]

La Teología de la Liberación significó un llamado a la conciencia mundial. Pone su atención sobre la suerte♦ de las 'grandes mayorías' de la humanidad, condenadas a la miseria y a la exclusión por causa de la otra parte minoritaria, insensible, cruel y sin piedad. Movió Estados, órganos de seguridad del sistema mundial y atrajo la ira de los poderosos. Por eso, personas que apoyaron la Teología de la Liberación fueron perseguidas, presas, torturadas, desaparecidas, y muchas, asesinadas: obispos, sacerdotes, teólogos, laicos, jóvenes, hombres y mujeres. Se granjeó♦ también la admiración de los mejores espíritus de nuestro tiempo.

El peso de la Teología de la Liberación se hizo sentir en el aparato central de la Iglesia católica, en el Vaticano. Los papas tomaron frecuentemente posición ante ella. Las instancias doctrinales reaccionaron en 1984 y en 1986 con diferentes niveles de compromiso. Fundamentalmente, y en contradicción con la versión dominante en los medios de comunicación, la Teología de la Liberación fue aprobada por la Iglesia. Ésta llamó la atención, eso sí, sobre dos peligros que siempre acosaron a ese tipo de teología: la reducción de la fe a la política y el uso acrítico del marxismo. Evitado ese peligro – pues un peligro nunca invalida el coraje del pensamiento – la Teología de la Liberación es útil y necesaria en la presente coyuntura del flagelo planetario de los pobres. [...]

La Teología de la Liberación obligó a las demás corrientes de teología a preguntarse por su significado social. No basta que las teologías sean ortodoxas y los argumentos internamente bien articulados. Las teologías no pueden ser sólo productos para el consumo interno de los cristianos. Tienen que ser más. Deben pensar las cuestiones del mundo y de las personas de la calle, porque estas cuestiones tienen que ver objetivamente con Dios, pues de una forma o de otra, Él está presente en ellas. Especialmente deben preguntarse cuál es la funcionalidad ideológica que asumen dentro de la sociedad: pasan de largo de los conflictos que comportan graves violaciones de la justicia (pecado social) y con eso se hacen alienadas, cuando no piezas de legitimación del *status quo*. O las incluyen como denuncia profética, haciéndolas material de su reflexión de búsqueda de operacionalidad transformadora. En caso contrario, las teologías difícilmente se libran, *nolens volens*◆, de la alienación, de la mistificación y del cinismo histórico. [...]

La fase adulta de la Teología de la Liberación

En los años 70 la gran preocupación era el pobre y el oprimido material, social y político. La liberación integral tenía que pasar por las liberaciones histórico-sociales sin las que difícilmente escaparía de la acusación de alienación y de espiritualismo.

En los años 80 el desafío mayor fue el pobre y oprimido cultural: el indio, el negro, las mujeres, los jóvenes y tantas otras minorías discriminadas en razón del sexo, del color, de la enfermedad y de la religión. [...]

(Fuente: http://www.uca.edu.ni/koinonia/relat/180.htm) [último acceso el 6 de septiembre de 2000]

Glosario◆

religación unión estrecha

suerte destino

se granjeó se ganó

nolens volens quieran o no quieran

- Sintetice en pocas palabras los objetivos de la Teología de la Liberación.
- ¿Le parece a usted que la religión puede tener una misión social?

3.20 Los dos textos siguientes presentan dos casos distintos de sincretismo religioso. Los pueblos de América Latina no adoptaron simplemente el catolicismo tal como lo trajeron los españoles, sino que incorporaron a este elementos de su propia cultura.

No es posible hablar de la religión cubana. El abanico de creencias de los pobladores de esta isla singular es tan variopinto como enigmático para el extranjero.

CUBA:
la isla de los mil dioses

Mauricio Vicent

Los católicos le llaman Dios, pero para los santeros◆ cubanos su nombre es Olofi. Los mayomberos◆ y seguidores de la regla de Palo Monte◆ hablan de Sambi, y a él le rezan cuando sacrifican gallos y carneros para *dar de comer* a los muertos que viven en sus prendas – *ngangas* – de Siete Rayos y Zarabanda. Los *abakuás* de La Habana y Matanzas creen, en cambio, que la verdadera esencia divina está en el gran Abasí, cuya representación en la tierra es un crucifijo y habla a sus hijos a través de Ékue, el tambor sagrado, dueño del secreto y de la sabiduría. En Cuba, Dios es así. Uno y muchos a la vez. Mulato o cristiano, pero siempre hecho a la medida de los hombres y – más le vale – tolerante, mundano y práctico. Algunos cubanos son ateos, pero se casan de blanco y con la marcha nupcial a todo volumen tocada ante notario. Otros se bautizan en la iglesia para luego poder cantar *amike miñongo* tras jurarse *abakuás* o pedirles favores a los muertos Francisco y Marrufina o a Ma Juliana. Muchos que se dicen católicos aseguran que si no van a la iglesia, Dios les comprenderá. Por eso el viajero que desembarque en esta isla y sólo repare en los campanarios y cruces de las iglesias católicas, o en los cánticos de los templos protestantes, o en las tres sinagogas que aún quedan en La Habana, no entenderá nunca cómo son y cómo creen los cubanos. [...]

No es que todo en Cuba sea brujería. Pero las religiones afrocubanas y sobre todo el Palo prometen remedios rápidos y 'efectivos' para casi todos los problemas humanos. Ésta es una de las razones de su éxito en estos tiempos de crisis, cuando la gente anda más apurada. Hay resguardos para *jineteras*◆, *obras* para afianzarse en la vida, *trabajos* para lograr la impotencia del marido o del novio de la mujer que te gusta. La receta para dejar la bebida es sencilla: "sudor de caballo, raíz de escobamarga, tres hojas de cundeamor, se mezcla todo y se pone un tiempo a coger sombra en tu *nganga*". Algunos mayomberos curtidos◆ pueden hasta hacer una brujería para acabar con tu enemigo. Te pedirán sólo su nombre y apellido, su fecha de nacimiento, tres velas negras, azufre, un gato negro, y lo más difícil será buscar unos cuantos huesos de muerto loco en el cementerio de Calabazar. [...]

El lugar que visitará el papa Juan Pablo II dentro de unos días posee unas peculiaridades que hacen de Cuba la antítesis de un país beato. Son demasiadas cosas: cuatro siglos de colonia; la isla como tierra de paso; el calor del Trópico de Cáncer; un millón de esclavos; una autoridad férrea que obligó a los negros a someterse a la fuerza, pero que en seguida cedió a la sandunga◆ del mestizaje; también, y sobre todo, la necesidad de los africanos de camuflar sus divinidades de sol y pan bajo las imágenes de santa Bárbara (Changó para los santeros; Siete Rayos para los *paleros*), el Niño de Atocha (Elegguá en santería; Lucero en Palo) y detrás de las vestiduras de otros muchos santos y vírgenes católicas. [...]

(Fuente: *El País semanal*)

Glosario◆

santeros   creyentes en los conjuntos de creencias y prácticas religiosas propias de los negros de Cuba

mayomberos   creyentes de una de las sectas santeras

Palo Monte   una de las sectas santeras

jineteras   prostitutas

curtidos   con mucha experiencia

sandunga   gracia, salero

El culto a la Virgen de Guadalupe es uno de los rasgos más característicos de la vida pública en México. A continuación encontrará algunos datos interesantes sobre su origen.

El culto nacional mexicano a la Virgen de Guadalupe

La Virgen de Guadalupe fue traída a México por los conquistadores españoles, quienes como Hernán Cortés provenían en su mayoría de Extremadura, lugar del famoso santuario de la Virgen de Guadalupe de Villuercas. Sin embargo, ¿es esta Virgen extremeña la misma que con tanta devoción veneran hoy día los mexicanos? La respuesta es definitivamente 'no'. [...] La milagrosa estatua de esta Virgen negra, sentada sobre su trono con el niño en las rodillas, fue encontrada por un pastor extremeño en el año 1322 y el monasterio de Villuercas se construyó en 1340. Una reproducción de esta misma estatua fue probablemente la primera imagen de Guadalupe establecida en México. Sin embargo, este culto de los gachupines◆ no duró mucho tiempo. Después de todo, era una imagen transplantada, y la híbrida realidad de la Nueva España necesitaba una imagen diferente, un símbolo que la uniera, que representara todas sus razas y creencias. [...]

Examinemos ahora la procedencia y características de esta 'nueva' Virgen, patrona de México. La Virgen de Guadalupe se le aparece a un indio recién converso en el cerro◆ de Tepeyac, conocido lugar de culto de la diosa indígena Tonantzin. [...] Estas y otras diosas representan en realidad diferentes aspectos de la misma deidad femenina, ligada a la tierra, a la maternidad y a la alimentación. Estas diosas terrestres tienen sin embargo también un aspecto guerrero, *yaociuatl*, y un aspecto terrible. Dan vida y 'devoran' a sus propios hijos, completando así el ciclo vital. Este eterno retorno está simbolizado por la luna, uno de los atributos de estas diosas. [...]

En este contexto es importante examinar cómo los rasgos de esta mujer parcial encarnada en la Virgen María son complementados con otros, al entrar en contacto con diosas indígenas y africanas en América. La Virgen María, al sincretizarse con ellas, satisface la necesidad de los pueblos latinoamericanos de un culto y de una identidad nacionales. También les ayuda a identificarse con unas figuras femeninas más completas, madres, mujeres y amantes, que representan la totalidad de la vida y de la muerte, y por lo tanto simbolizan y ubican al ser humano en un universo ambiguo y dual, como el de la Colonia. Una figura como la Virgen María, despojada de◆ diferentes aspectos de su femineidad, no puede subsistir en su forma parcial en unas naciones que se preguntan por su propia identidad, que están en proceso de formación y encarnan el deseo de inclusión no sólo de ellas como grupos humanos, pero también de todos sus estratos raciales y étnicos. La aparición de la Virgen de Guadalupe en el cerro de Tepeyac lleva al sincretismo de ésta con la diosa Tonantzin, otorgando a los mexicanos la oportunidad de venerar a un arquetipo femenino más completo. [...]

La nueva imagen mexicana de la Guadalupe tiene rostro indígena y representa a la Virgen sin niño, de pie, pareciéndose más a las imágenes de la

Inmaculada, representada general-mente con su manto azul marino y un resplandor alrededor de la cabeza, parada sobre una media luna. La imagen de Guadalupe, igual que la Virgen del Apocalipsis, contiene los tres elementos esenciales para los aztecas: el sol, la luna y las estrellas. Su cuerpo está rodeado por un resplandor solar, su manto es estrellado y bajo sus pies se encuentra una media luna. En el caso de Guadalupe, el azul marino del manto de la Inmaculada se transforma en turquesa o jade, el color sagrado de los aztecas. [...] La túnica de Guadalupe es rojiza y el color rojo está asociado entre los aztecas con el este, la salida del sol y el renacimiento vegetal, con la juventud y el placer. Otra 'coincidencia' es que esta imagen también se asemeja a la de la Virgen del Apocalipsis, que bajo sus pies apoyados en la media luna tiene al dragón vencido, el dragón-materia/sexo que desde la Edad Media es demonizado en Europa y que Coatlicue, en su aspecto dual, incorpora.

(Fuente: Oleszkiewicz, M. (1998) *Revista iberoamericana*, pp. 241–6)

Glosario◆

gachupín   español establecido en México (Méx. coloquial, peyorativo)
cerro   elevación aislada de tierra, monte
despojada de   privada de, carente de

- Nombre algunos de los factores que han contribuido a convertir Cuba en un crisol de creencias diversas.

- ¿Qué atributos añade el culto mexicano a la Virgen de Guadalupe española?

- ¿Por qué cree que en Latinoamérica la religión católica toma una nueva forma en la que se mezclan los elementos de la Iglesia católica con otros autóctonos?

En una época en que la sociedad se ha ido secularizando, llama la atención el florecimiento de devociones como la del Rocío en Andalucía, que atrae cada año a miles de peregrinos.

EL ROCÍO

Resulta sorprendente que, a las puertas del siglo XXI, se pueda afirmar que está naciendo una conciencia de unidad andaluza por primera vez en la historia. Y ello se debe a tres elementos que están vertebrando la más extensa y poblada región de España. De dichos factores, dos responden a la lógica de los tiempos, si bien han llegado a Andalucía con notable retraso. Uno es la red de autovías trazada con motivo de la Expo 92, que por primera vez han facilitado la comunicación fluida entre toda la región, desde el extremo oriental de Almería hasta el confín del oeste onubense*. El otro – sin efectos positivos hasta ahora, pero de innegable potencial unificador – es *Canal Sur*, la televisión andaluza. [...]

El tercer elemento que está uniendo el sur español por encima de sus divergencias locales es de muy diferente naturaleza. Se trata de la devoción a una Virgen del siglo XIII, la cual generó una característica romería local: la peregrinación a la ermita desde el pueblo cercano una vez al año. A partir del siglo XVIII, la fiesta se fue ampliando para convertirse, primero, en un evento que movilizaba la provincia de Huelva, luego todo el ámbito andaluz para, finalmente, desbordar incluso la región. Este fenómeno asombroso es el Rocío. ¿En qué consiste su poder de atracción? ¿Por qué la Virgen de las Marismas se ha impuesto o se ha igualado a otras devociones locales? ¿Qué buscan los miles de peregrinos que hacen el camino y el millón de personas que se reúne en la aldea el día de Pentecostés? [...]

El factor primero de la expansión de la devoción rociera habría que buscarlo en la propia imagen de la Virgen del Rocío y su innegable capacidad para seducir (tomando la palabra en su exacto sentido etimológico: 'conducir a sí '). [...]

Al magnetismo de la imagen debe añadirse el fundamento religioso que sustenta la tradición. La fiesta judía de Pentecostés, origen de la celebración cristiana del mismo nombre que marca la fecha del Rocío, tiene un origen agrario y simbolizaba la alianza entre Israel y Yahvé. Su nombre procede de la palabra griega *pentekoste* ('cincuenta'), ya que se celebra 50 días después de la fiesta de la Pascua (marzo/abril), conmemoración de la liberación de la esclavitud en Egipto.

El cristianismo asimiló con naturalidad este esquema. [...]

Son días estos de andar entre bellísimos paisajes de pinares, por las arenas del Coto de Doñana y las orillas de la desembocadura del Guadalquivir. Y son noches de canto de sevillanas en torno a las fogatas y amaneceres de misas de romeros, dichas cada día antes de reiniciar el camino entre brumas y frescos olores a jara y romero. Vivir el camino es una experiencia singular que marca profundamente. Se trata de una huida de un universo progresivamente complejo y conflictivo – al tiempo que indiferenciado y plano – para reencontrar la esencialidad de la primitiva unión entre lo sagrado, la vida y la naturaleza. La peregrinación al Rocío es, pues, la marcha hacia un paraíso perdido: el de las simples verdades del mundo agrario preindustrial, que restablece el vínculo roto entre el hombre y la tierra, un nexo total y vital.
[...]

(Fuente: *Geo*, nº. 100, mayo de 1995, pp. 30–4)

Glosario*

onubense   de la provincia de Huelva

- ¿Por qué cree usted que hoy en día tanta gente toma parte en peregrinaciones como la del Rocío?

- ¿Qué cree que significa para los rocieros participar en el Rocío?

En muchos monasterios y conventos españoles existe una arraigada tradición de repostería artesanal. La siguiente descripción habla de este aspecto tan dulce de la actividad de las religiosas.

Dulces monacales

Tras los fríos muros de los conventos y monasterios que pueblan la geografía española, diversas comunidades religiosas compaginan a diario sus labores de oración, meditación y recogimiento con la de elaboración de productos artesanales de repostería◆. Una antigua tradición que no pasa de moda y que nos propone la que podría denominarse *Ruta de los dulces monacales*, tan variada como atractiva y apetitosa. [...]

Pero vayamos por partes y conozcamos las principales escalas en el camino. Las clarisas◆ de Burgos, por ejemplo, que desde hace 760 años elaboran sus recetas a los pies de la catedral burgalesa◆, en el monasterio de Santa Clara, en pleno corazón del barrio de Santa Cruz. Hoy en día la maquinaria moderna y unos potentes hornos han sustituido a las frágiles manos de las monjas, aunque sigan siendo ellas quienes manipulan y controlan el proceso culinario cada mañana desde el interior del hermoso convento. Evolucionan las técnicas, pero el sabor inconfundible de sus muchas especialidades, entre las que encontramos la tarta de almendras, las empanadas, el mazapán, las rosquillas de anís, los sobadillos, los polvorones o las tradicionales 'Claras de Burgos', se mantiene inalterable e inolvidable.

Más al sur, a no muchos kilómetros de Burgos, nos topamos con el convento de las Dominicas de Jesús y María, donde las religiosas que lo habitan han hecho del mazapán una de las delicias más apreciadas de Toledo, que obligan a un alto en el camino del viajero para deleite de su paladar. [...]

El dulce de membrillo es la razón de una nueva escala en la ruta, que nos lleva hasta el monasterio benedictino de Santa María de Huerta (Soria), habitado por 17 monjes. Es en este recogido lugar donde cada año se elaboran 5.000 kilos de dulce de membrillo mediante un proceso totalmente artesanal y tradicional.

Continuar el viaje es del todo apetecible, sin duda, pero resultaría poco menos que infinito debido a la variedad y riqueza repostera que ofrecen los enigmáticos hornos de los muchos conventos de la geografía nacional. [...] Sin duda es un buen colofón a la *Ruta de los dulces monacales* una última escala, ya en Madrid, en la única tienda que hay en España dedicada a la repostería religiosa. Un comercio conocido como Torno, nacido del aumento en la demanda de estos productos de repostería en los últimos años, donde puede adquirirse cualquiera de los dulces elaborados en los monasterios y conventos de la península.

Unos productos que tienen como denominador común su condición de artesanales en estado puro, ya que están hechos a mano y no tienen aditivos ni conservantes ni colorantes. Los dulces y productos de los monasterios son algo exquisito, tradicional y único a cada bocado y para todos los paladares. Por ello no debe ser exagerado decir que quien los prueba permanece fiel a ellos.

(Fuente: *Spanorama*, nº. 2, diciembre de 1996, pp. 48–51)

Glosario◆

repostería   dulces y pastas

clarisas   monjas de la orden de Santa Clara

burgalesa   de Burgos

- ¿Qué adjetivos emplearía para describir los dulces monacales?
- La fabricación y venta de dulces es una manera de financiar los gastos en las comunidades religiosas. ¿De qué otras maneras cree usted que las monjas y los monjes recaudan dinero?
- ¿Cómo se imagina usted la rutina diaria en los conventos?

En este texto el autor se plantea cuál es la mejor manera de potenciar la tolerancia cultural y religiosa desde la escuela.

Por una tolerancia activa

JOSÉ MARÍA MARTÍN PATINO

Nadie puede de modo consciente y lúcido decir que la cuestión religiosa no va con él. Se puede ser creyente o increyente. "Se puede ser simplemente ignorante de todas estas cuestiones como de tantas otras; pero no se puede evitar ser afectado de modo consciente o inconsciente por el hecho religioso", escribe Luis Gómez Llorente en *Sociedad, cultura y religión* (Documento Inicial, editorial Laberinto, página 15). Partimos de esta actitud ciudadana responsable que requiere un determinado conocimiento y reconocimiento del hecho religioso en su pluralidad, máxime♦ en una sociedad europea cada vez más multirracial, multiétnica y multirreligiosa, en la que la tolerancia positiva o activa exige el respeto al otro.

Con particular razón debemos aplicar este hecho al sistema educativo, regulado por las administraciones públicas♦ en virtud de la función social encomendada a la escuela. Al final del siglo XX, Europa plantea la cuestión religiosa en términos muy distintos a

como lo hizo en el XIX. Entre nosotros, este secular enfrentamiento tuvo especial incidencia en la escuela. El consenso histórico de la Constitución y de la Ley Orgánica de Libertad Religiosa (1/1980) tenía que haber puesto fin a este viejo pleito. En ellas se garantiza el derecho de todo ciudadano español a elegir libremente una educación 'laica', en la que los valores cívicos no sean explícitamente sustentados por ninguna convicción religiosa, o aquella otra formación que llamamos 'confesional', fundada en los correspondientes principios religiosos. La insuficiencia de la tolerancia pasiva es evidente: es compatible con el menosprecio de las ideas del otro, algo que ya experimentamos y que nos aleja de la convivencia democrática. No faltan quienes identifican la firmeza de su fe con el menosprecio de los increyentes. La tolerancia activa nos libera del fanatismo y refuerza la voluntad de ir a una convivencia pacífica entre las confesiones y de éstas con la increencia. El carácter social de la educación exige además que la

formación 'confesional' ponga especial énfasis en los aspectos cívicos y democráticos de los correspondientes valores religiosos.

Hasta aquí hemos invocado la función social y cívica de la escuela. El desarrollo integral de la persona, objetivo fundamental de la actividad educativa, constituye otra vía de argumentación no menos concluyente a la hora de exigir un estatuto mínimamente serio para incluir en la escuela la enseñanza de valores cívicos y religiosos. Un Estado que reconoce las libertades no puede desconocer el derecho de un ciudadano a buscar en su fe religiosa, dentro del proceso de formación, el sentido más profundo de su existencia. Pensamos no sólo en los católicos. La experiencia está demostrando que la comunidad musulmana, por ejemplo, se inserta mejor en la sociedad española cuando se respeta su libertad religiosa dentro de la escuela. Ésta es el lugar nato de la tolerancia, mejor aún que la parroquia, la mezquita o la sinagoga. [...]

(Fuente: *El País*, 10 de octubre de 1999, p. 17)

Glosario♦

máxime   especialmente

las administraciones públicas   conjunto de los organismos del gobierno

- En su opinión, ¿a qué se refiere el autor cuando habla de 'tolerancia activa'?
- ¿Cree que en su país existe una actitud de tolerancia activa o pasiva? Ponga ejemplos.
- A su parecer, ¿debería ofrecerse educación religiosa en la escuela estatal? ¿Por qué (no)?

. QUINO

tema 4 *Lenguas*

ENSAYO 4

Unidad y diversidad lingüística de los pueblos hispanos

El español es hablado hoy día por casi 400 millones de personas que se reparten en un territorio muy extenso que abarca España, la mayor parte de América del Sur y América Central, partes de Estados Unidos, otros enclaves más aislados como Guinea Ecuatorial, e importantes minorías en Filipinas, la isla de Guam (EEUU), Marruecos y Andorra, además de las diversas comunidades judías que mantienen el sefardí o ladino en muchos otros países del mundo. Para un gran porcentaje de estas personas el español es su lengua materna o su lengua de uso habitual, pero no necesariamente su única lengua; para otros el español es una de las dos o más lenguas que hablan. No es de extrañar que en una comunidad tan extensa convivan una variedad de lenguas. Es por ello importante contemplar el territorio hispanohablante como un área de diversidad lingüística, donde se escuchan voces múltiples, ecos de orígenes y culturas distintas entre sí y, sin embargo, durante siglos en constante contacto con el castellano. De esta manera, el mundo del español se nos presenta como un mundo culturalmente vastísimo, lingüísticamente riquísimo, y de una vitalidad impresionante.

El territorio hispanohablante presenta una gran variedad de situaciones lingüísticas. El concepto de 'situación lingüística' ha sido identificado como la configuración de las lenguas que se usan en un lugar y tiempo determinados. La descripción de la situación lingüística de un territorio debe incluir datos sobre cuántas y qué lenguas se hablan, por cuántos hablantes, bajo qué circunstancias, y qué valoración y uso tiene cada una de las lenguas. Las situaciones lingüísticas en que dos o más lenguas coexisten definen situaciones de bilingüismo o multilingüismo, así como fenómenos de contacto de lenguas que se manifiestan en las influencias e interferencias entre ellas.

A la hora de describir situaciones lingüísticas bilingües o multilingües se pueden hacer dos grandes distinciones metodológicas. Una comprendería el contacto entre las lenguas a nivel social o de comunidad, y la otra, el contacto a nivel individual. En el primer caso es relevante estudiar cuestiones tales como la relación entre las lenguas en la sociedad, el estatus de cada una de las lenguas (inclusive los niveles de oficialidad y el grado de prestigio), los patrones de uso de cada lengua (es decir, en qué situaciones y con quién se utiliza cada lengua), y cuestiones de identidad comunitaria unida a una lengua determinada. Por otro lado, desde el punto de vista del contacto de lenguas en un mismo hablante es pertinente hablar del bilingüismo (o multilingüismo), de interferencias entre las lenguas de los hablantes, de niveles de competencia en cada una de las lenguas, de cuestiones de identidad individual, etc.

Empezaremos por describir la situación lingüística del Estado español, donde el primer dato que quizá sorprenda es el hecho de que más del 40 por ciento de la población vive en comunidades donde el español o castellano coexiste con otras lenguas. Conviene recordar que todas las lenguas de la Península Ibérica nacieron y evolucionaron al mismo tiempo que el castellano, a excepción del vasco o euskera. La hegemonía política del reino de Castilla, en concreto a partir del siglo XIII, jugó un papel decisivo en el predominio del castellano en España, mientras que el desarrollo de las otras lenguas peninsulares sufrió diversas vicisitudes unidas a las cambiantes circunstancias políticas y modas culturales a través de los tiempos. Por ejemplo, el XVIII fue un siglo que favoreció el cultivo y concepto de una lengua única, mientras que el siglo XIX revalorizó e impulsó el cultivo de la identidad regional y, por tanto, el de las lenguas locales. En el siglo XX las circunstancias políticas tuvieron claras repercusiones sobre la valoración del multilingüismo y multiculturalismo del país. Cabe destacar el largo periodo de dictadura franquista (1939–75), de fuerte ideología centralista y uniformadora. Sin embargo, en el marco político de la España autonómica, las principales lenguas locales tienen estatus de lenguas cooficiales en las Comunidades en que se hablan. Este es el caso del catalán en Cataluña y las islas Baleares, el valenciano en el País Valenciano, el vasco en el País Vasco y Navarra, y el gallego en Galicia. Otras lenguas de uso más restringido, como el aragonés, el aranés y el bable o asturiano, gozan también de protección oficial en sus Comunidades. Sin embargo, la oficialidad de una lengua no soluciona en sí misma los problemas de lenguas que, al fin y al cabo, son minoritarias en el contexto nacional e internacional. Los Gobiernos autonómicos se esfuerzan por crear políticas lingüísticas encaminadas a promover el desarrollo de la lengua local, que se ve como una parte importante de la identidad del pueblo. Aunque las políticas lingüísticas de cada región difieren en cuanto a que se centran en las amenazas específicas a cada lengua, todas tienen algunos objetivos comunes: la modernización de la lengua para que pueda ser vehículo de comunicación en todos los ámbitos de la vida contemporánea; la enseñanza de la lengua entre los que no la hablan y la dotación de prestigio, ya que una lengua desprestigiada tiene pocas posibilidades de sobrevivir.

En España la protección de las lenguas locales no es ajena a la controversia. Los defensores destacan la riqueza cultural que supone la pluralidad lingüística del país. Además, para los hablantes de estas lenguas las razones son también afectivas, ya que la lengua es uno de los exponentes más claros de identidad, tanto personal como comunitaria. Los detractores no consideran que la diversidad lingüística sea un valor tan importante y tienden a valorar más la uniformidad. También esgrimen argumentos de tipo económico, ya que promover y defender las lenguas minoritarias cuesta dinero y suele representar una proporción no desdeñable de los presupuestos autonómicos.

Si pasamos a la situación lingüística de Hispanoamérica, esta es claramente distinta de la de España, y mucho más compleja. Esto no es de extrañar, si se tiene en cuenta que la mayor parte de los hispanohablantes viven en América y que el español es lengua nacional y oficial de 19 países, sin olvidar su alta presencia en otros países, como Belice o los Estados Unidos. Pero a pesar de la fuerte presencia del español, el multilingüismo en Latinoamérica es más bien la regla que la excepción. A principios del siglo XXI la riqueza lingüística de este continente sigue siendo extraordinaria. Sin embargo, desde que el español llegó al Nuevo Mundo como la lengua del colonizador, su avance ha sido imparable, y la situación de muchas de las lenguas menos extendidas es preocupante; otras habrán perdido la batalla de la supervivencia en la próxima generación.

En Hispanoamérica la cuestión lingüística está con frecuencia unida a la cuestión indígena. El 80 por ciento de la población indígena es rural y vive en la pobreza y la marginación. La emigración a los grandes núcleos urbanos a menudo supone la desintegración social y cultural de las comunidades. La imposibilidad de sobrevivir de acuerdo a los modos tradicionales, y la falta de alternativas, hacen que en muchos casos sean las poblaciones y sus culturas las que estén en peligro de desaparición. Este puede ser el problema de muchas de las lenguas amazónicas, de poblaciones reducidas y relativamente aisladas entre sí.

Entre los retos a los que se enfrentan las lenguas con las que el español convive en América Central y América del Sur está su falta de prestigio, la cual se extiende a las poblaciones y las culturas que las hablan. Es curioso cómo la alta valoración que reciben las culturas precolombinas (la maya, aymara, quechua) no se aplica a los elementos de esas culturas que han sobrevivido hasta nuestros días. Es raro el caso en que una lengua indígena tenga estatus cooficial (por ejemplo, el quechua y aymara en Perú – en las regiones donde se hablan – y el guaraní en Paraguay). El español se percibe claramente como la lengua de la modernidad, del progreso, de las oportunidades laborales y económicas, y es así. Las políticas lingüísticas de los países con una realidad multilingüe se han concentrado tradicionalmente en la promoción del español y el olvido de las lenguas indígenas con objeto de crear una identidad nacional uniforme. En los últimos años, y siguiendo nuevas directrices de instituciones internacionales como la UNESCO, la mentalidad ha ido cambiando, pero la protección de las lenguas nativas es un fenómeno reciente y la educación en la lengua indígena materna es minoritaria y no de la calidad deseada. Además de los problemas de falta de prestigio social y falta de protección política, hay sin duda también un problema económico importante: la situación de muchos de los países hispanoamericanos es tal que hace difícil la introducción de programas de protección y desarrollo de las lenguas minoritarias.

Otro problema acuciante de muchas de las lenguas nativas americanas, incluso las más mayoritarias como el quechua, es la falta de una norma estándar, es decir, una variedad común modernizada. Algunas de las lenguas indígenas fueron estudiadas y dotadas de alfabetos por los españoles – este es el caso del náhuatl, el yucateco, el quiché, el quechua y el tupí-guaraní – pero la mayor parte han sido ágrafas hasta hace poco (o todavía lo son) y, en general, todas siguen siendo lenguas de tradición oral. En cualquier caso, cuando las lenguas han desarrollado una variedad de dialectos muy distintos a través de los siglos, hay un gran problema a la hora de elegir una variedad base para la lengua estándar. Este es un problema acuciante para el quechua, por ejemplo. ¿Cuál de los muchos quechuas actuales debe convertirse en la lengua oficial, en la lengua para la enseñanza? La Academia del Quechua debate en estos momentos esta cuestión. Difícil decisión.

Entre las lenguas americanas hay una que destaca por su situación diferente del resto: el guaraní, hablado mayormente en Paraguay. El guaraní es una lengua precolombina que cuenta con prestigio social y político, y que es considerada una marca de identidad para el pueblo paraguayo en general. Hoy día el guaraní ha conseguido ser lengua cooficial junto con el español y cuenta con el apoyo de los programas de educación bilingüe. Sin embargo, la presión del español como lengua internacional y común a gran parte de América también se deja sentir en este país.

Finalmente, una situación lingüística totalmente diferente es la que presenta el español en los Estados Unidos. Hoy día EEUU es el cuarto país del mundo con mayor número de hablantes de español, número que sigue creciendo a pasos agigantados. El español se oye en varios Estados del país, pero su presencia es sobre todo notoria en Nuevo México, California, Texas, Arizona, Nueva York, Florida y Colorado, donde más del 10 por ciento de la población es de origen hispano. Las razones de la presencia hispana en algunos de estos Estados, como los del suroeste de EEUU, tienen raíces históricas remotas, ya que algunos de estos territorios pertenecieron a colonias españolas y posteriormente a México. Más recientemente, la presencia hispana se debe a la inmigración económica (aunque también política, como es el caso famoso de la enorme comunidad cubana de Miami). Debido al origen y a las circunstancias de la población hispanohablante el español está lejos de gozar en este país del prestigio de que disfruta en otros lugares. Además, el rápido crecimiento de la población de origen hispano ha creado desasosiego entre la población de habla inglesa. Las proyecciones señalan a 96,5 millones para el año 2050. Los intentos de frenar la expansión del español han arreciado en las últimas décadas. Entre ellos se encuentran las campañas de *English Only*, encaminadas a vetar los programas de educación bilingüe y a restringir el uso del español al ámbito familiar.

El modelo lingüístico del hispanohablante estadounidense es el de bilingüismo con inglés, especialmente entre las segundas y terceras generaciones. La mayor parte de los hablantes bilingües usan sus dos lenguas de manera habitual. El hecho de que el bilingüismo sea no solo a nivel individual y familiar, sino también a nivel social, ha dado lugar al nacimiento de una forma lingüística particular: el spanglish, que consiste en una forma de comunicación que mezcla elementos de las dos lenguas. Tiene sus defensores y sus detractores pero no cabe duda de que está lleno de vitalidad y muy arraigado en la comunidad.

Como se ha visto, el mundo hispanohablante, lejos de presentar una realidad monolítica y uniforme, exhibe un magnífico crisol de lenguas y de culturas. Pero en un mundo cada vez más globalizado se corre el peligro de que toda esta riqueza desaparezca. Su futuro está estrechamente ligado a la configuración de su situación lingüística, la cual debe aspirar al mantenimiento de la diversidad lingüística como elemento de identidad cultural, y del español como elemento de comunicación y de entendimiento entre todos los pueblos hispanos.

4.1

La situación de las diferentes lenguas que se hablan en la España de hoy es inseparable tanto de la historia de la Península Ibérica como del contexto político actual.

A continuación aparecen unos apuntes sobre la historia lingüística de la Península Ibérica.

Origen de la diversidad de lenguas en España

En el año 218 a.C. los romanos desembarcaron en Ampurias♦, iniciando así la romanización de la Península Ibérica. Roma, de la mano de sus legionarios, colonos, funcionarios y comerciantes, impuso a los antiguos pobladores de Hispania su forma de vivir, de pensar y de hablar. De las lenguas que se hablaban en la Península antes de que llegaran los romanos, sólo se conservó el vasco, que no tiene parientes conocidos. En el resto de la Península el latín se convirtió en la lengua general.

A partir del siglo V, las invasiones de los pueblos germánicos fragmentaron el Imperio Romano, propiciando la diversificación del latín en las distintas lenguas románicas. Más tarde, la invasión musulmana de principios del siglo VIII dio lugar a la formación de diversos núcleos políticamente aislados entre sí. En cada uno de estos núcleos se desarrollaron diversas variedades lingüísticas romances, entre las que se incluye la propia de los hispanovisigodos que permanecieron en territorios conquistados: el mozárabe.

Al terminar la Reconquista♦ en el siglo XV, eran seis las variedades idiomáticas que había en la Península: una de origen no románico – el vasco – y cinco de origen románico – el gallego, el leonés, el castellano, el aragonés y el catalán.

(Fuente: 'Las lenguas peninsulares', *Lengua y literatura (Secundaria 2000)* (edición de 1998) Madrid, Grupo Santillana de Ediciones, p. 187)

Glosario♦

Ampurias   uno de los puertos del Mediterráneo más importantes durante la época romana en la Península

Reconquista   periodo de la historia medieval española que abarca desde la llegada de los árabes en 711 hasta la toma de Granada en1492, durante el cual el objetivo de los cristianos fue la expulsión de los musulmanes de la Península

4.2

La situación de las lenguas de España diferentes al castellano cambió drásticamente a partir de la Constitución de 1978 [3], promulgada tres años después de la muerte de Franco.

La situación lingüística de España hoy

En España hay una amplia zona en la que se habla exclusivamente el español o castellano (o alguna de sus variedades dialectales) junto a otras zonas en las que el castellano convive con otra lengua: catalán, vasco o gallego.

La protección y el respaldo♦ tanto de las lenguas propias de cada Comunidad como de las variedades dialectales de cada lengua están contemplados por la Constitución Española de 1978 y por los distintos Estatutos de Autonomía♦.

Constitución Española, Artículo 3:

1 El castellano es la lengua española oficial del Estado. Todos los españoles tienen el deber de conocerla y el derecho a usarla.
2 Las demás lenguas españolas serán también oficiales en las respectivas Comunidades Autónomas de acuerdo con sus Estatutos.
3 La riqueza de las modalidades lingüísticas de España es un patrimonio cultural que será objeto de especial respeto y protección.

(Fuente: 'Las lenguas peninsulares', *Lengua y literatura (Secundaria 2000)* (edición de 1998) Madrid, Grupo Santillana de Ediciones, p. 186)

Glosario♦

respaldo   apoyo, protección

Estatutos de Autonomía   leyes por las que se rigen las Comunidades Autónomas de España

● Escriba unos apuntes sobre la situación lingüística de España, y luego compárela con la de su propio país.

● ¿Qué opina de la idea de que la riqueza lingüística de una nación es un patrimonio cultural que merece especial respeto y protección? Razone su respuesta.

[3] La Constitución de 1978 fue el resultado de la Ley de Reforma Política y el referéndum de 1976. Reflejó la política de consenso de la transición democrática y cambió radicalmente muchos aspectos de la vida jurídica y cotidiana de España.

4.3

Como ha visto anteriormente, además del castellano, en las distintas áreas de España se hablan otras lenguas. A continuación se describe la historia, la distribución geográfica y la situación actual de uso del vasco, el catalán y el gallego.

La diversidad lingüística en España

El vasco

Extensión: Desde el punto de vista geográfico, el vasco o euskera está presente a uno y otro lado de la frontera francoespañola. En Francia se habla en un pequeño rincón al suroeste del departamento de los Bajos Pirineos; y en España se extiende por Guipúzcoa, una buena parte de Vizcaya, el valle de Aramayona, situado al norte de Álava, y la zona noroccidental de Navarra. En la actualidad, lo habla y tiene como lengua principal cerca del 20% de la población [de la zona].

Historia: El vasco no es una lengua románica: a diferencia de otras regiones en las que las lenguas prerromanas sucumbieron ante el empuje del latín, la región vasca conservó su lengua; por eso, el vasco se diferencia tanto del resto de las lenguas peninsulares en aspectos como el vocabulario o la sintaxis. Por ejemplo, el orden de las palabras en vasco es distinto: se dice *neska bat naiz*, cuya traducción literal sería 'chica una soy'. No obstante, el vasco ha incorporado a su léxico numerosos préstamos procedentes del latín, del castellano y de otras lenguas peninsulares.

El vasco no se usó como lengua escrita hasta el siglo XVI, pues hasta entonces los documentos se redactaban en latín o en romance. La literatura vasca surgió en este siglo, con textos escritos de carácter eclesiástico y moral.

La lengua vasca ha tenido graves problemas para sobrevivir, pues su empleo ha sido fundamentalmente coloquial, estaba fragmentada en diversos dialectos con fuertes diferencias entre sí y ha carecido hasta hace poco tiempo de una norma común para su utilización culta y escrita en las actividades públicas y en la enseñanza. Esa norma común que actualmente existe es el *euskara batua*, es decir, 'vasco unificado' (*bat* significa en vasco 'uno').

El catalán

Extensión: El catalán y las variedades que han nacido a partir de él – el balear, el valenciano – se extienden por Cataluña, parte de la Comunidad Valenciana, las islas Baleares, el departamento francés de los Pirineos Orientales, el Principado de Andorra y la ciudad de Alguer, situada en la isla de Cerdeña (Italia). En total son unos seis millones de hablantes, prácticamente todos bilingües.

Historia: Desde el punto de vista histórico, el catalán – como lengua románica que es – resultó de la evolución del latín en el nordeste de la Península. Durante la Reconquista se produjo su expansión hacia el sur y, por el Mediterráneo, hacia oriente. En el siglo XV comenzó una época de decadencia para el catalán, que fue quedando reducido a ámbitos familiares o locales, mientras el castellano se convertía en la lengua de uso en situaciones formales.

A principios del siglo XX, el catalán dispuso ya de una norma ortográfica, gramatical y léxica, lo cual facilitó su enseñanza y su cultivo literario. La consideración de lengua cooficial en Cataluña y en Baleares, reconocida por los respectivos Estatutos de Autonomía, ha permitido difundir su uso.

En la Comunidad Valenciana, el Estatuto de Autonomía reconoce como lenguas oficiales el castellano y el valenciano. Originado a raíz de la expansión del catalán hacia el sur, el valenciano ha ido adquiriendo a lo largo del tiempo rasgos lingüísticos particulares, tanto en la pronunciación como en el vocabulario.

El gallego

Extensión: La lengua gallega se habla en Galicia, en la parte de Asturias situada entre los ríos Eo y Navia, y en tierras de León – entre el río Cea y el Sil – y de Zamora – occidente de Sanabria. No es fácil hacer una estimación del número de gallegohablantes, pues durante mucho tiempo el gallego estuvo reducido a los ámbitos familiares y preferentemente a zonas rurales. La Constitución Española de 1978 y el Estatuto de Galicia han favorecido su enseñanza y normalización◆, de manera que en la actualidad el porcentaje de hablantes bilingües de gallego y castellano ha aumentado hasta casi el 85% de la población, una gran parte de la cual entiende el gallego y más de la mitad lo habla.

Historia: El gallego y el portugués tuvieron su origen común y compartieron su proceso de formación a partir del latín durante la Edad Media. En aquella época, el gallego se consideraba lengua especialmente apta para la poesía; Alfonso X, por ejemplo, utilizaba el castellano para la prosa y reservaba el gallego para la poesía. Pero pronto el gallego quedó restringido a usos familiares y rurales, y se abandonó como lengua literaria.

La recuperación de la literatura en gallego comenzó a finales del siglo XIX con autores como Rosalía de Castro y Manuel Curros Enríquez. En los últimos años, la producción literaria en gallego ha aumentado considerablemente.

(Fuente: 'Las lenguas peninsulares', *Lengua y literatura (Secundaria 2000)* (edición de 1998) Madrid, Grupo Santillana de Ediciones, pp. 187–8)

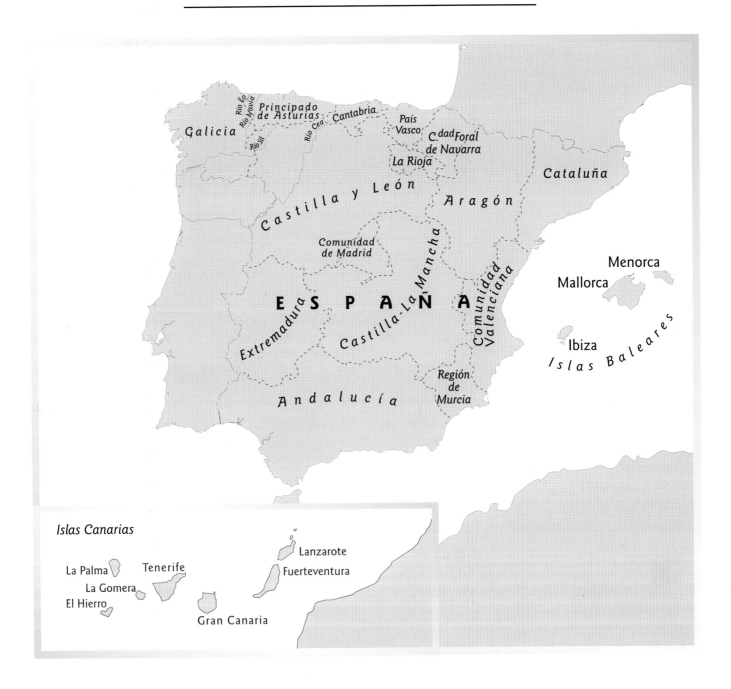

Glosario◆

normalización (lingüística)   estandarización de una lengua, en cuanto a su uso, alfabeto,
   ortografía y gramática

- Sitúe las distintas lenguas y sus variedades en el mapa que acompaña al
  texto.

- ¿Qué tienen en común todas estas lenguas?

- ¿Qué problemas han tenido estas lenguas para sobrevivir?

4.4

A continuación aparecen los resultados de un sondeo de opinión realizado en 1996 sobre el uso de las distintas lenguas en las Comunidades Autónomas de España.

Sondeo de opinión
(Centro de Investigaciones Sociológicas)

1 ¿Cuál es su lengua materna, es decir, aquella que aprendió de niño en su casa hablando con su madre?

Respuesta espontánea. Sólo a los residentes en las Comunidades Autónomas: País Vasco, Cataluña, Comunidad Foral de Navarra, Comunidad Valenciana, Galicia e islas Baleares.

| | Total % | COMUNIDAD AUTÓNOMA | | | | | |
		Cataluña	Galicia	Comunidad Valenciana	País Vasco	Comunidad Foral de Navarra	Islas Baleares
Español/castellano	54	55	29	54	78	84	37
Catalán	16	39	0	1	0	1	11
Gallego	10	1	55	0	1	1	1
Valenciano	10	1	0	39	0	0	0
Vasco/euskera	4	0	8	0	16	10	0
Mallorquín, balear	2	0	0	0	0	0	47
Dos lenguas	4	3	7	5	4	3	3
Otras	1	1	0	1	1	1	1

2 Además del castellano, ¿habla, lee o entiende la lengua propia de su Comunidad Autónoma?

Sólo a los residentes en las Comunidades Autónomas: País Vasco, Cataluña, Comunidad Foral de Navarra, Comunidad Valenciana, Galicia e islas Baleares y cuya lengua materna es el castellano.

	% Sí
Total	**75**
Comunidad Autónoma	
Islas Baleares	88
Cataluña	93
Comunidad Valenciana	84
Galicia	89
Comunidad Foral de Navarra	14
País Vasco	34

3 Conocimiento del gallego, catalán, valenciano, mallorquín y vasco

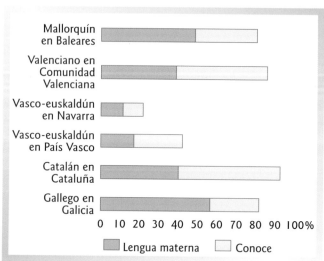

4   ¿Qué idioma utiliza habitualmente en las siguientes situaciones?

Sólo a los residentes en las Comunidades Autónomas: País Vasco, Cataluña, Comunidad Foral de Navarra, Comunidad Valenciana, Galicia e islas Baleares y que hablan o conocen la lengua propia de su Comunidad Autónoma.

% la lengua propia de la Comunidad Autónoma

	Total	COMUNIDAD AUTÓNOMA					
		Cataluña	Galicia	Comunidad Valenciana	País Vasco	Comunidad Foral de Navarra	Islas Baleares
Cuando habla con los que viven en su casa	45	43	59	39	31	33	51
En las tiendas, al ir de compras	41	47	53	29	15	17	45
Cuando se relaciona con sus amigos	39	35	54	36	26	24	43
Cuando contesta al teléfono	39	46	49	22	29	24	46
En el trabajo, en el lugar de estudio	39	38	53	33	25	29	39
Cuando va a una oficina de la Administración Pública	37	45	45	24	20	5	42
Cuando pregunta algo en la calle a un desconocido	34	43	42	20	11	8	37
Cuando ve la televisión	14	23	8	5	12	5	7
Cuando escucha la radio	13	22	8	4	15	13	4
Cuando lee la prensa	6	10	4	1	10	5	3

(Fuente: http://cis.es) [último acceso el 6 de septiembre de 2000]

● ¿En qué ámbitos se utiliza más el castellano, y en cuáles se usa más la lengua autóctona en cada una de las Comunidades? ¿Qué razones se le ocurren para explicar estas diferencias?

4.5

Dos académicos y escritores, uno vasco y el otro catalán, presentan sus puntos de vista sobre la situación actual de uso del euskera y del catalán y sobre su posible futuro.

ENTREVISTA A JUARISTI Y ESPADA

Carlos Trías

Jon Juaristi nació en Bilbao en 1951, Arcadi Espada, en Barcelona en 1957. El uno es vasco, el otro, catalán. Juaristi obtuvo el Premio Espasa Hoy 1997 por su libro _El bucle melancólico_. Espada obtuvo el Premio Ciudad de Barcelona por su libro _Contra Catalunya_ en 1998. Ambos libros tienen algo en común: tratan de un fenómeno político – el nacionalismo – que antepone los derechos de un colectivo – pueblo vasco, nación catalana – a los derechos de las personas singulares que viven en un territorio dado.

En Cataluña el discurso nacionalista gira fundamentalmente en torno a la lengua. ¿Ocurre lo mismo en el País Vasco? ¿Se puede hablar allí de nacionalismo lingüístico?

Juaristi – No. Hay indudablemente un componente lingüístico en el nacionalismo vasco, pero no tiene ni puede tener la misma importancia que en el nacionalismo catalán por muchas razones. En primer lugar, porque sólo un 25% de la población habla vasco. La política lingüística del Gobierno vasco desde el año 82 hasta la fecha no ha conseguido mejorar este porcentaje. En segundo lugar, y es un hecho admitido por las propias organizaciones de defensa del euskera, el porcentaje de la población que usa realmente esa lengua es mucho más bajo: un 6%. Por otra parte, muchos nacionalistas vascos son españoles acomplejados, españoles con cierto complejo de inferioridad. Gran parte de los especialistas en lengua vasca, empezando por el presidente de la Academia de la Lengua Vasca♦, son hispanistas de segunda o tercera fila que se han dedicado al cultivo de los estudios euskéricos en una fase ya avanzada como recurso para insertarse profesionalmente. El nacionalismo vasco no se cree demasiado esto de la lengua. Arzalluz♦ se expresa habitualmente en castellano. Anasagasti♦, igual. Solamente entre los dirigentes de _Herri Batasuna_♦ hay una especie de necesidad compulsiva de expresarse siempre en euskera.

Espada – En el tema de lengua hay un dato que me parece fundamental y contundente: el euskera es muy difícil.

Juaristi – Lo dices en tu libro. Alguien que sepa castellano tiene ya mucho terreno ganado para aprender el catalán.

Espada – En Cataluña hablar catalán o castellano es una cuestión de matiz. Si

el euskera se pareciera al inglés, la situación sería muy distinta. ¿Por qué en Euskadi no se ha hecho una normalización lingüística como la catalana? Porque habría ocasionado una fractura civil de consecuencias incalculables.

¿Creéis que el vasco está realmente en peligro de extinción?

Juaristi – Yo creo que no. [...]

Espada – Yo creo que el catalán es una lengua amenazada y que el euskera es una lengua al borde de la extinción. [...] El catalán está amenazado porque vive al lado de una de las lenguas más fuertes del mundo, una lengua que cotiza fuerte♦ en el mercado intelectual y lo mismo le pasa al euskera, con el agravante de que éste se parece menos a esa lengua fuerte y encima no tiene ningún referente en el extranjero. El catalán tiene al menos el referente del italiano, del francés. Pero está igualmente amenazado porque es una lengua que hablan pocas personas y que posee una tradición literaria considerable, aunque reducida. No hay que hacer un drama de este asunto. Pongamos que se extingue, o que se extingue el vasco. Ha ocurrido ya con muchísimas otras lenguas, incluso con lenguas que tenían detrás una tradición cultural mucho más fuerte que el catalán. Y seguirá ocurriendo. El problema no es ese. El problema es que hay esfuerzos políticos artificiales, intervencionistas, para no dejar a esa lengua al socaire del♦ mercado. [...] En Cataluña hay un claro intervencionismo lingüístico y cultural. Se ha de analizar hasta qué punto una sociedad como la catalana, o como la vasca, está dispuesta a pagar ese plus de intervencionismo, de impuestos, para el mantenimiento de una lengua y de una determinada tradición cultural. Cataluña ha destinado muchísimos esfuerzos a la expansión lingüística del catalán. [...]

(Fuente: _Ajoblanco_, n°. 106, abril de 1998, pp. 52–6)

Glosario[*]

Academia de la Lengua Vasca   institución que, como las demás academias del resto de las lenguas en el Estado español, se encarga de velar por el buen uso de la lengua

Arzalluz   presidente del PNV (Partido Nacionalista Vasco)

Anasagasti   diputado del PNV por Vizcaya, portavoz del Grupo Vasco en el Congreso de los Diputados

Herri Batasuna   partido nacionalista extremista del País Vasco, posteriormente conocido por el nombre *Euskal Herritarrok*

cotiza fuerte   tiene mucho peso o valor

al socaire de   a merced de, dependiente de

- ¿Qué opinión tienen Juaristi y Espada sobre el futuro del vasco y el catalán?

- ¿Qué piensa usted respecto a la intervención estatal en materia lingüística y cultural para conservar y proteger una determinada lengua y cultura? ¿Conoce otros lugares donde se estén llevando a cabo este tipo de políticas? ¿Con qué resultados?

El mapa lingüístico de Hispanoamérica es muy variado, ya que en muchos de los países de habla hispana el español convive con las lenguas amerindias. A continuación aparece una breve información sobre los orígenes y la situación de las principales lenguas de Hispanoamérica.

LENGUAS INDÍGENAS DE SUDAMÉRICA

Quechua

El quechua (o 'queshwa') es una lengua indígena de la región andina hablada por unos 13 millones de personas en Bolivia, Perú, Ecuador, norte de Chile, Argentina y sur de Colombia. Era la lengua oficial del imperio inca.

Aymara

El aymara es un lenguaje que tiene aproximadamente dos millones de hablantes en Bolivia (80%), Perú (19%) y también en Chile (1%), es decir, alrededor del lago Titicaca.

Aunque exista mucha discusión al respecto, se puede considerar a la civilización Tiahuanaco, cuya antigüedad se remonta al año 2000 a.C., como el primer estado organizado aymara.

Existieron muchos otros estados aymaras, siendo el de los Lupakas, 1400 d.C., el último estado aymara políticamente independiente.

Guaraní

Hasta hoy se desconoce la procedencia del guaraní. No obstante se puede decir que nació entre los guaraní, quienes según una teoría proceden de Polinesia, más exactamente de contingentes australianos o mongoloides que ingresaron a América por el estrecho de Bering.

El idioma guaraní en su periodo de hegemonía, previa al descubrimiento, se extendió por América desde el Caribe al norte, el Amazonas al centro, y el Río de la Plata al sur, a través de las tribus que lo hablaban. En la actualidad se habla en el Paraguay. Este hecho se explica porque el mestizaje en Paraguay fue mayor que en otras zonas de América Latina. Es el único país en que una mayoría abrumadora habla una lengua indígena y en el que además ésta se considera lengua nacional y se habla por todos los estratos sociales. [...] Sin embargo, y aunque el guaraní es visto por los paraguayos como su lengua y tiene funciones importantes dentro de la sociedad paraguaya, ocupa una posición algo inferior a la del español. En general el guaraní predomina en las áreas rurales, mientras que el castellano se asocia con lo urbano y hay jóvenes monolingües de clase alta, media alta, y media.

- ¿Cuál de las lenguas es la más extendida y usada?
- ¿Qué diferencias encuentra entre el guaraní y las demás lenguas mencionadas?

ESTADOS UNIDOS

MÉXICO

Yucateca

Náhuatl

CUBA

REPÚBLICA
DOMINICANA

BELICE

Quiché

HONDURAS

HAITÍ

PUERTO
RICO

GUATEMALA
EL SALVADOR

NICARAGUA

COSTA RICA

PANAMÁ

VENEZUELA

COLOMBIA

ECUADOR

Quechua

PERÚ

Quechua

BOLIVIA

Aymará

Quechua

PARAGUAY

BRASIL

Guaraní

Guaraní

CHILE

Guaraní

ARGENTINA

URUGUAY

Lenguas indígenas de Sudamérica
y América Central

4.7

Lenguas indígenas de América Central

El quiché y el yucateca son las lenguas indígenas más vigorosas de la región. La mayoría decayó tras el contacto con los europeos, pero los misioneros documentaron algunas. Alonso de Molina recogió el náhuatl, lengua azteca, a mediados del siglo XVI.

Quizás haya desaparecido un millar de lenguas que en otro tiempo se oyeron en esta región. Dos éxitos moderados: el quechua, la lengua de los incas, con seis millones de hablantes; y el guaraní, la lengua principal de Paraguay.

(Fuente: *National Geographic*, Vol. 5, n°. 2, agosto de 1999)

Nichoca, yehua, nicnotlamati
zan nic-elnamiqui ticcauhtehuazque
yectli ya xochitl, yectli ya cuicatl.
In ma oc tonahuican, ma oc toncuicacan:
cen tiyahui, tipolihui yehua oahuaya.

Ach tle on ayuhquimati, in tocnihuan i,
cocoya no yollo, cualano, yeehuaya,
ayoppan tlacatihua, ayoppan piltihua
i yece ye quixhuan tlalticpac. Ohuaya.

Ma oc achitzinca i tetloc yenican,
tenahuac, ayahue. Aic yez, aic nahuiaz,
aic nihuelamatiz! Ohuaya.

In canon nemian noyollo, yeehuaya?
tenahuac, ayahue. Aic yez, aic nahuiaz,
aic nihuelamatiz! Ohuaya.

Timotolinia, noyolo, yeehuaya,
ma xic nentlamati tlalticpac yenican.
O anca yuhqui notonal, ahuaye,
quimati, ahuaye, huixahue,
canon nicmacehuia in mach yuhcan nitlacat
in tlalticpac ixama ihuiya ehuaya,
ic yectli ya huelihui ahcampa nemoa,
zan quitoa noyol. A ohuaya.

Quen quitoa: aya nellon tinemi,
aya nellon tiyahuecahuaco tlalticpac oo.
Yiao yiao ayia aayo ohuaya.

O aya nic-yacahuaz yectli ya xochitl,
aya nic-yatemohuiz quenonamican, huiya.
O anca cihui zan achic, zan tictotlanehuia
yectl on cuicatl. Ohuaya, ohuaya.

Poema anónimo, en lengua náhuatl

A continuación, Jon Landaburu, Profesor Titular en el Departamento de Antropología de la Universidad de los Andes de Santa Fe de Bogotá, explica la situación de las lenguas indígenas en América del Sur.

La situación de las lenguas indígenas en Suramérica

Las diversas circunstancias de la colonización europea siguen siendo la clave del entendimiento de la situación lingüística actual de Suramérica. La profundidad temporal variable del impacto [...], las particularidades de la historia precolombina según las regiones y la diversidad extrema de la geografía americana crearon una gama de procesos muy variados que podríamos sin embargo tratar de clasificar muy aproximadamente en cuatro tipos de contextos político-lingüísticos, en función del grupo demográficamente mayoritario dentro de los Estados modernos.

Al sur tenemos regiones mayoritariamente 'blancas', como Argentina, Uruguay, el sur de Brasil y Chile. Son países de clima templado, históricamente poco ocupados por indígenas americanos, fuertemente colonizados por oleadas de inmigrantes recientes (siglos XIX y XX). Aunque en los últimos años las minorías indígenas de estos Estados (sobre todo en Argentina y en Chile) están expresando reivindicaciones [...], lo cierto es que las grandes mayorías son y se precian◆ de su estirpe◆ europea. [...] El castellano y el portugués funcionan masivamente como lenguas de integración en una situación lingüística que tiende al monolingüismo.

Al otro extremo, tenemos regiones con una presencia india considerable que, en algunas ocasiones, rebasa la mayoría de la población. Éstos son países andinos como Ecuador, Perú y Bolivia, donde el campesinado es indígena, demográficamente importante desde épocas remotas [...] y se ha mantenido en tanto que masa poblacional◆ numerosa, y marginalizada, que sigue en buena parte hablando variedades del quechua y también del aymara. [...] La población de origen hispánico, aunque se perciba como criolla, mantiene una lealtad lingüística fuerte al castellano y a los valores de la cultura europea. El castellano sigue conquistando posiciones pero el tamaño de los grupos lingüísticos en presencia impide anticipar claramente la configuración futura de la situación lingüística de estos países.

Paraguay representa por sí solo en el continente el caso único de un Estado con una lengua indígena, el guaraní, hablada por la casi totalidad de la población. Bien cierto es que se trata de una población cultural y genéticamente muy mezclada. La lengua también ha sufrido un proceso de hibridación considerable con el castellano. Este último se mantiene como la lengua oficial, culta y de referencia. Hay actualmente intentos importantes de estandarización y modernización. No hay que olvidar que, como los demás Estados americanos, Paraguay tiene también grupos tribales.

Al oriente y al norte del continente, Brasil, Venezuela y Colombia representan formaciones sociales intermediarias entre los dos primeros grupos mencionados. Por un lado, tuvieron una importante ocupación preibérica, aunque nunca tan numerosa como en los Andes centrales; por otro lado esa población se mestizó mucho con el inmigrante europeo. En la actualidad quedan en esos países un gran número de grupos indígenas pero poco importantes cada uno en cuanto a su tamaño demográfico. [...] El castellano y la lengua portuguesa son vehículos muy universalizados [...].

En el caso de Colombia, que participa al mismo tiempo del mundo andino, del mundo caribeño y del mundo de las bajas tierras amazónicas u orinoquenses, la fragmentación lingüística y la variedad de situaciones sociolingüísticas es especialmente notoria. En un Estado de 35 millones de habitantes, una población indígena que no alcanza 600.000 personas, pertenecientes a 81 identidades étnicas amerindias, está presente en 29 de los 32 departamentos que tiene el Estado. De esta población, unas 130.000 personas no hablan ninguna lengua amerindia aunque se identifican como indígenas y tienen hábitos sociales y culturales que los acreditan como tales. El resto habla 66 lenguas diferentes (algunas de ellas con variaciones dialectales importantes) reagrupables en 22 estirpes lingüísticas (12 familias lingüísticas y 10 lenguas aisladas). Las grandes familias lingüísticas suramericanas Arahuaca, Caribe, Quechua, Tupí y la gran familia centroamericana Chibcha coexisten con familias de ámbito más regional.

(Fuente: Landaburu, J. (1997) 'La situación de las lenguas indígenas de Colombia: prolegómenos para una política lingüística viable', *Seminario internacional sobre políticas lingüísticas*, Bilbao, Unesco Etxea, pp. 301–2)

Glosario◆

se precian   se sienten orgullosos

estirpe   linaje

masa poblacional   conjunto de población

- Haga un esquema resumiendo la información sobre las lenguas de América Latina. Puede relacionar la población de cada región con las lenguas que hablan.

- ¿Qué situaciones socioeconómicas y políticas caracterizan y diferencian a las zonas prioritariamente monolingües o multilingües en Latinoamérica?

Para proteger el futuro de una lengua minoritaria, una de las primeras medidas que se suelen tomar es su normalización. Pero como demuestra el caso del quechua, la normalización de una lengua también puede plantear problemas.

Retos para la normalización del quechua

Normalizar una lengua significa la unificación de su uso idiomático, ya sea en el terreno del alfabeto, la ortografía, las normas gramaticales, la adopción de préstamos léxicos, la elaboración de diccionarios, la terminología técnico-científica, la formación de términos nuevos, etc. Significa también promover la producción literaria en dicha lengua. Todas estas tareas aún están en ciernes◆ en lo que se refiere al quechua. […] La normalización del quechua resulta de gran importancia en el dominio de la enseñanza y educación, pues de tenerse amplios consensos sobre el alfabeto, la ortografía y la gramática se facilitarían enormemente las tareas que se traza la educación bilingüe e intercultural.

Los argumentos en favor de la estandarización son […] conocidos, al menos los tres principales: (a) la estandarización eleva el estatus de una variedad o un conjunto de variedades que de otro modo sólo habrían sido habladas y se llega a una lengua 'verdadera', contribuyendo así a una mejor identidad del grupo (minoritario); (b) la estandarización es virtualmente necesaria para la implementación de programas de educación (bilingüe) formal, utilizando la lengua no sólo como contenido sino también como instrumento de instrucción; (c) la estandarización parece ayudar a la sobrevivencia de la lengua, principalmente a través de la preservación de un corpus de literatura, una vez que ésta ha sido creada.

El quechua del Perú está dividido en una multitud de posibilidades dialectales, tan divergentes que casi no llegan a ser mutuamente inteligibles. El número de dialectos depende del criterio de sus analistas; algunos […] han postulado que el número llega a centenas […]. Más moderados que éstos, algunos lingüistas juiciosos están de acuerdo en que existen al menos seis principales y muy distintas variedades peruanas. […] La pregunta frecuentemente planteada es: ¿cuál de estos dialectos sería un candidato conveniente para su adopción nacional? Hay dos candidatos principales: el dialecto del Cuzco, capital arqueológica de América del Sur y último centro del Perú incaico, […] o el dialecto de Ayacucho, hablado por la mayor parte de la población en el sur de los Andes centrales, mutuamente inteligible con los dialectos del Cuzco, Bolivia, y aun posiblemente con los del Ecuador. Aquí tenemos un caso en que el criterio de la historia se opone al de la cantidad de hablantes. ¡Qué dilema!

El éxito del proceso de estandarización del quechua dependerá, a fin de cuentas, principalmente del poder político y el compromiso de sus propios hablantes.

(Fuente: Godenzzi, J. C. (edición) (1992) *El quechua en debate: ideología, normalización y enseñanza*, Cuzco, Centro de Estudios Regionales Andinos, pp. 11, 189–92, 199)

Glosario◆

en ciernes   al comienzo, en fase de elaboración

- ¿Por qué es importante normalizar el quechua?
- ¿Qué problemas puede plantear la normalización del quechua?

El siguiente texto describe la situación de desigualdad en las lenguas que se usan en el Perú.

Lengua y desprestigio

El quechua ha sobrevivido al colonialismo, la represión y la dominación del castellano por casi medio milenio, aunque es evidente que el creciente contacto y bilingüismo con la lengua colonial ha reducido el monolingüismo quechua y, de este modo, ha acelerado los cambios y pérdidas lingüísticas. [...]

El monolingüismo en quechua es, con frecuencia, seguido por un bilingüismo en quechua y castellano donde el quechua es la lengua que se domina mejor, seguido por un ambilingüismo donde las dos lenguas son manejadas casi por igual, cambiando luego a un bi-monolingüismo donde el castellano cobra mayor dominio y, finalmente, a un monolingüismo en español y al exterminio del quechua.

En el Perú, y especialmente en las regiones del Trapecio Andino, nos encontramos en una situación de diglosia♦, concepto que remite a la diferencia de [estatus] y funciones entre el quechua y el aymara como lenguas de comunicación familiar y local, sin mayor utilización escrita y marginadas de usos oficiales, de los medios de comunicación masiva a nivel regional y nacional, y por lo general de la educación secundaria y superior. Estos espacios los ocupa el castellano, cuyo prestigio induce a menospreciar la lengua propia en desmedro♦ del desarrollo lingüístico de los niños. Esto es, se llega a una situación en la cual los padres muchas veces prefieren utilizar en la comunicación con sus hijos una lengua que no dominan, el castellano, en vez de aprovechar las potencialidades expresivas de su lengua materna. En consecuencia, estos niños crecen sin lengua propia: la materna se les niega sin brindarles la oportunidad de apropiarse bien de la segunda. Esta situación representa una verdadera emergencia lingüística, y todos los esfuerzos de política cultural y educativa tendrían que apuntar a superarla.

(Fuente: Godenzzi, J. C. (edición) (1992) *El quechua en debate: ideología, normalización y enseñanza*, Cuzco, Centro de Estudios Regionales Andinos, pp. 188, 278)

Glosario♦

diglosia   forma de contacto entre lenguas en la que dos o más lenguas se usan en una comunidad con ámbitos de uso específicos y bien definidos

en desmedro   en detrimento, en perjuicio

- ¿En qué ámbitos se usa en Perú el quechua y el aymara, y en cuáles se utiliza el castellano?

- ¿Por qué cree que tantos padres prefieren hablar a sus hijos en castellano aunque no dominen bien la lengua?

Para preservar la diversidad lingüística de América Latina es necesario instaurar una política lingüística que promueva la educación bilingüe y respete los derechos de cada persona a expresarse en su propia lengua. A continuación se resumen varios programas de educación bilingüe que se están llevando a cabo en América Latina.

La educación bilingüe en América Latina

PROGRAMAS DE EDUCACIÓN BILINGÜE

Argentina

Hay una ley que trata de la protección de las comunidades indígenas y se dice que los planes educativos que se apliquen deben revalorizar la identidad histórico-cultural de la comunidad aborigen. Ésta parece ser una disposición bastante reciente, porque no hay descripción de ningún programa en marcha. No se conocen instituciones para la formación de maestros bilingües.

Bolivia

La ley de educación vigente♦ no tiene en cuenta explícitamente a los grupos de población que no hablan español. Dentro del sistema de educación rural sí está prevista la formación de maestros bilingües en tres centros: uno para quechuahablantes, otro para hablantes de aymara y otro para hablantes de guaraní. No se conoce el dato de cuántos niños reciben enseñanza bilingüe en la escuela.

[…] En 1976 la política educativa era de castellanización violenta con menosprecio de las lenguas nativas, y desconocimiento de que el aprendizaje de una segunda lengua es largo y gradual. Consecuencia de esa política educativa fue el alto porcentaje de deserción. […] A partir de 1984 el Gobierno boliviano asume una posición oficial a favor de la educación intercultural y bilingüe. Plantea la necesidad de enseñar el castellano como segunda lengua respetando la diversidad lingüística y cultural, aunque las acciones concretas son todavía demasiado insuficientes.

Colombia

Según una ley de 1978, la educación de las comunidades indígenas debe ser bilingüe. Existen centros pedagógicos para los maestros indígenas. Las propias comunidades llevan a cabo proyectos de etnoeducación, asesoradas por el Gobierno.

Chile

La legislación se propone reducir la marginalidad e integrar a los grupos. No hay un programa de estudios para maestros bilingües; se capacitan en instituciones pedagógicas o en universidades. Hay algunos programas, pero la información es muy escasa. Sin embargo, en Chile hay lingüistas preparados para implementar programas de educación bilingües en caso de que el Gobierno se decidiera a seguir este camino.

Ecuador

El castellano es el idioma oficial. El quechua y las demás lenguas aborígenes forman parte de la cultura nacional. La Constitución garantiza la educación primaria en la lengua de la comunidad étnica. En el plan de estudios de los maestros se les enseña quechua.

El Salvador

El idioma oficial es el español. 'Las lenguas autóctonas… serán objeto de preservación, difusión y respeto'. En los informes del Gobierno se dice que los hablantes bilingües cada vez emplean menos su lengua.

México

El programa de educación indígena bilingüe bicultural está a cargo de la Dirección General de Educación Indígena (DGEI) de la Secretaría de Educación Pública. Tenía a su cargo en 1985 unos 470.000 niños, aproximadamente 45% de los niños indígenas en edad escolar. Además de que no se atiende a todos los niños, de los que se matriculan en primero sólo 50% llega a tercer grado y 20% hasta el sexto grado. […] En los informes se señalan algunas causas de la deficiente eficacia que ha tenido la educación bilingüe:

Falta de planes y programas de estudio específicos. Los contenidos educativos de los planes existentes no son adecuados a las necesidades de los grupos étnicos.

Falta de material didáctico y asesoría. La producción de material didáctico en la lengua materna ha comenzado hace pocos años y no cubre todavía todos los grados y asignaturas escolares. Los textos no corresponden a los contenidos biculturales deseados.

Deficiencia en la formación del maestro, que reproduce las formas de comportamiento de los maestros hispanohablantes.

Falta de flexibilidad en el año escolar, por lo que hay ausentismo.

En el caso de México […] la educación bilingüe bicultural o no existe, o deja mucho que desear.

Nicaragua

En 1980 se empezó a poner en práctica la educación bilingüe. Hay dos centros para la formación de maestros.

Paraguay

El programa de educación bilingüe que se aplica desde 1979 es de transición, puesto que a partir del cuarto grado los alumnos tienen que seguir el programa monolingüe en español. A los maestros se les prepara con materias sobre la historia del guaraní y su valor simbólico, pero no hay ninguna indicación para un posible uso del guaraní escrito ni sobre el método de lectoescritura.

Perú

Según la ley de educación de 1984, 'se inicia la educación en la lengua autóctona con tendencia a la castellanización progresiva a fin de consolidar en el educando♦ sus características socioculturales con las que son propias a la sociedad moderna'. […] Según estadísticas de 1981, el Ministerio de Educación atiende solamente a 3.7% de la población no hispanohablante.

Algunas conclusiones

El objetivo sociopolítico de la educación bilingüe en Hispanoamérica es [...] la inserción de los grupos marginados en la sociedad nacional. Se le llama a este objetivo integración, por oposición a asimilación, que se usa en sentido negativo. Se supone que con la educación se creará la igualdad de oportunidades y se supone también que se fomentarán las lenguas y la cultura de las minorías, con el consenso de la mayoría. La realización de estos tres objetivos está determinada por las condiciones locales.

Gleich (1989) hace un resumen de la situación, y afirma que en casi todas las constituciones se declara al español como lengua oficial. A las lenguas indígenas se les concede el estatus de lenguas nacionales o bien son admitidas como lenguas de instrucción a nivel de la primaria o para la alfabetización de adultos o declaradas de carácter simbólico como patrimonio cultural. Solamente Nicaragua declara a las lenguas cooficiales, pero se refiere a la educación en la Costa Atlántica. En Perú duró muy poco la oficialización [...]. Como resalta Gleich, hay mucha diferencia entre emplear las lenguas en el ámbito de la educación primaria y el tipo de autonomía de los vascos o los catalanes, cuyas lenguas se emplean en la administración pública, la administración de la justicia, y el sistema educativo.

Al revisar las constituciones y las leyes sobre educación de los países de habla española se ve claramente que ninguna de las lenguas indígenas tiene el mismo estatus que el español, por lo que existe una asimetría legal. En el campo de las leyes sobre educación bilingüe los mayores avances se han logrado desde 1980 [...].

La tan proclamada educación bilingüe y bicultural es muy poco bilingüe y menos bicultural. [...] Por la presión internacional, por modas y, en algunos casos, por interés de los propios indígenas en conservar sus lenguas, los Gobiernos hacen declaraciones de principios que están muy lejos de poder llevar a cabo. Sin duda hay una gran distancia entre las declaraciones, y aun las leyes, y la realidad. Esta última es evidente: las lenguas indígenas están condenadas a desaparecer si no cambia la situación actual. Además de la falta de recursos, que naturalmente hay que tomar en consideración, el principal problema tal vez sea la actitud hacia las lenguas minoritarias. Hace tanto tiempo que se les denigra, que se les llama primitivas e inferiores, que los indígenas han acabado por creerlo, por identificarlas con la pobreza y el atraso, y al español con el progreso y la movilidad social. [...] Si no se logra cambiar esta actitud, todos los esfuerzos serán inútiles.

(Fuente: Lastra, Y. (1992) *Sociolingüística para hispanoamericanos: una introducción*, México, Centro de Estudios Lingüísticos y Literarios, pp. 458–67)

Glosario◆

vigente   válida, en vigor

el educando   la persona que recibe una educación, el alumno, el estudiante

- ¿Cree que es importante promover la educación bilingüe en Hispanoamérica? Razone su respuesta.

- ¿En su país existen grupos minoritarios que hablan su propia lengua? ¿Existe alguna política para fomentar o proteger su uso?

El autor del artículo que aparece a continuación aboga por una enseñanza bilingüe en Paraguay para que de esa forma los paraguayos tengan acceso a una cultura internacional y al mismo tiempo se reconozcan su propia cultura y su pasado.

NUESTRO BILINGÜISMO: ANTE LA REFORMA EDUCATIVA

Lino Trinidad Sanabria

Después de muchos años de vigencia◆ de la más sutil y repudiable discriminación contra el idioma guaraní, la actual Constitución Nacional ha reparado ese daño que desde siempre se le ha causado al sentimiento del paraguayo, declarando el guaraní como idioma oficial de la República junto al castellano. Es tal vez una de las más patrióticas y significativas reivindicaciones que contiene la Constitución Nacional de 1992 porque el uso y conocimiento del guaraní siempre fue un derecho de todo paraguayo auténtico y siempre ese derecho le fue conculcado◆. Me refiero al paraguayo auténtico porque existen unos pocos paraguayos que por su conformación cultural híbrida, nada les importa del idioma guaraní. A algunos incluso les produce escozor◆ que el guaraní se haya oficializado. Esos pocos paraguayos siguen su lucha contra el idioma ancestral de nuestro pueblo. [...] Es el caso del paraguayo híbrido que no quiere hablar el guaraní porque cree que con ello disminuye su estatus social; cree que hablando en castellano o cualquier otro idioma extranjero, es superior al que habla en guaraní.

[...] Son esos pocos paraguayos los que sienten escozor por la oficialización del idioma guaraní y por la adopción de la disposición constitucional que crea la obligatoriedad de la enseñanza bilingüe en el Paraguay.

Y aquí queríamos llegar: la enseñanza bilingüe marca el punto de partida fundamental para el despegue hacia el desarrollo cultural de nuestro pueblo. Porque con la enseñanza bilingüe el paraguayo va a tener la oportunidad de aprender su idioma materno y al conocer bien su lengua materna que es la lengua de su comunicación familiar y de rutina, ha de conocer mejor también el castellano, y podrá manejar con fluidez y con la competencia debida ambos idiomas oficiales de su patria y así, dentro de algunos años, con la implementación de la enseñanza bilingüe, vamos a tener individuos bilingües coordinados y van a desaparecer los paraguayos lingüísticamente conflictuados. Al cabo de algunos años vamos a tener paraguayos que conocen en forma adecuada la lengua castellana, con posibilidad de acceder a través de ella en forma inmediata a la cultura universal. Pero también, ese paraguayo va a conocer en forma adecuada el idioma de sus ancestros, para dejar de reprimirse y de retraerse en su propia tierra, y de esa forma sentir seguridad de que no se le va a sustraer el idioma que él quiere como suyo.

(Fuente: *Noticias*, 21 de enero de 1996, p. 41)

Glosario◆

vigencia   uso, validez (de una ley)

conculcado   violado, pisado

escozor   sentimiento que causa en el ánimo algo que ofende o duele

- Según el artículo, ¿qué diferencias existen entre un paraguayo auténtico y uno híbrido? ¿De qué lado se sitúa el autor del artículo? ¿Cuál es la actitud del autor hacia los paraguayos híbridos?
- ¿Qué consecuencias tendrá la enseñanza bilingüe en Paraguay, según el artículo? ¿Será la situación del guaraní muy distinta de las otras lenguas autóctonas en América Latina?

El español no se habla únicamente en España e Hispanoamérica; cada día más se está convirtiendo también en una lengua importante en Estados Unidos, aunque este fenómeno no es nuevo. A continuación encontrará una descripción histórica de los distintos grupos de la población hispana en Estados Unidos, sus lugares de asentamiento y las características socioeconómicas de cada grupo.

La población hispana en Estados Unidos

'El Censo de 1990 (*United States Bureau of the Census*) señala que un 8.9% de la población de Estados Unidos es hispana, lo que corresponde a un total de aproximadamente veintitrés millones de personas' (Silva-Corvalán 1992, 828); esto significa que después del inglés, la lengua hablada por mayor número de personas es el español.

La presencia de la lengua española en Estados Unidos es originaria: ya en 1548 se fundó el primer asentamiento♦ español en Nuevo México, cincuenta años antes del establecimiento de los primeros colonos ingleses en Virginia.

Pero, en realidad, la mayor parte de la población hispana actual de los Estados Unidos procede de la entrada, en el siglo XIX y en el XX, de tres grupos hispanohablantes principales: los mexicanos (que constituyen el 60% del total de hispanos) entran clandestinamente por la frontera natural entre los dos países, y cubren la demanda de mano de obra barata; los puertorriqueños que, como ciudadanos norteamericanos desde 1898, no quedan afectados por las restricciones de inmigración impuestas por los Estados Unidos, de modo que se desplazan continuamente desde su isla al continente a partir de 1917 (constituyen el 14% del total de hispanos); y los cubanos, que se trasladan a Estados Unidos cuando se produce la llegada de Fidel Castro al poder en Cuba, a mediados del presente siglo (constituyen el 5% del total de hispanos; por tanto, el 21% de los hispanos de Estados Unidos proceden de otros orígenes distintos de estos tres grupos principales).

Estas tres comunidades son, sociológicamente, muy distintas entre sí. En efecto, el asentamiento de los mexicanos es primero rural y luego urbano, pero en las ciudades se han encontrado normalmente segregados en barrios propios.

Los puertorriqueños, en cambio, se sitúan habitualmente en el medio urbano e industrial y son, en general, de pobre condición económica, lo que, unido al hecho de que una tercera parte de esa población es negra o negroide, produce también segregación.

Los cubanos contrastan sociológicamente con los dos grupos anteriores. En primer lugar, emigran por motivos políticos e ideológicos que hacen que sean bien recibidos en Estados Unidos. Por otra parte, son gente de clase media y alta y con buena preparación profesional, de modo que se han convertido ya en Estados Unidos en propietarios de empresas, periódicos, fábricas, etc. Situados principalmente en Miami y en el Condado de Dade, publican diarios en español, y hay, promovidas por ellos, muchas cadenas de radio y televisión que emiten en lengua española.

(Fuente: Saralegui, C. (1997) *El español americano: teoría y textos*, Navarra, Ediciones Universidad de Navarra, pp. 30–1)

Glosario◆

asentamiento   lugar donde se establece un núcleo de población

● Para que tenga una idea más clara de la población hispana en Estados Unidos, complete la siguiente tabla con la información del texto:

	Mexicanos	**Puertorriqueños**	**Cubanos**
% de la población hispana en EEUU	60	14%	5%
Razón de entrada en EEUU	TRABAJO	TRABAJO	IDEOLOGÍA
Extracción social	RURAL		
Estatus legal	ILEGALES CLANDESTINO	CIUDADANOS	POLITICA REFUGIADO
Asentamiento en EEUU	CALIFOR.	CIUDAD	MIAMI
Clase de trabajo que desempeñan	RURAL	EN CIUDAD	PROFESIO. EMPRESA

146

La situación del español en Estados Unidos es conflictiva, como apunta el autor de la siguiente ponencia. Sin embargo, el crecimiento del español va a ser imposible de frenar.

Situación del español en los Estados Unidos de América

¿Qué español se habla en EEUU?

La principal característica de los hispanohablantes de este país es el bilingüismo. Se habla otro idioma en un país ajeno. Un país, en el que paradójicamente no existe una lengua oficial *de jure*, estipulada en su Constitución, sino una lengua *de facto*, que es el inglés. Y esa es una de las grandes características del español de este país: su falta de un apoyo gubernamental, y por tanto de consideración oficial. Y cuando hablo de apoyo y reconocimiento, todos sabemos que eso no es más que dinero. Este país mantiene una relación de adulterio con nuestra cultura y nuestro idioma: está casado con el inglés pero el español es como el amante al que tiene oculto: se sabe que está ahí, que tiene su importancia, pero no se le reconoce oficialmente ni se le subvenciona.

Tradicionalmente, este país ha ido asumiendo a emigrantes e integrándolos en su cultura, pero se enfrenta por primera vez a una situación algo distinta, cual es:

– Una comunidad más o menos organizada y voluminosa de emigrantes con un idioma distinto al inglés, que crece por encima de la media.
– Gran cantidad de emigrantes monolingües e iletrados que aún tardan más que la media en asimilar el idioma y la cultura estadounidenses, y que conservan su cultura y costumbres con más vigor.

Nos hallamos, de una manera paradójica, con un 'estado dentro de un estado'. Con un gran colectivo que demanda servicios, educación y recursos en español.

(Fuente: Castro Roig, X., ponencia dada en el Hunter College de Nueva York el 24 de octubre de 1996)

LO QUE DICE *EL PAÍS*

4.15

Los expertos subrayan que el futuro de EEUU es bilingüe entre el inglés y el español

El número de hispanohablantes ascenderá de 26 a 80 millones en medio siglo.

(*El País*, 3 de junio de 1998)

ESCRITORES CHICANOS PIDEN QUE SE RESPETEN LOS RASGOS PROPIOS DEL 'SPANGLISH'

(*El País*, 3 de abril de 1998)

EL VIGOR DEL 'SPANGLISH'

El cóctel de español e inglés invade las calles de Nueva York por boca de su población hispana.

(*El País*, 15 de abril de 1997)

UNA ANTENA HISPANA EN NUEVA YORK

Con música y entrevistas en español, una radio logra el primer puesto de audiencia en la Gran Manzana.

(*El País internacional*, 27 de junio de 1998)

MULTADOS POR HABLAR ESPAÑOL

Ayuntamientos de EEUU intentan frenar el crecimiento del castellano restringiendo su uso con ordenanzas.

(*El País*, 14 de febrero de 1999)

- A pesar del uso extendido del español en EEUU, ¿por qué cree que no se le apoya política ni económicamente y por qué piensa que no tiene el mismo prestigio social que el inglés?

- ¿Cuáles son las distintas posturas que señalan los titulares de periódicos sobre la realidad lingüística en el futuro en EEUU?

En este texto el escritor mexicano Carlos Fuentes explica su punto de vista sobre la consideración social y política del español en los Estados Unidos y apunta soluciones para terminar con la ideología monolingüe americana.

LOS ESTADOS UNIDOS POR DOS LENGUAS

Carlos Fuentes

"El monolingüismo es una enfermedad curable". Una vez vi este grafito en un muro de San Antonio, Texas, y lo recordé la semana pasada cuando el electorado de California, el Estado más rico y más poblado de la Unión Americana, votó a favor de la Proposición 227◆, que pone fin a la experiencia bilingüe en la educación.

Yo entiendo a los padres y madres inmigrantes de lengua española. Desean que sus hijos asciendan escolarmente y se incorporen a las corrientes centrales de la vida en los Estados Unidos. ¿Cómo se logra esto mejor? ¿Sumergiendo al escolar, de inmediato, en cursos sólo en lengua inglesa? ¿O combinando la enseñanza en inglés con la enseñanza en castellano? California ha votado en contra de la segunda idea, aliándose a la primera. Este hecho no deroga◆ otro mucho más importante y de consecuencias infinitamente más duraderas: los Estados Unidos tienen 270 millones de habitantes, y 28 millones entre ellos hablan español. A mediados del siglo que viene, casi la mitad de la población norteamericana será hispanoparlante. Éste es el hecho central, imparable, y ninguna ley

va a domar realidad tan numerosa y bravía◆.

Hay en la Proposición 227 la comprensible preocupación de los padres latinos por el futuro de sus hijos. Pero también hay una agenda angloparlante que quisiera someter al bronco◆ idioma de Don Quijote a los parámetros de lo que Bernard Shaw llamaba "el idioma de Shakespeare, Milton y la Biblia". El español es la lengua rival del inglés en los Estados Unidos. Éste es el hecho escueto y elocuente. Es esta rivalidad la que encontramos detrás de la lucha por el español en Puerto Rico. En la isla borinqueña◆ es donde más claramente se diseña la rivalidad anglo-hispana. Los puertorriqueños quieren conservar su lengua española. Pero este apego les veda el acceso a la "estadidad", es decir, a convertirse en Estado de la Unión. [...]

Hace 150 años, los Estados Unidos entraron a México y ocuparon la mitad de nuestro territorio. Hoy, México entra de regreso a los Estados Unidos pacíficamente y crea centros hispanófonos no sólo en los territorios de Texas a California, sino hasta los Grandes Lagos en Chicago y hasta el Atlántico en Nueva York.

¿Cambiarán los hispanos a los Estados Unidos? Sí.

¿Cambiarán los Estados Unidos a los hispanos? Sí.

[...]

La lengua española, en última instancia, se habla desde hace cuatro siglos en el sureste de los Estados Unidos. Su presencia y sus derechos son anteriores a los de la lengua inglesa. Pero, en el siglo por venir, nada se ganará con oponer el castellano y el inglés en los Estados Unidos. Como parte y cabeza de una economía global, los Estados Unidos deberían renunciar a su actual condición, oscilante entre la estupidez y la arrogancia, de ser el idiota monolingüe del universo. Ni los europeos ni los asiáticos, al cabo, van a tolerar la pretensión norteamericana del inglés como lengua universal y única.

¿Por qué, en vez de proposiciones tan estériles como la 227, los Estados Unidos no establecen un bilingüismo real, es decir, la obligación para el inmigrante hispano de aprender inglés, junto con la obligación del ciudadano angloparlante de aprender español?

Ello facilitaría no sólo las tensas relaciones entre la Hispanidad y Angloamérica, sino la propia posición norteamericana en sus relaciones con la Comunidad Europea, y sobre todo, con la Comunidad del Pacífico. El multilingüismo es el anuncio de un mundo multicultural del cual la ciudad de Los Ángeles, ese Bizancio moderno que habla inglés, español, coreano, vietnamita, chino y japonés, es el principal ejemplo mundial.

Hablar más de una lengua no daña a nadie. Proclamar el inglés lengua única de los Estados Unidos es una prueba de miedo y de soberbia inútiles. Y una lengua sólo se considera a sí misma "oficial" cuando, en efecto, ha dejado de serlo. En materia cultural, las lenguas bífidas son propias de serpientes, pero emplumadas. [4]

(*El País*, 22–28 de junio de 1998, p. 9)

Glosario◆

Proposición 227 En 1998 el Estado de California aprobó la Proposición 227, que acabó con los programas de educación bilingüe para niños hispanos. Aunque el objetivo era el de asegurar que no se marginalizaran a estos niños por no hablar inglés, la Proposición 227 ha preocupado a muchos activistas que defienden el derecho de los niños hispanos a ser educados en un sistema bilingüe que respete su lengua materna.

deroga invalida

bravía difícil de someter

bronco de sonido grave y desagradable

borinqueña de Puerto Rico

- ¿Cuál es la actitud de Carlos Fuentes hacia el monolingüismo de los angloparlantes en Estados Unidos?

- ¿Cómo reacciona usted ante la pretensión estadounidense de considerar el inglés como "lengua universal y única"?

- ¿Comparte la actitud de los padres de niños hispanos hacia el aprendizaje del inglés? ¿Por qué? ¿Haría usted lo mismo en su situación?

[4] Las lenguas bífidas, es decir literalmente las lenguas partidas en dos, como las de las serpientes, representan aquí a los hablantes bilingües. Fuentes los relaciona con otra serpiente, la emplumada, que representa a Quetzalcóatl, uno de los dioses más importantes del antiguo México, símbolo de la identidad mexicana.

4.17

En la entrevista que sigue, Alma Flor Ada, una cubana residente en Estados Unidos desde hace muchos años y que conoce muy bien el tema de la educación bilingüe en EEUU, habla de la situación del español en ese país, y de su futuro.

LA EDUCACIÓN BILINGÜE EN ESTADOS UNIDOS

Alma Flor Ada, nacida en Cuba y afincada en Estados Unidos desde hace más de veinte años, es una de las personas que mejor conocen los problemas de educación bilingüe que afectan a la población hispanoparlante de Estados Unidos. Es una mujer apasionada que defiende sus opiniones con un calor y entusiasmo contagiosos, como queda reflejado en esta entrevista.

ÓSCAR BERDUGO –

Todos estos años dedicados a la educación bilingüe, a los problemas de formación de la población hispana en Estados Unidos, deben haber creado en usted un poso◆ emocional además de proporcionarle los argumentos para defender la validez de lo que hace.

ALMA FLOR ADA –

Me rebelo contra el hecho de que los jóvenes hispánicos tengan que dejar de hablar su propia lengua. Mirando las estadísticas se puede pensar que, en términos absolutos, aumenta el número de hispanohablantes en Estados Unidos. Pero eso es porque no se tiene en cuenta sino◆ la inmigración, pero cada día

hay un niño de seis años que regresa a su casa determinado a no hablar más español, ofendido por hablar español, porque ha sentido el mensaje poderoso de los medios de comunicación que le dicen que su idioma no es válido y que el inglés sí lo es. Se le presenta una situación de sustracción◆ de una de las lenguas en conflicto◆: o hablas una o hablas la otra. Entonces, esos niños, por vergüenza, por dolor, por haber permeabilizado el español en segunda categoría, lo abandonan o lo pierden del todo. O, peor aún, crecen y cuando son unos adultos de treinta años hablan como un niño de seis.

A mí me preocupa la pérdida de ese bien social.

Hoy en día, las posiciones que requieren el manejo de los dos idiomas son ocupadas por angloparlantes. Me parece maravilloso que los angloparlantes se decidan a hablar español, pero es una falacia que se les permita ganar créditos académicos por estudiar español mientras al hispánico se le resta en la escuela el valor de su idioma. Hay un distingo◆ en el valor del lenguaje dependiendo de quien lo habla: las personas del medio mayoritario que aprenden el español adquieren un valor, una mayor cualificación, sin embargo no se considera valioso que los hispánicos mantengan su propia lengua. De alguna manera hay que revalorizar esto para que esos niños de

una comunidad de casi treinta millones de personas, sean conscientes de que su idioma es un bien social para ellos y para los demás.

O.B. – Hace meses se publicó *El peso de la lengua española en el mundo*, un libro dirigido por el marqués de Tamarón, actual director del Instituto Cervantes. En el artículo que abre el libro, Tamarón plantea tres posibles escenarios para la evolución del español en Estados Unidos. Uno de ellos, que él considera ilusorio, es que el español llegue a medirse en igualdad con el inglés en un futuro más o menos cercano. Otro, considerado el más probable y quizá deseable, dadas las circunstancias, consistiría en que los hispanos mantengan el español como segundo idioma aunque utilicen el inglés para la vida social y laboral. El tercer supuesto sería la integración plena de todos los hispanos y el abandono del español. ¿A usted cuál de estos escenarios le parece el más probable?

A.F.A. – No veo que ninguno de esos tres escenarios pueda aplicarse a

Glosario◆

poso   huella o repercusión

no se tiene en cuenta sino   no se tiene en cuenta más que, solo se tiene en cuenta

situación de sustracción   Se refiere a la situación que presenta la opción entre adquirir o mantener una sola de las lenguas, opuesta a la situación que favorece el mantenimiento de las dos lenguas por parte del/de la hablante.

lenguas en conflicto   Situación que se da cuando las lenguas en contacto pertenecen a grupos que están en relación jerárquica, y donde los valores y normas de cada grupo están en constante competencia. Para imponer los valores de un grupo (poder político, prestigio, trabajo, etc.) se cuestionan y amenazan los valores del otro.

distingo   distinción sutil

endeble   que tiene poca fuerza o resistencia

toda la población hispana, pero el último de los que ha citado es una gran amenaza para una gran cantidad de personas. El segundo escenario es el que se da de hecho. El inglés se utiliza para todo lo que es prestigioso, académico, comercial... y el español se mantiene como una lengua de la casa, del ámbito del hogar, del mercado, la comunidad o la fiesta. Eso queda reflejado en casi todas las encuestas, en las que el español aparece relegado a una segunda posición, con unos confines muy debilitados. Sin embargo, el español es un idioma necesario en Estados Unidos, existen un gran número de posiciones, de trabajos en los que el español es imprescindible y además esa demanda aumenta sin parar. ¿Esas posiciones quién las va a ocupar? El primer supuesto es un escenario deseable porque es un escenario enriquecedor al estilo del modelo europeo, donde ya saben que toda persona debe manejar más de un idioma para moverse por la vida.

O.B. – En ese contexto, ¿cómo valora usted las opiniones que se manifiestan algunas veces en los medios de comunicación norte-americanos sobre la condición de gueto a que se ven confinados los hispanos que optan por la formación bilingüe?

A.F.A. – Bueno, primero que nada, la formación bilingüe no es obligatoria en Estados Unidos. De hecho, yo pienso que una de las razones por las cuales no tiene más calidad es por no ser obligatoria. Hay un doble mensaje, los educadores no preguntan si sus hijos deben aprender matemáticas, ciencias, estudios sociales o naturales. Sin embargo, sí les preguntan si deben estar o no en el programa de educación bilingüe. [...] Al hacer la educación bilingüe opcional queda excluida del proceso curricular de la escuela y nace ya de por sí, en muchos casos, endeble• y no suficientemente preparada. Todos los estudios prueban categóricamente que no se aprende mejor en la lengua materna si es una lengua amenazada, una lengua no apoyada por el medio ambiente. [...]

No es un problema de gueto. El problema bilingüe puede estar bien llevado o mal llevado. Cuando está bien llevado, que es en la mayoría de los casos, con maestros que tienen conciencia del origen cultural de los niños, que les tienen respeto, entonces, yo creo en la formación bilingüe con una esperanza total. [...]

O.B. – Como experta en educación bilingüe, ¿cómo valora usted el fenómeno del spanglish? Hay quien mantiene que la incorporación de esos términos al léxico común contribuirá a reforzar las señas de identidad de la comunidad hispanohablante en Estados Unidos.

A.F.A. – Desde mi punto de vista, el verdadero bilingüe en una comunidad bilingüe puede hablar entre norteamericanos sin sentirse de ningún modo diferente, pero puede, en situaciones con otros hispanos, intercalar alguna palabra, terminaciones, frases o expresiones de cualquiera de los idiomas: y eso, si se hace con la libertad de manejar los idiomas perfectamente, es un acto creativo y es un acto indudable de identidad. Lo que ocurre es que hay quien no tiene el manejo suficiente de uno de los idiomas o de los dos incluso y se ve obligado a mezclar por esa insuficiencia. En lugar de ser bilingües son monolingües de un lenguaje mixto que sólo pueden usar entre otros que hablen ese lenguaje mixto. [...]

O.B. – La prensa española reproduce a menudo noticias sobre la campaña conocida como *English Only*. ¿Qué opina usted sobre eso?

A.F.A. – Es una campaña muy fuerte porque está apoyada por mucho dinero. La mayor parte de ese dinero viene de Texas, donde hay un racismo tradicional contra el hispánico. En Estados Unidos los resultados de las elecciones tienen una correlación muy clara con el dinero que se pierde en ellas. Es una amenaza profunda, yo no le quitaría ninguna importancia. Por otra parte, creo que es importante constatar que en los últimos veinte años se ha trabajado muy duramente en EEUU en relación a la educación bilingüe y al mantenimiento del español. [...]

(Fuente: *Cuadernos Cervantes*, n°. 289, marzo–abril de 1997, pp. 12–18)

- ¿Por qué cree Alma Flor Ada que hay que defender el uso del español en Estados Unidos?
- ¿Qué contradicciones apunta Alma Flor Ada respecto al inglés y al español en EEUU?
- De los tres escenarios que describe el marqués de Tamarón, ¿cuál concibe usted como más probable? Razone su respuesta.

4.18

Muchos consideran el spanglish como un fenómeno cultural importante; para el académico Roberto González Echeverría, sin embargo, el uso del spanglish margina en vez de liberar a la población latina.

http://el-castellano.com/clarin.html

HABLAR SPANGLISH ES DEVALUAR EL ESPAÑOL

Para Roberto González Echeverría, profesor de literaturas hispánicas y comparadas de la Universidad de Yale, la mezcla de español e inglés, lejos de ser inocua, perjudica a los propios hablantes.

El spanglish, la lengua compuesta de español e inglés que salió de la calle y se introdujo en los programas de entrevistas y las campañas de publicidad, plantea un **grave peligro** a la cultura hispánica y al progreso de los hispanos dentro de la corriente mayoritaria norteamericana.

Aquellos que lo toleran e incluso lo promueven como una mezcla inocua no se dan cuenta de que ésta no es una relación basada en la igualdad.

El spanglish es una **invasión** del español por el inglés.

La triste realidad es que el spanglish es básicamente la lengua de los hispanos pobres, muchos de los cuales son casi analfabetos en cualquiera de los dos idiomas. Incorporan palabras y construcciones inglesas a su propia habla de todos los días porque carecen del vocabulario y la educación en español para adaptarse a la cambiante cultura que les rodea.

Los hispanos educados que hacen otro tanto tienen una motivación diferente: algunos **se avergüenzan de su origen** e intentan parecerse al resto usando palabras inglesas y traduciendo directamente las expresiones idiomáticas inglesas. Hacerlo, piensan, es reclamar la calidad de miembro de la corriente mayoritaria. Políticamente, sin embargo, el spanglish es una capitulación; indica marginalización, no liberación.

El spanglish trata al español como si la lengua de Cervantes, Lorca, García Márquez, Borges y Paz no tuviera una esencia y una dignidad propias. No es posible hablar de física o metafísica en spanglish, mientras que el español tiene un vocabulario más que adecuado para ambas disciplinas.

(Fuente: http://el-castellano.com/clarin.html) [último acceso el 5 de septiembre de 2000]

- Compare el punto de vista que Roberto González Echeverría tiene sobre el spanglish con el de Alma Flor Ada en la entrevista anterior.

- ¿Piensa usted que el spanglish ha de valorarse como un fenómeno cultural importante, o cree que hablar spanglish es "devaluar el español"?

El marqués de Tamarón, director del Instituto Cervantes hasta octubre de 1999, describe su visión del futuro del español.

MARQUÉS DE TAMARÓN: 'EL ESPAÑOL ES UNA FORMA DE VIDA BIEN ADAPTADA AL PRESENTE'

Santiago de Mora Figueroa y Williams, marqués de Tamarón, casado y con dos hijos, es desde 1996 director del Instituto Cervantes, instrumento 'de España', como él puntualiza, para la expansión de la cultura y la lengua hispánicas. Este diplomático, amante de la naturaleza y los libros, nació en Jerez de la Frontera (Cádiz) hace 57 años y desde entonces ha ocupado distintos puestos en las embajadas de Mauritania, Francia, Dinamarca y Canadá.

Si el peso real de la lengua se mide por su número de hablantes, asegura el marqués de Tamarón, el español es la cuarta lengua del mundo, por detrás del chino, el inglés y el hindi. En el mundo hablan español 350 millones de personas (según los datos que suministra el propio Instituto Cervantes), de los que la gran mayoría – 328 millones – vive en países donde la lengua española es oficial: España y toda Hispanoamérica. Si además tenemos en cuenta su empleo como lengua de comunicación internacional, el español es la segunda después del inglés, ya que el chino y el hindi sólo se hablan en sus respectivos territorios.

[...]

El español es un idioma muy rico por su variedad léxica, asegura el director del Instituto Cervantes. Es una lengua de cultura de primer orden, como lo demuestra la calidad de la literatura española e hispanoamericana. Es homogénea y geográficamente compacta – casi todos los países hispanohablantes ocupan territorios contiguos. Y es una lengua en expansión cuyo número de hablantes no deja de crecer.

[...]

Sobre el resultado del referéndum en California que ha acabado con la enseñanza bilingüe en el estado norteamericano es optimista y asegura que el *English Only* difícilmente frenará la tendencia al crecimiento del español en los Estados Unidos augurado por los expertos. La creciente presencia del español en los Estados Unidos se basa en dos fenómenos: la inmigración de hispanos, principalmente procedentes de México, aunque también de Puerto Rico, Cuba y otros países, y las altas tasas de natalidad de esta minoría. "No sé si el español rehará el mapa cultural de EEUU, pero lo que es seguro es que, por muchas trabas◆ legales que le pongan, nuestro idioma influirá cada día más en la realidad norteamericana".

(Fuente: *Cuadernos Cervantes*, Año XXVII, n°. 289, p. 16)

Glosario◆

trabas   impedimentos, dificultades

- ¿Cómo describiría la actitud del marqués de Tamarón hacia el futuro del español?

- ¿Cree que la legislación norteamericana podrá frenar el uso y la extensión del español en EEUU? Razone su respuesta refiriéndose a la información aparecida en los textos 4.14 a 4.19.

4.20

Si el futuro del español parece estar asegurado, el de muchas lenguas y culturas minoritarias es mucho más dudoso.

Las culturas antiguas, ¿serán libres para cambiar a su propio ritmo?

En el mundo, unos 300 millones de personas, alrededor del 5% de la población mundial, aún conservan una fuerte identidad como miembros de una cultura indígena, enraizada en la historia y la lengua, y vinculada mediante el mito y la memoria a un lugar concreto. Pero sus visiones únicas de la vida se están perdiendo debido a una vorágine de cambios.

En Brasil, la fiebre del oro ha llevado la enfermedad a los yanomami, matando a una cuarta parte de la población en un decenio, y ha sumido a muchos de los 8.500 supervivientes en el hambre y la miseria. En Nigeria, los contaminantes de la industria petrolera saturan el delta del río Níger, tierra natal de los ogoni, y empobrecen tierras que eran fértiles. En el Tibet, 6.000 monumentos y monasterios han sido destruidos por los chinos. Y en los bosques del Congo, las enfermedades de transmisión sexual y otras patologías foráneas están asolando a los pigmeos efe.

No son hechos aislados, sino elementos de un fenómeno global que sin duda será recordado como uno de los hechos distintivos de este siglo. La mejor medida de esta crisis es la pérdida de lenguas. A lo largo de la historia han existido unas 10.000 lenguas habladas. Hoy, de las aproximadamente 6.000 lenguas que aún se hablan, muchas ya no se enseñan a los niños – en realidad, ya están muertas – y sólo 300 las emplean más de un millón de personas. En un siglo, la mitad de las lenguas que en la actualidad se hablan en el mundo pueden haber desaparecido.

Más que un grupo de palabras o una serie de normas gramaticales, una lengua es un destello♦ del espíritu humano con el que el alma de una cultura alcanza el mundo material. «Una lengua es tan divina y misteriosa como un ser vivo. ¿Debemos lamentar la pérdida de una lengua menos que la de una especie?», dice Michael Krauss, de la Universidad de Alaska.

La analogía biológica es oportuna. La extinción, cuando se equilibra con el nacimiento de especies nuevas, es un fenómeno normal. Pero la actual oleada de especies desaparecidas a causa de la actividad humana no tiene precedentes. En ese sentido, las lenguas, como las culturas y las especies, siempre han evolucionado, pero hoy están perdiendo a una velocidad alarmante en sólo una o dos generaciones.

«Cuando perdemos una lengua es como si cayera una bomba en el Louvre», se lamenta Ken Hale, del Instituto de Tecnología de Massachusetts. Al desaparecer las lenguas, las culturas mueren. El mundo se convierte en un lugar menos interesante, pero también sacrificamos el conocimiento en estado puro, los logros intelectuales de milenios.

(Fuente: *National Geographic*, Vol. 5, n°. 2, agosto de 1999, pp. 64–5)

Glosario♦

destello   chispa, resplandor

● ¿Le parece que las lenguas minoritarias se deben y se pueden proteger? Razone su respuesta.

Como muestran los documentos que aparecen a continuación, la diversidad cultural y lingüística de nuestro planeta es parte del patrimonio de la humanidad.

4.21

¿Réquiem o respiro temporal?

En el mundo existen al menos 5.000 culturas indígenas [...]. Estos pueblos, aunque marginados en la mayoría de las sociedades, han sobrevivido. «Los pueblos indígenas del mundo están afirmando su identidad cultural, y reclaman su derecho a controlar el futuro y luchan por recuperar sus tierras ancestrales», dice Julian Burger, del Alto Comisionado para los Derechos Humanos de la ONU.

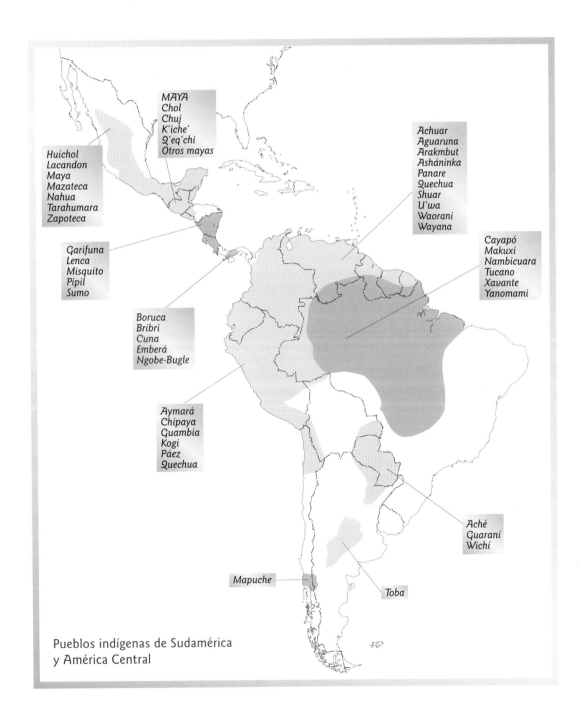

Pueblos indígenas de Sudamérica y América Central

Lenguas en extinción

Resulta difícil estimar el número de lenguas habladas en el pasado. Las lenguas muertas casi nunca dejan fósiles, pues la mayoría carece de sistemas de escritura. Estimaciones cautas, basadas en valores conocidos de desarrollo lingüístico, sugieren que existieron más de 10.000 lenguas. Conforme la diversidad cultural decrece, su número desciende. Los lingüistas prevén que las lenguas más amenazadas, especialmente las que ya no hablan los niños, se extinguirán en 2100. Si están en lo cierto, miles de lenguas están condenadas.

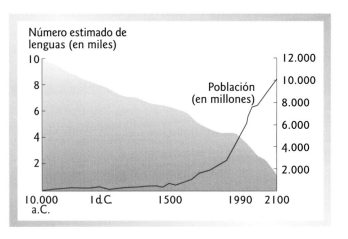

Cultura y globalización

Ninguna cultura es estática. Ideas, tecnologías, productos y personas se trasladan de un lugar a otro. Cuando las culturas entran en contacto a través de la migración, el comercio o los últimos sistemas de telecomunicaciones, se influyen entre sí. A veces las culturas se fecundan unas a otras, intercambiando alimentos, música y deportes. Otras veces, según afirman los críticos de la globalización, una cultura arrolla a otra.

Las culturas han evolucionado como respuesta al contacto durante milenios. Pero el ritmo ha cambiado. En el pasado, las influencias de culturas distantes llegaban despacio, demoradas por largos recorridos. Hoy, con el teléfono, la televisión, Internet, los satélites de telecomunicaciones, el comercio mundial y los viajes de larga distancia, las influencias culturales pueden extenderse por el planeta con la rapidez del clic de un ratón.

¿Qué es la cultura?

Incluso los antropólogos se esfuerzan por definir el término. Alimentación, vestido, herramientas, leyes, vivienda, costumbres, arte, mitos: se puede describir la cultura como las manifestaciones de la existencia humana que se transmiten de generación en generación.

Muchos observadores creen que el mundo padece una extinción masiva de culturas. Hay muchos barómetros de la diversidad cultural, incluida la religión, pero el mejor indicador de la salud de las culturas puede ser la situación de sus lenguas.

Algunas lenguas se están expandiendo. El inglés se ha impuesto como lengua franca de la ciencia, el comercio, la diplomacia y la cultura popular. Otras lenguas se desvanecen. «Es improbable que más de la mitad de las aproximadamente 6.000 lenguas que se hablan en la actualidad sobrevivan en el siglo que viene», dice Douglas Whalen, de la *Endangered Language Fund*, de Yale. Alrededor de la mitad cuenta con menos de 10.000 hablantes. Una cuarta parte, menos de mil. Muchos culpan de la extinción de las lenguas a la globalización, una creciente uniformidad de las culturas estimulada por las telecomunicaciones y una economía global. Los últimos hablantes de algunas lenguas se resisten. Los maoríes de Nueva Zelanda han creado centros de inmersión lingüística donde los niños pasan el día con adultos que hablan maorí. ¿Por qué salvar las lenguas? «Te dan acceso a diferentes visiones del mundo—dice la antropóloga Luisa Maffi. En la Biblia, la multiplicidad de lenguas se puede interpretar como una maldición. Se ha sugerido que es una salvaguarda para impedir que se tengan las mismas pautas culturales. Para los acoma, la diosa latiku creó las diferentes lenguas a fin de que a los humanos no les resultara fácil reñir».

(Fuente: *National Geographic*, Vol. 5, n°. 2, agosto de 1999, p. 66)

- ¿Por qué son las lenguas el mejor indicador de la salud de una cultura?

- ¿Le parece que la globalización es un peligro o un reto para la diversidad cultural del planeta?

Un aspecto muy interesante de la lingüística es el estudio de la relación entre lengua y poder. El texto académico que aparece a continuación resume los aspectos principales de este debate.

Etnicidad e identidad

La lengua es un marcador de la identidad de grupo, pero también se ha señalado que no es esencial para la identidad continuada. El ejemplo que se suele citar a este respecto es del irlandés Bernard Shaw, quien decía que Inglaterra e Irlanda eran dos países divididos por el mismo idioma.

Los grupos nacionales, étnicos, raciales, culturales, religiosos, de edad, sexo, clase social, casta, educación, posición económica o geográfica, ocupación, etc., tienen connotaciones lingüísticas. El grado de concurrencia de los límites varía de una sociedad a otra. En algunos países el nacionalismo y la etnicidad van juntos. En otros hay pluralismo cultural y se trata de conservar las lenguas y las culturas de las minorías por respeto a los individuos y grupos que las hablan, y porque se considera que el pluralismo cultural da fuerza y no debilidad a una sociedad. Probablemente, la mejor manera de lograr uniformidad lingüística y cultural es no dar importancia a las minorías, ni apoyarlas ante alguna amenaza externa.

Poder y solidaridad

Como hemos visto, las etnias en buena parte no son más que minorías dentro de la mayoría de los países modernos. El estudio de las relaciones entre los hablantes de las lenguas dominadas y las dominantes a veces se denomina estudio de la lengua y el poder. Un especialista connotado en ese campo es O'Barr (1984), quien examina la relación entre la lengua y el poder en las situaciones sociales y en los contextos culturales, en la interacción y en la alfabetización y también se refiere a la posibilidad de una lengua mundial y a las cuestiones políticas que refleja.

La política lingüística de un país refleja la estructura de poder y la jerarquía social de la población. No hay una sola manera de relacionar la lengua con el poder. Cuando uno se dirige a alguien, la relación expresada refleja la jerarquía social existente, pero, al mismo tiempo, la selección afecta la relación. De igual modo las políticas del lenguaje afectan el acceso a las instituciones públicas, al éxito económico y al bienestar de la sociedad.

Las actitudes hacia la lengua operan para definir sistemas de categorización social que también se relacionan con las oportunidades políticas y económicas existentes. La gente tiene ideas categóricas sobre algunas pautas lingüísticas y éstas afectan sus juicios sobre los individuos y las oportunidades que se les brindan.

Hay grupos que protegen los derechos de las minorías, que tratan de cambiar la política del Gobierno para que los hablantes tengan derechos en la sociedad mayoritaria. La otra alternativa de las minorías es asimilarse, como ya mencionaba Edwards (1984).

(Fuente: Lastra, Y. (1992) *Sociolingüística para hispanoamericanos: una introducción*, México, Centro de Estudios Lingüísticos y Literarios, pp. 382–91)

● ¿Se le ocurren ejemplos en su propia cultura o en otras que conozca de cómo las actitudes hacia la lengua reflejan la estructura de poder de la sociedad?

4.23

La interrelación entre lengua y poder se hace más palpable cuando se ve ejemplificada en la vida diaria de la gente. El siguiente texto forma parte de un estudio en el que se entrevistó a un grupo de jóvenes de padres españoles residentes en Alemania, e incluye transcripciones de las entrevistas. El objeto del estudio era el de establecer un repertorio de actitudes típicas de los jóvenes hacia sus dos lenguas, el alemán y el español. Las reacciones de los entrevistados se categorizaron en cuatro apartados: las que reflejaban el intento de asimilación al grupo dominante, las que demostraban reclusión en el propio grupo, las que indicaban una postura ambigua, y las que señalaban una 'reacción rebelde'. Sea cual fuera la actitud de los entrevistados, todas las respuestas apuntan a la estrecha relación que existe entre lengua e identidad.

Lengua e identidad

Intento de asimilación al grupo dominante

Entre nuestros informadores hay un caso extremo en esta dirección, que llevó a la pérdida casi total del idioma y cultura española. Se trata de **Mónica**. Aunque sus padres hablan un alemán bastante pobre, ella sólo se comunica en este idioma con ellos, alegando que entiende el español, pero que no sabe hablarlo. Es un caso de rechazo total de la cultura y el idioma español, que tiene como consecuencia el monolingüismo o como mucho un 'bilingüismo receptivo' muy pobre. Los padres de ella no ven esta pérdida como algo negativo, al contrario, ellos prefieren que la niña se integre completamente en la sociedad alemana, teniendo así la posibilidad de mejorar su nivel socioeconómico. Para ellos, el aprendizaje del español podría ser contraproducente para lograr este fin. Fue el único caso tan extremo, que quizás esté determinado en parte por la ausencia total del apoyo institucional al español en la ciudad donde vive Mónica (Brühl). No hay ni escuela, ni centro cultural, ni parroquia española, ni siquiera se puede comprar un periódico español, y sólo muy pocos españoles viven en la ciudad. Cuando la chica es preguntada por su nacionalidad se dirige a su madre: *Mama, ich bin in Deutschland geboren, also was bin ich, Spanierin oder Deutsche?*[5] Para ella cabe la posibilidad de que ni siquiera conserve la nacionalidad española.

Entre los demás entrevistados, hubo nueve jóvenes (tres muchachos y seis muchachas), que optaron por asimilarse totalmente en la sociedad alemana, viendo su parte española como algo anecdótico, pero no decisivo. Lo español ocupa solamente una parte mínima en la formación de su identidad, que no siempre les gusta recordar. He aquí algunas respuestas típicas:

Carolina: *Soy alemana pero mis padres son españoles.*

Alexandra: Dice sentirse como una alemana. No piensa volver a España, incluso afirma que España 'le da igual'.

Itzíar: *No me se ve mucho que soy española… sólo por el nombre que no me gusta nada, pero si no no.* (¿Te gustaría más ser alemana?) *Medio alemana medio española me gustaría.* (Tú te sientes como uno más aquí, ¿no?) *Como*

---

[5] Mamá, he nacido en Alemania, o sea que, ¿qué soy, española o alemana?

un alemán. (¿Te molesta que los amigos de España te digan alemana?) *No me importa mucho. Si les dices que soy española no dicen nada y siempre dicen "alemana". No les puedes decir que eres española porque no te lo creen. Dicen: "Has nacido en Alemania, eres alemana".*

Ella es aceptada más por el grupo alemán ya que sólo su nombre 'tan raro' (según su propio punto de vista) la diferencia de los demás alemanes. Mientras, la comunidad de los españoles de España no la integra en su grupo, probablemente no sólo por el hecho de haber nacido en Alemania, como ella dice, sino también por distinguirse lingüísticamente de ellos.

Reclusión en el propio grupo

El segundo grupo se compone de cinco individuos (tres hombres y dos mujeres). Decimos 'reclusión en el propio grupo', porque es la segunda categoría del modelo descriptivo antes establecido, pero en realidad en ninguno de estos jóvenes se puede hablar de una auténtica reclusión, sino más bien de la libre decisión de definirse a ellos mismos como españoles y no como alemanes, aunque todos ellos reconocen tener también una parte alemana y, salvo uno de ellos, no rechazan a la sociedad alemana y están completamente integrados en ella. Por ello, sería más acertado hablar de 'permanencia en el propio grupo'.

Marco Antonio no quiere tener la nacionalidad alemana *"porque me gusta más ser español, porque luego soy medio alemán y medio español, y es mejor ser de un sitio entero que medio".*

Él está convencido que *"allí en España estaría mejor".*

Cuenta que salen mucho a comer fuera pero que en restaurantes alemanes *"no hemos entrado en ninguno".*

Está convencido de que sus padres preferirían una chica española como futura nuera.

A primera vista podría parecer que la actitud de Marco Antonio contra los alemanes se debe a la de los padres. Pero ello no puede ser la explicación en este caso ya que su hermana menor, Carolina, se define claramente como alemana y no muestra ningún indicio de actitud negativa contra la comunidad alemana. Opinamos que es mucho más probable que en este caso específico la actitud del muchacho es el resultado de experiencias muy personales e individuales, lo cual no quiere decir que neguemos la influencia de los padres en la actitud de sus hijos.

Otros tres de los individuos del presente grupo reconocen haberse sentido marginados en algunas ocasiones. Los límites percibidos entre la comunidad alemana y la española son claros y definidos, pero no insuperables para los miembros del grupo en cuestión. Las respuestas a esta cuestión recuerdan el fenómeno de la *myth culture* descrito por Franceschini:

[Las mujeres españolas tienen] mejor carácter que estas alemanas. Son más simpáticas. Las casas españolas por dentro tienen más alegría que estas alemanas. (Nótese también el uso peyorativo del artículo demostrativo.) *Los alemanes son muy serios y no caen bien.*

Susana: *Las viviendas españolas son más calientes, claras y bonitas. Los alemanes piensan más en el dinero. Los alemanes odian más a sus padres.*

Por el otro lado dice: *Decimos novio cuando ya estamos prometidos*, usando la primera persona para referirse a una costumbre alemana.

Ana Alicia se siente española sin cerrarse, sin embargo, a la sociedad alemana. *"Los españoles son de otra forma, se animan más, y los alemanes, no sé... depende".*

En total, tiene una actitud muy moderada aunque se identifica claramente como española.

Salvador: *Es fácil tener amigos españoles. La forma de ser, cómo viven, el comportamiento... los alemanes tienen otra forma de vida, otra forma de ser.*

Postura ambigua

Quedan por analizar los dos grupos de individuos que no se decidieron por pertenecer a sólo una de las dos comunidades en cuestión, sino por las dos; pero se diferencian entre ellos por su perspectiva: el primero de ellos ve la pertenencia a dos grupos lingüísticos como 'una disminución o anulación de identidades' y el segundo como 'un aumento valioso'.

El grupo ambiguo, el tercero en la categorización anterior, se compone de once individuos (seis hombres y cinco mujeres). Son los jóvenes que no han conseguido todavía adquirir una identidad clara y satisfactoria. Vacilan constantemente entre la pertenencia a los dos grupos sociolingüísticos, sin poder decidirse por ninguno de los dos y sin poder reconciliarlos dentro de su propia persona. Son conscientes de este conflicto y sufren por ello, por ejemplo:

Ascensión muestra un auténtico desprecio hacia los alemanes: *A mí no me gusta la manera de ser de los alemanes: son antipáticos. A mí los alemanes no me van, no son abiertos, son muy cerrados. Lo suyo es lo suyo y lo de uno es de uno.*

Dice sentirse totalmente española y afirma en seguida: *Bueno, totalmente... tampoco lo diría pero dividida pues entonces igual que yo.*

Prefiere lo español en todos los aspectos: *Hombre, la gente, el ambiente, las cosas tan bonitas que hay.* Es un ejemplo típico de la *myth culture.*

Ella sabe perfectamente que se diferencia por su físico de los alemanes. A la pregunta de si la gente nota que es extranjera responde: *Claro que sí que lo notan. Se nota el moreno y eso se nota en seguida.*

Sospechamos que su aspecto extremadamente moreno le ha causado más de una frustración, por no haberle permitido la integración plena en la sociedad alemana y que su desprecio es una manera de reaccionar contra ello y al mismo tiempo una forma de defensa. Vemos nuestra sospecha confirmada por las siguientes respuestas: (¿Te sientes marginada?) *Tampoco... me da igual*, declaración totalmente contradictoria. *Trato a los turistas alemanes en España como ellos me tratan a mí.*

Es su forma de venganza al no verse aceptada como miembro de pleno derecho en la sociedad alemana.

Otro caso igualmente conflictivo es el de **Ángel**. Su conflicto es, sin embargo, consciente y trata de resolverlo intelectualmente. Él mismo expone su problema: *"Tengo problemas con mí mismo, porque es muy difícil para mí decir, 'soy español', o ¿qué hago?', me quedo aquí, me quedo allí, siempre estoy payá y pacá♦ y verdaderamente no hago nada. Otros chavales de mi edad tienen ideas de hacerse una casa, comprarse una casa y establecerse aquí bien. Por otro lado, tengo ganas de irme a España y luego, por el otro lado, también tengo miedo de dejar aquí una existencia ya hecha, tengo mi trabajo, tengo mi casa, tengo un coche, puedo ir de vacaciones y eso es un* *problema para mí, tengo miedo por dejar la seguridad que tengo aquí. Eso es el problema más grande, que estás tan seguro aquí que no te puede pasar nada y tienes miedo de perder tu trabajo, perder tus seguros que tienes, tu paga de renta, tú estás muy bien guardado aquí".*

Francisco constata que *"como llego a España, pues me dicen el alemán, como llego aquí a Alemania me dicen el español".*

Cristina (Entrevistador: ¿Ha tenido alguna vez problemas a causa del idioma?) *En España nada más de la emoción que siempre dicen que viene la alemana.* (¿Ha tenido alguna vez problemas por la condición de española, de extranjera en Alemania?) *Nada más a lo mejor en situaciones de peleas, pues sí te han dicho a lo mejor dichoso Gastarbeiter*[6] *o algo, me siento un poco más alemana porque estoy aquí y soy como la gente de aquí porque pienso también así, pero de emoción me siento más española.*

Es lógico que frente al rechazo ocasional por parte de la sociedad alemana, por un lado, y por parte de la española, por otro, se reserve una 'parte' – en este caso la emocional – de su identidad para los españoles, y otra – la racional – para los alemanes, de esta forma le queda la posibilidad de 'refugiarse' en una comunidad siempre que se ve rechazada por la otra. El conflicto es obvio pero la balanza se inclina más hacia el lado de la sociedad alemana.

La 'reacción rebelde'

Hay sólo una persona que se puede clasificar claramente en el cuarto grupo por tener una identidad doble y realmente enriquecedora. También es la única joven que tiene estudios universitarios, y esta posición cultural privilegiada condiciona probablemente en gran parte este desarrollo. Ella misma explica su posición:

Aurora: *Me siento bastante alemana porque la posibilidad que tenemos los chicos que vienen aquí, desde pequeño crecen con dos mentalidades, con dos idiomas y dos tradiciones, resulta que tienen la posibilidad de diferenciar lo que es bueno en una nacionalidad, lo que es bueno en la otra o lo que es bueno en una mentalidad y en la otra.*

Sin embargo, se siente marginada por el hecho de no poder votar y por no poder ejercer su profesión en el futuro si no adquiere la nacionalidad alemana. *"Yo reniego perder una nacionalidad que siento y coger otra que también siento. Yo quisiera tener las dos".*

Hablando del baloncesto, le preguntamos en qué selección jugaría ella, en la española o en la alemana: *"Yo creo que jugaría en la selección europea, yo creo que la terrestre, porque yo soy realmente un ser humano más que nada".*

Ella busca el contacto con ambas comunidades y se ocupa intelectualmente de las dos. El resultado es una persona equilibrada, crecida humanamente, con un bilingüismo realmente coordinado.

(Fuente: Vilar Sánchez, K. (1995) *Lengua y emigración*, pp. 76–91)

Glosario◆

payá y pacá   para allá y para acá (coloquial)

> ● Describa brevemente las cuatro posturas que expresan los jóvenes entrevistados hacia su identidad.

---

[6] trabajador emigrado

4.24

El siguiente poema de la *Antología poética de la emigración*, escrito por Pedro Romo, un miembro del grupo cultural español Alondra, de Remscheid, en Alemania, describe los sentimientos de los emigrados españoles y refleja la situación de desarraigo que viven sus hijos, que han nacido en 'tierra extraña'.

Nacer sin patria

Nacer, es triste nacer
cuando se nace sin patria,
creces aislado entre gente
que no es de tu misma raza.
Hacerse hombre sabiendo
que estamos en tierra extraña.

Nacer, es triste nacer
con la cara ya marcada,
con el destino forjado;
con un permiso de estancia.
Tener dos patrias y saber
que las dos te maltratan.

Nacer, es triste nacer
si no naces en tu tierra.
Donde nacieron tus padres,
de donde viene tu raza:
¡Conocer por tus abuelos
cómo se llama tu casta!

Saber, quisiera saber
tantas cosas compañeros,
de esta emigración cansada
y del fruto y de sus esfuerzos

Saber, quisiera saber,
quisiera saber compañeros
qué finalidad persigue
en Alemania el gobierno

Si a nuestros hijos reclaman
y nos desprecian a nosotros.
¡Compañeros, si sabéis,
decidme nuestros derechos!

Saber, quisiera saber
si nuestros hijos son nuestros,
si mañana lo serán,
cuando marchemos.
Nos acompañarán mañana,
o nos acompañará el recuerdo
de un álbum lleno de fotos,
o un álbum lleno de besos.

(Pedro Romo)

(Fuente: Vilar Sánchez, K. (1995) *Lengua y emigración*, pp. 88–9)

● ¿En qué consiste el desarraigo que describe el autor del poema?

tema 5

Ciencia y tecnología

ENSAYO 5

El progreso científico y tecnológico

Aunque a veces nos puedan parecer áreas remotas o excesivamente esotéricas, la ciencia y la tecnología forman parte de nuestra cultura y de nuestra vida, y siempre contribuyen a los debates de actualidad porque los cambios que producen en todas nuestras vidas son de gran envergadura.

La ciencia es, ante todo, un modo de intentar comprender el mundo en que vivimos, y la tecnología es la aplicación práctica de la ciencia para conseguir un fin determinado. El desarrollo de la ciencia y la tecnología responde a las exigencias de la historia, pero también contribuye a cambiar el rumbo de esta. Por ejemplo, los avances tecnológicos en el campo de la astronomía y la navegación fueron impulsados por el deseo de explorar nuevos mundos, pero por otro lado sin ellos no se hubiera alcanzado el 'Nuevo Mundo'.

La colonización de América dio paso a un incremento de los estudios de la flora y la fauna al encontrarse allí gran cantidad de especies nuevas. Durante mucho tiempo, los estudios científicos en este campo consistieron en breves descripciones de las nuevas especies encontradas, hasta que llegó a idearse el sistema de la clasificación de los seres vivos, que hoy se utiliza universalmente. Este deseo de describir y clasificar el mundo que nos rodea también queda reflejado en los distintos modelos que se han ideado a través de los tiempos para describir el universo. Pero la ciencia, lejos de ser constante, está sujeta a continuas modificaciones y revisiones que conducen al nacimiento de nuevas teorías. Estas no siempre han sido bien recibidas y, tanto el modelo heliocéntrico copernicano del universo, como la teoría de Darwin sobre la evolución de las especies, provocaron el rechazo de algunos sectores de la sociedad, sobre todo de la Iglesia católica.

Al pensar en la ciencia, el ciudadano de a pie inmediatamente piensa en individuos de enorme talento, como Einstein o Darwin, verdaderos protagonistas de la historia. La imagen del científico quizás más prevalente en la sociedad es la del 'científico loco', un individuo completamente dedicado a la investigación de temas esotéricos, cuya carrera culmina con la proclamación de alguna teoría revolucionaria que generalmente solo los expertos entienden. Sin embargo, también hay que decir que, de una manera quizás más modesta, muchos de los objetos que usamos a diario son también fruto de descubrimientos científicos y tecnológicos: el teléfono, los ordenadores, las neveras o incluso los mismos bolígrafos con los que escribimos, todos son ejemplos de este tipo de aplicaciones de la ciencia a la vida diaria; y los inventores que los diseñaron han aportado su granito de arena al progreso de la humanidad de la misma manera que los grandes genios.

Quizá sea porque la ciencia ha contribuido tanto hacia el desarrollo de la humanidad por lo que a todos nos fascina tanto, aunque no la comprendamos. Numerosos escritores, como Mary Shelley, H.G. Wells o Aldous Huxley, por ejemplo, han escrito sobre inventos y descubrimientos científicos o sobre los posibles mundos que la ciencia es capaz de crear. Y la ciencia ficción, uno de los géneros literarios más populares de la literatura contemporánea, nos hace reflexionar sobre los posibles efectos de la ciencia.

Algunos de los grandes retos a los que se enfrenta la ciencia hoy en día son los problemas del medio ambiente, y aquí se ve claramente cómo la ciencia y la tecnología pueden tener repercusiones muy palpables para todos nosotros. Es interesante constatar que una de las causas del calentamiento de la Tierra, que necesitará de la ciencia y la tecnología para cuantificarlo y solucionarlo, es producto, precisamente, del desarrollo tecnológico. En la Cumbre de Buenos Aires se afirmó que hacer frente al problema no pasaba solo por medidas científicas y tecnológicas sino, sobre todo, por decididas medidas políticas.

El agua, uno de los recursos naturales más importantes, es también objeto de numerosos estudios científicos. La Tierra se denomina el 'planeta azul' por la gran cantidad de su superficie cubierta por agua. Forma un hábitat para muchas especies y es indispensable a cualquier forma de vida. El agua, por otra parte, moldea el paisaje continuamente, estrechando aún más, si cabe, su relación con los seres humanos.

El llamado ciclo hidrológico, un proceso natural a través del cual el agua de la Tierra se evapora para luego condensarse, formando nubes, y caer de nuevo en forma de lluvia, es el sistema natural de renovación de las reservas de agua dulce. El agua constituye, sin embargo, un recurso finito y su escasez, en progresivo aumento en muchos lugares del mundo, lo ha convertido en motivo de preocupación en la actualidad. El incremento de la utilización del agua en la industria, la agricultura y el consumo, impulsado por el desarrollo tecnológico, ha agravado el problema. Este se hace especialmente crítico en las grandes ciudades, donde se combina con el crecimiento desbordado de la población y la mala gestión en el abastecimiento. Finalmente, la contaminación hace disminuir las reservas de agua disponibles.

De nuevo, el estudio de la falta de agua vendrá de la mano de la ciencia. Las posibles soluciones las proporcionará la tecnología, las medidas políticas, la concienciación y educación ciudadana, entre otras. Las soluciones tienen que pasar por reducir el consumo, por ejemplo mediante tecnologías más eficaces de reciclaje, etc., o aumentar la disponibilidad de agua. Esto último puede hacerse a través de la construcción de embalses, la transferencia de agua entre zonas o gracias a mejoras en los sistemas de depuración, medidas que son solo posibles gracias a los desarrollos tecnológicos y la investigación. Indudablemente, la decisión de tomar una u otra medida para resolver los problemas del agua no es solo una cuestión científica: se trata siempre también de una decisión de carácter político. Además, la naturaleza propia del agua la hace internacional y obliga, por tanto, a la cooperación entre los países para repartirla de una forma equitativa.

La necesidad de cooperación también se hace patente en el área de la exploración del espacio. El enorme despliegue tecnológico que se deriva de la exploración espacial tiene como una de sus finalidades el avance de la propia ciencia, al utilizarse el espacio como un gran laboratorio para realizar experimentos que no serían posibles en la tierra. Además, el espacio nos proporciona datos importantes para saber más acerca de nuestros orígenes, la posibilidad de vida en otros planetas y los futuros cambios en el universo. Las preguntas a todas estas respuestas solo se podrán contestar si existe una estrecha colaboración entre instituciones de diversos países para poder afrontar las elevadas inversiones requeridas y compartir el conocimiento tecnológico.

TMA

La política científica es lo que realmente determina el rumbo del desarrollo científico y tecnológico, pues decide la cantidad y la distribución de los fondos financieros dedicados a los distintos campos de la ciencia, proporcionando además una infraestructura que permite hacerlos funcionar. España no es una potencia científica comparada con los demás países de Europa. Según análisis comparativos de puestos de trabajo y de inversiones en la investigación, aparece como uno de los países que menos recursos les dedica. Una de las consecuencias de este hecho es la emigración de los científicos, lo que contribuye a agravar la situación.

CAUSA DE BAJA PREDICCIÓN

El protagonismo de la investigación científica en el desarrollo global de un país es un argumento sólido a favor de incrementar la inversión en la ciencia. En el contexto latinoamericano la falta de educación y práctica científicas aparece como consecuencia directa de la colonización, impidiendo de esta forma su desarrollo. Incluso una vez conseguida la independencia política, estos países se han visto inmersos en un sistema económico de dependencia de los países más desarrollados en el que la industria nacional depende de la importación tecnológica. La primera cumbre científica entre Iberoamérica y Europa analizó la situación y propuso la cooperación científica y tecnológica entre empresas privadas e instituciones públicas. Son importantes los esfuerzos para desarrollar una política para fomentar la educación científica y la investigación, así como promover la transferencia de tecnología entre países y la elección de tecnologías adecuadas a las condiciones económicas y sociales.

Los diversos textos presentados a continuación engloban algunos conceptos relevantes a la ciencia y la tecnología. Exploran las distintas características que componen la naturaleza de las mismas, y su relación con otros aspectos de la cultura. Extraídos de una gran variedad de fuentes, están escritos por autores españoles y latinoamericanos, lo cual aporta una visión más amplia del tema.

Los temas que se exponen son de interés general, aunque están directamente relacionados con el mundo científico. Por una parte, porque pueden ampliar conocimientos y quizás servir como punto de partida para profundizar en un tema concreto o por otra, porque son temas, por lejanos que algunos puedan parecer, que nos atañen a todos. Y cuanta más información tengamos y sepamos interpretar, más podremos opinar y participar en las decisiones sobre cómo utilizar la ciencia y la tecnología para mejorar nuestras vidas y el mundo que nos rodea.

Los desarrollos científicos y tecnológicos del último siglo han revolucionado nuestras vidas; sin embargo, las culturas de otras épocas pasadas también consiguieron importantes éxitos en el campo de las ciencias. En este artículo se describen los logros que caracterizan a una de las grandes culturas americanas, la civilización maya.

5.1

El mundo perdido de los mayas

María Dolores Albaic

La civilización maya fue precursora en el estudio del calendario, el espacio y el diseño arquitectónico.

'El tiempo de los mayas nació y tuvo nombre cuando no existía el cielo ni había despertado todavía la tierra', dice una recopilación sobre esta cultura americana, desaparecida antes de la llegada de los españoles y sepultada hasta hace un siglo. Quizás la sofisticación que alcanzó y las desconocidas causas de su decadencia crearan este misterio en torno a esta civilización perdida que fascina a los investigadores. [...]

Está demostrado que diseñaron un calendario muy complejo, descubrieron el cero matemático, predijeron eclipses y solsticios, conocieron la orientación cardinal y domesticaron selvas, pantanos y cuevas, pero no se sabe por qué desaparecieron. Diversas hipótesis han tratado de explicar el abandono de las ciudades mayas. Tal vez fuera el clima, las fiebres y las epidemias. Algunos creen que fue el agotamiento de la tierra. Otros no creen que estas fueran las causas, sino la rebelión de los campesinos contra el clero. También se desconoce cómo su modo de vida dominó un milenio en 250.000 millas entre ambos océanos, en tan inhóspitos y variados climas y ambientes.

La civilización maya se desarrolló en 60.000 asentamientos en Meso-américa, el actual Sur, y el Yucatán mexicano, en todas las poblaciones de Guatemala, Honduras y El Salvador. El siglo pasado, el afán♦ naturista y antropológico darwinista alentó♦ expediciones que descubrieron esta civilización en las ruinas de las ciudades de Tikal en Guatemala, Copán en Honduras, Calakmul, Chitchen Itzá o Palenque en México.

Visiones cósmicas

Ninguna civilización hizo tan complejas simbiosis entre el movimiento astral y los fenómenos terrestres para definir sus espacios más vitales y, quizás por ello, el ceremonial llegara a ser una pesada carga. [...]

En vez de un sistema matemático decimal des-arrollaron uno vigesimal, quizás porque vigésimo es

Pop Uo Zip Zotz' Zec

Xul Yaxkin Mol Ch'en Yax

Zac Ceh Mac Kankin Muan

Pax Kayab Cumku Uayeb

Los meses del calendario maya

el mes lunar que, combinado al año de la órbita solar y al de Venus, daba un calendario más exacto que el nuestro. Todavía hoy, los billetes corrientes de Guatemala incluyen la numeración maya junto a la decimal. Sin una única lengua, su comunicación trascendía, sin embargo, por miles de kilómetros y centenares de etnias distintas y su historia quedó grabada en una combinación ideográfica y jeroglífica que se descifró

hace sólo 30 años.

No conocían la rueda, pero su ingeniería era muy compleja. Construyeron la estructura precolombina más alta, el templo V de Tikal, de 60 metros; una calzada◆que unió un cayo◆ de alta mar con la costa – Ambergris –; un faro que alumbró el extremo septentrional de Yucatán; un túnel en la espesa selva como por un gran topo que llevaba a Calakmul o una acrópolis como la de Copán que se eleva mil pies sobre

el curso del río. No conocían la bóveda, pero desarrollaron un arco falso y envolvían sus viejas construcciones con las nuevas, dejando cámaras, pasadizos y enterramientos.

No obstante, es evidente que su sofisticada ciencia no era del dominio público◆ sino de una elite monárquica y religiosa que así legitimaba su poder sobre una población rural que cultivaba de igual modo los mismos productos que ahora. Entre

medio, los grupos de escribas, orfebres y militares vivían en interrelaciones y movilidad poco claras, incluido el mecanismo de sucesión, el modelo familiar o la forma de propiedad, pero está demostrado que algunos rituales incluían sacrificios humanos. Quizás esta posesión selectiva de conocimientos hizo que al colapsar, muchas claves quedaran en el misterio.

(Fuente: *Cambio 16*, 5 de febrero de 1999, pp. 78–80)

Glosario◆

afán   deseo intenso

alentó   dio ánimos, impulsó

calzada   camino ancho

cayo   isla lisa y arenosa, propia del mar de las Antillas y el Golfo de México

(ser) del dominio público   (ser) conocido por toda la gente

- Según el artículo, la súbita desaparición de la cultura maya hizo que hasta hace poco se desconociera casi todo de esta cultura. ¿Por qué cree que ha renacido el interés por ella?

- ¿Qué aspectos de su propia cultura cree que se deben a las culturas antiguas?

El descubrimiento de América, un acontecimiento que tuvo repercusiones culturales, históricas y políticas inimaginables, fue posible gracias a los recursos técnicos y científicos de los que disponían los navegantes de la época. En los siguientes textos se describen las técnicas de navegación que permitieron estos primeros viajes, así como las condiciones bajo las cuales vivían los tripulantes de las primeras embarcaciones que cruzaron el Atlántico.

Navegar: entre la ciencia y la intuición

En realidad, si se está seguro de hallarse en la buena ruta, basta con dejarse llevar por el viento hasta topar♦ con una de las Antillas, grandes o pequeñas. Lo importante en toda navegación es saber a dónde se quiere llegar y disponer de los medios para conseguirlo. Claro que si se trata de explorar costas desconocidas la cosa cambia, pues mientras unos barcos siguen caminos trillados♦ otros exploran regiones desconocidas.

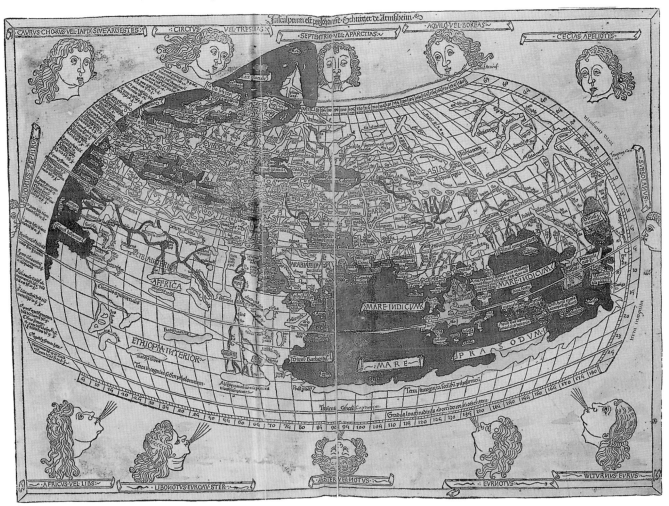

Mapa del mundo de finales del siglo XV

Un buen descubridor debe transmitir a los demás sus hallazgos, y debe fijar las posiciones absolutas, no las posiciones relativas a la última costa o puerto de recalada◆. Para ello hay que observar el rumbo, y calcular bien la velocidad. En esta época de navegación astronómica se podían calcular las coordenadas – es decir, la longitud y la latitud – en alta mar, mediante la observación del sol o de las estrellas.

La latitud se podía calcular con cierta facilidad y utilizando sencillos instrumentos de cálculo, pero no así la longitud, que es la referencia al meridiano en el que se encuentra la nave. A diferencia de las expediciones de los portugueses por África, en las que sin grandes variaciones de longitud se descendían 75 grados de latitud (desde Sevilla a la extremidad meridional de África), los españoles, al cruzar el océano, eran fieles a la misma latitud: avanzan grados de longitud, que eran difíciles de calcular.

En general, la longitud se suponía calculando la posición según la distancia recorrida, siguiendo un rumbo dado; para ello se calculaba la velocidad según la experiencia y respecto a la estela◆ que deja el navío sobre la superficie del mar, o calculándolo respecto a hierbas u otros objetos flotantes. En cada turno de guardia se anotaba la velocidad calculada en una pizarrita, dato que luego se pasaba al cuaderno de bitácora (libro en el que se anotaban todos los acontecimientos de la travesía, y que se guardaba en la bitácora, armario próximo al timón).

Con buenos vientos, esos cálculos podían resultar aproximados, pero si había vientos contrarios todo era un puro azar.

Los marineros se guiaban por su instinto. Normalmente iban en dirección norte o en dirección sur hasta alcanzar la latitud deseada. Entonces se dirigían, sin más preocupación, hacia el este o el oeste hasta tocar la primera tierra. Era una navegación en ángulos rectos.

Nos sorprende por ello con qué seguridad Cristóbal Colón hizo los cálculos del viaje de 1492. Ya el primer día de navegación, el 3 de agosto, anotaba:

«Anduvimos con fuerte virazón◆ hasta el poner el sol hacia el Sur sesenta millas que son 15 leguas».

Y el 5 de agosto:

«… anduvieron su vía entre día y noche más de cuarenta leguas…»

y así lo irá calculando día a día. Sin embargo, y al igual que todos los navegantes de esa época, se fiará más que de sus cálculos de los indicios y señales de proximidad de tierra firme: garjaos, alcatraces, rabos de junco, aves que supone que no se alejan mucho de tierra, hierbas flotantes que denomina «señales ciertas de tierra», o «una ballena, que es señal que estaban cerca de tierra».

El procedimiento clásico para orientarse en alta mar, y la guía de los marineros desde la antigüedad, era la Estrella Polar, que indica el norte. Como su altitud (es decir, al ángulo con que aparece en el horizonte) disminuye conforme se avanza hacia el sur, señala la latitud. Al navegar en dirección este u oeste podía mantenerse también un curso recto y corregir errores de brújula manteniendo la altitud polar constante.

El ángulo de la estrella en el horizonte se calculaba al principio a ojo◆, y a fines del siglo XVI con la ayuda del cuadrante, un instrumento con forma de cuarto de círculo con una escala marcada en él de 0 a 90 grados y dos salientes en uno de los dos radios perpendiculares que lo delimitan. Sujetando el cuadrante con ambas manos, se apuntaba a la Estrella Polar de modo que ambos salientes estuvieran en línea (igual que se apunta con una escopeta), y un peso o plomada que colgaba del vértice indicaba la altura en el cuarto de círculo graduado. Como se trataba de que la plomada colgara y marcara un punto exacto, el vaivén♦ del navío impedía cálculos correctos.

Los cálculos de Colón, al intentar hallar su situación en tierra firme americana, fueron tan equivocados que hay quien creyó que había falsificado los datos a propósito en su *Diario de a bordo* para impedir que otros llegaran a esas tierras. Pero la verdad es que nadie sabía hallar bien la latitud por medio de una estrella.

Más adelante se utilizará el astrolabio, disco de metal que podía suspenderse en posición perpendicular sobre el suelo para observar una estrella y relacionar su ángulo con el del horizonte, calculando su altitud mediante una alidada y leyéndola en el disco exterior. Un nuevo instrumento, el sextante, relegará al olvido el astrolabio.

Hacia 1530 existen ya relojes ligeros que pueden llevarse a bordo y permiten calcular la longitud con cierta facilidad. Si se lograba que el reloj no se parase, no adelantara ni atrasara, podía mantener la hora del puerto de donde se había salido. Y entonces todo lo que había que hacer era calcular la hora solar del punto donde se encontraba el barco y la diferencia con el puerto de salida daba la longitud. Sin embargo, sólo en el siglo XVIII se dispondrá de relojes fieles a los que no afecte el agua, el movimiento del buque o la temperatura.

Con todo, la brújula – que los marineros llaman aguja de marear♦– era el mejor instrumento de la época, debido a la dificultad de efectuar cálculos con el cuadrante. Tenía un hilo de acero que se imantaba con piedra magnética (o piedra imán), y se colocaba sobre una rosa de los vientos con treinta y dos rumbos.

Cuando los marineros crucen el Ecuador, se darán cuenta de que en el Hemisferio Sur no se halla la Polar. «Perdieron el norte»♦ y luego descubrirán otra estrella que permite calcular la posición del sur, la Cruz del Sur.

(Fuente: Zaragoza, G. (1989) *Rumbo a las indias*, Madrid, Grupo Anaya SA, pp. 56–65)

Glosario♦

topar   darse, chocarse

trillados   muy conocidos

puerto de recalada   puerto en el que se para una embarcación

estela   señal que deja un barco en la superficie del agua al avanzar

virazón   cambio repentino de viento

a ojo   de forma aproximada, sin exactitud

vaivén   movimiento alternativo en un sentido y en otro

marear   navegar

perdieron el norte   La expresión 'perder el norte', que significa 'estar desorientado', viene de los marineros que, al llegar al Hemisferio Sur, no podían guiarse por la Estrella Polar.

- ¿Cómo se calculaba la longitud en tiempos de Colón? ¿Y la latitud? ¿Eran fiables los cálculos?

- Aparte de las dificultades por falta de instrumentos adecuados, ¿por qué cree que era tan difícil navegar antes del siglo XV?

5.3

Los alimentos de la expedición de Magallanes

H. O'Donnell y D. de Estrada

La doble necesidad de mantener por largo tiempo los alimentos sin que se deteriorasen y, a su vez, la de ocupar el menor espacio, es lo que confiere un sello◆ especial a la dieta del navegante.

Durante las navegaciones del siglo XVI y siguientes, los alimentos usados eran aquellos que, después de sufrir una transformación, se conservaban durante cierto tiempo o aquellos otros que por sí mismos tenían esta propiedad. En el primer grupo se encuentra el bizcocho o galleta y los alimentos salados; en el segundo, las semillas secas o menestras, el agua y el vino.

Magallanes, en su viaje alrededor del mundo, embarcó bizcocho, vino, aceite, vinagre, pescado seco y bastina◆ seca; tocinos añejos, habas, garbanzos, lentejas, harina, ajos, quesos, miel, higos, azúcar, carne de membrillo, alcaparras, mostaza, arroz, vacas, puercos y sal en cantidad suficiente para un periplo◆ estimado de dos años.

Otra cuestión destacable en este análisis de la alimentación en este primer viaje de circunnavegación es cómo se distribuían los alimentos entre los marineros; es decir, en qué consistía la ración diaria.

Las ordenanzas de la Casa de Contratación◆ estipulaban que la ración ordinaria era de una onza y media de pan, dos pintas de agua de beber (una para lavarse) y dos pintas de vino. En los días festivos, entendiendo por tales las fiestas religiosas, domingos y jueves, si no era vigilia◆, la dieta se veía enriquecida con carne de vaca o puerco y queso. La ración

(Fuente: *Historia 16*, n°. 196, agosto de 1992, p. 43)

de tocino era de media libra a la semana y la de aceite, medio azumbre◆ al mes.

Con los datos obtenidos de diversos documentos, he calculado de forma teórica y aproximada los distintos componentes de la dieta y que muestro en el cuadro siguiente:

Alimento	Gr/día	Gr/semana
Bizcocho	680	4.760
Vaca	450	900
Puerco	225	225
Bacalao seco	150	750
Arroz	45	45
Queso	60	180
Garbanzos	86	86
Aceite	33	233
Vino	1l	7l
Vinagre		1l

Según estos cálculos, la dieta de estos navegantes tenía 4.200 calorías, de las que 3.360 las proporcionaban las proteínas, grasas e hidratos de carbono, y 840 el alcohol. El aporte de proteínas era de 137 gramos, que representa un 13 por 100 del valor calórico total (VCT); según la OMS-FAO◆, el requerimiento mínimo es de 0,8 gramos, kilogramo peso por día, con lo que resulta un 15–20 por 100 VCT.

El hábito de estos navegantes de beberse un litro de vino al día les proporcionaba 840 calorías. El 20 por 100 de las calorías totales, por lo tanto, tenían este origen. Es un factor importante que hay que considerar, ya que esas calorías son huecas, no nutrientes, porque se metabolizan y almacenan como grasa en el hígado.

De todo ello podremos concluir que era una dieta en teoría bastante bien equilibrada, pero las circunstancias de una navegación tan larga y dificultosa eran causa del deterioro de los alimentos y, por tanto, eran frecuentes la subalimentación y las hambrunas.

Glosario◆

sello   característica

bastina   un tipo de pescado

periplo   viaje alrededor de un lugar

Casa de Contratación   Organismo creado en Sevilla en 1503 por los Reyes Católicos para fomentar y controlar el tráfico con el Nuevo Mundo. Entre otras funciones, se encargaba de aprovisionar y revisar los barcos.

vigilia   Días en los que los católicos se abstienen de comer carne por mandato de la Iglesia. Son vigilia los viernes y otros días específicos del año.

azumbre   antigua medida equivalente a poco más de dos litros

OMS   Organización Mundial de la Salud

FAO   Organización para la Agricultura y Alimentación (*Food and Agriculture Organization*)

- ¿Qué alimentos básicos cree que faltaban en la dieta de los marineros?

- Compare esta dieta con la suya. ¿En qué se diferencia?

Los tres textos que aparecen a continuación presentan modos de organizar, investigar y entender el mundo que nos rodea, tres objetivos básicos de la ciencia.

El primer extracto, escrito con fines claramente didácticos, presenta el sistema de organización que se sigue en las ciencias biológicas y describe la lógica de su nomenclatura.

La clasificación de los seres vivos

¿Cómo se nombran las especies?

Hasta el siglo XVII, los nombres científicos de los organismos consistían en breves descripciones, en latín, que señalaban sus características más llamativas.

La nomenclatura binomial

El científico sueco **Linneo** ideó una manera de nombrar a los seres vivos, que hoy se utiliza universalmente: la **nomenclatura binomial**.

La nomenclatura binomial consiste en asignar a cada organismo dos nombres (binomio) en latín.

El primero se llama **nombre genérico**, y la especie lo comparte con otras semejantes.

El segundo nombre, o **nombre específico**, le diferencia de los que pertenecen al mismo género.

Ejemplos

Canis familiaris (perro)
Canis lupus (lobo)
Quercus ilex (encina)
Quercus suber (alcornoque)

Observa que la primera letra del nombre genérico se escribe con **mayúscula**, mientras que la del nombre específico es **minúscula**.

Linneo utilizó el nombre compuesto de manera semejante a cómo hacemos las personas, pero invirtiendo los términos. Nuestro apellido indica la familia a la que pertenecemos, mientras que el nombre nos distingue de los demás miembros de esa familia.

La utilidad de la nomenclatura binomial

La utilidad de estos nombres científicos es evidente. Sólo tienes que pensar en los nombres que recibe un animal como el perro, en diferentes regiones y en distintos idiomas.

Con el nombre de *Canis familiaris*, cualquier persona y en cualquier idioma puede saber

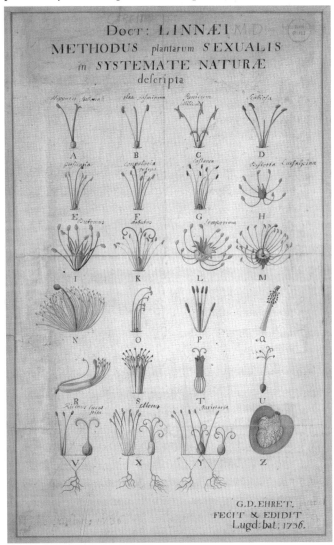

Ilustración del Systema Naturae *de Linneo, publicado en 1735*

rápidamente a qué animal nos estamos refiriendo.

[...]

Para conseguir un panorama ordenado del mundo viviente, dentro del enorme conjunto que formarían todas las especies, tenemos que hacer **subconjuntos** que engloben[◆] a distintos organismos.

La taxonomía es la ciencia de la clasificación

Se llama **taxonomía biológica** a la ciencia que trata de la clasificación de los seres vivos.

La taxonomía se basa en un sistema **jerárquico**. Forma grupos que, a su vez, están incluidos dentro de otros grupos. A cada uno de estos grupos se le asigna distinta categoría:

Género

– Las especies que tienen características semejantes se agrupan dentro del mismo género.

Los perros, los lobos y los coyotes se incluyen dentro del género Canis. Los zorros tienen características algo diferentes y pertenecen al género Vulpes.

Familia

– Varios géneros semejantes se engloban bajo una misma familia.

Los géneros Vulpes y Canis pertenecen a la familia Cánidos. Otras familias muy conocidas son la de los Úrsidos (a la que pertenecen los osos) y la de los Mustélidos (donde se encuentran las comadrejas).

Orden

– Un conjunto de familias se agrupa en un orden. Los Cánidos, Los Úrsidos y los Mustélidos pertenecen al orden Carnívoros.

Clase

– Los órdenes se agrupan en clases.

El orden de los Carnívoros, el de los Primates (al que pertenecemos nosotros) y el de los Roedores (del que forman parte las ratas y los ratones), pertenecen a la clase de los Mamíferos.

Tronco

– Un conjunto de clases se agrupan dentro de un tronco, en los animales, y división, en los vegetales. La clase de los Mamíferos, junto con las clases de las Aves, de los Reptiles, de los Anfibios y de los Peces, se agrupan en el tronco de los Cordados.

Reino

– La agrupación más general es el reino. Las clases anteriores pertenecen al reino Animal.

Subtronco

– También existen categorías intermedias, como subtronco. Los Vertebrados, por ejemplo, son un subtronco de los Cordados.

(Fuente: Fernández, M. A., Mingo, B., Bernabé, R. R., Sanmartí, N. y Torres, M. D. (1997) *Entorno 1: ciencias de la naturaleza*, Barcelona, Ediciones Vicens Vives SA, pp. 122–3)

Glosario[◆]

engloben   incluyan

- Observe que al provenir de un libro de texto, este extracto tiene unas características particulares que lo diferencian claramente de los textos literarios o divulgativos. ¿Podría identificar estas características?

- Resuma la taxonomía biológica en un cuadro sinóptico, poniendo en cada categoría algún ejemplo de los que da el texto u otros que usted conozca.

El siguiente texto describe las observaciones que realizó el científico británico Darwin durante su viaje en el *Beagle*, observaciones que le llevaron a elaborar su teoría de la evolución de las especies.

La evolución de los seres vivos: el viaje de Darwin

Cuando tenía veintidós años, el naturalista inglés Charles Darwin (1809–82) embarcó en el barco *HMS Beagle*, que partía para un largo viaje de exploración del hemisferio sur. A pesar de su juventud, Darwin era ya un biólogo experimentado, aunque desconocido.

En su viaje de cinco años en el *Beagle*, Darwin recorrió las costas este y oeste de América del Sur y visitó las islas Galápagos, Tahití, Nueva Zelanda, isla Mauricio y la costa sur de África.

Para Darwin, el viaje fue una valiosa oportunidad para observar la inmensa variedad de seres vivos que hay en nuestro planeta. Encontró similitudes y diferencias entre las especies que habitan en diferentes lugares, y también tuvo ocasión de estudiar algunos importantes fósiles que le hicieron pensar sobre el hecho de que los seres vivos del pasado eran diferentes de los actuales.

En las islas Galápagos, Darwin estudió las pequeñas diferencias que existían entre los animales que las habitaban. Por ejemplo, observó que los picos de unos pequeños pájaros, los pinzones, eran diferentes en las distintas islas. En cada isla había especies diferentes de pinzones. Algunos tenían un pico muy grueso y fuerte, otros lo tenían pequeño y afilado.

También dedicó mucho tiempo a observar las tortugas gigantes. Descubrió que, en cada isla, vivía una especie distinta de tortuga. Todas estas especies se diferenciaban entre sí principalmente por la forma del caparazón.

Darwin pensaba que todos los pinzones de las islas descendían de un antepasado común y que, con el tiempo, se habían ido formando las especies actuales. Lo mismo debería haber sucedido con las tortugas. Las pequeñas diferencias entre unas y otras especies de tortugas y pinzones habrían aparecido muy lentamente, a lo largo de cientos o miles de años.

Muchos años después, estas y otras observaciones dieron a Darwin la clave para elaborar la teoría de la evolución que le hizo famoso.

La evolución de las especies

¿Qué es una especie?

Se llama **especie** todo grupo de seres vivos que tienen unas características anatómicas y fisiológicas comunes y que son capaces de reproducirse y dar lugar a una descendencia fértil.

Por ejemplo, todos los seres humanos, por muy diferentes que parezcan, pertenecen a la misma especie, ya que tienen muchas características en común, se reproducen entre ellos y tienen descendencia fértil. En cambio, los caballos y los asnos pertenecen a especies distintas, ya que, a pesar de que pueden reproducirse entre ellos, de su cruce resulta un animal estéril, el mulo.

Las especies cambian

Comparando los seres vivos actuales con los fósiles se puede observar que, en algunas especies, se han producido notables cambios. Así, por ejemplo, existen diferencias entre los seres humanos que vivieron hace 200.000 años y las personas actuales.

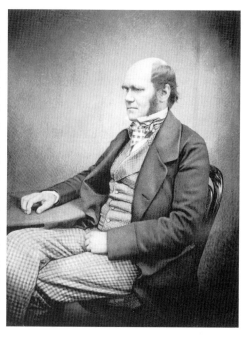

Por otra parte, también se pueden encontrar grandes semejanzas entre algunas especies existentes en la actualidad. Por ejemplo, los zorros y los lobos son muy parecidos, aunque pertenezcan a especies distintas. Estas semejanzas hacen pensar que estos animales tuvieron unos antepasados comunes que fueron cambiando hasta producir las dos especies tal y como las conocemos en la actualidad.

La **evolución** es el conjunto de cambios que se han producido y que se producen en las características de las especies de seres vivos a lo largo del tiempo. Estos cambios son los responsables de las diferencias entre especies que provienen de un antepasado común, así como de la aparición de nuevas especies de seres vivos.

(Fuente: Cerezo, J. M. (edición) (1998) *Biología y geología Curso 4*, Madrid, Grupo Santillana de Ediciones SA, pp. 109–11)

- Explique en sus propias palabras los términos 'evolución' y 'especie'.

- Este extracto es de un libro de texto para estudiantes de enseñanza secundaria en España. ¿En qué se parece estilísticamente al texto 5.4? Busque ejemplos específicos para razonar su respuesta.

En este texto se analizan las diferentes teorías que han predominado en la historia para explicar la posición y movimiento de los astros.

Los modelos del universo

El firmamento estrellado ha fascinado a las personas desde la antigüedad. Desde hace miles de años se han propuesto modelos para ordenar los planetas y las estrellas que aparecían en el firmamento y que giraban a medida que avanzaba la noche.

Estos modelos han situado a la Tierra o al Sol en el centro del universo, aunque desde hace poco más de un siglo se sabe que nuestro sistema solar se encuentra en la periferia de la galaxia.

El modelo geocéntrico

Cuando alguien contempla el recorrido del Sol en el cielo, la impresión que tiene es que el Sol es el que gira alrededor de la Tierra. Esta postura fue defendida ya por los antiguos griegos, cuyos modelos reproducían con bastante fidelidad las observaciones de estrellas y planetas.

En el siglo II d.C. **Ptolomeo de Alejandría** publicó el *Almagesto*. En este libro, Ptolomeo situó a la Tierra en el centro del universo y a los planetas conocidos (Mercurio, Venus, Sol, la Luna, Marte, Júpiter y Saturno) girando a su alrededor, cada uno situado en una esfera. Por último, situó la esfera de las estrellas fijas. Este modelo explicaba las observaciones, pero necesitaba que los planetas girasen describiendo unas curvas complicadas.

El modelo heliocéntrico

En la antigua Grecia también se propusieron modelos que situaban al Sol en el centro del universo. **Aristarco de Samos**, en el siglo III a.C., propuso un modelo en el que la Tierra y los planetas conocidos giraban en torno al Sol. Pero la oposición de muchos filósofos del mundo heleno hizo olvidar este esquema del mundo.

En el siglo XVI **Nicolás Copérnico** (1473–1543) publicó un libro (*Sobre las revoluciones de los cuerpos celestes*) en el que se mostraba la nueva teoría heliocéntrica. El debate que se originó tras la propuesta de Copérnico enfrentó a la Iglesia católica y a algunos científicos (**Galileo**). La Iglesia no aceptaba la teoría heliocéntrica, ya que, según ella, contradecía las sagradas escrituras.

El modelo actual

El modelo copernicano situaba al Sol en el centro del universo, postura que mantuvieron **Johannes Kepler** (1571–1630) e **Isaac Newton** (1642–1727). Luego, tras los estudios de **Harlow Shapley** (1885–1972) y **Walter Baade** (1893–1960), el Sol quedó desplazado hacia la periferia de la Vía Láctea.

Sin embargo, quedaba mucho por hacer. A principios del siglo XX se debatía entre los astrónomos la naturaleza de las nebulosas, como M31, la nebulosa de Andrómeda. Unos científicos opinaban que estos sistemas se encontraban formando parte de nuestra propia galaxia. Otros, en cambio, pensaban que eran sistemas extragalácticos completamente independientes del nuestro, como ya sugirió **Immanuel Kant** (1724–1804).

La cuestión quedó zanjada♦ definitivamente en los años veinte del siglo XX, cuando **Edwin P. Hubble** (1889–1953) demostró que la distancia a estas nebulosas era mucho mayor que las dimensiones de la Vía Láctea. Hubble también descubrió que casi todas las galaxias se están alejando de nosotros. Esto reavivó la cuestión de si la Vía Láctea jugaba algún papel especial en la descripción del universo. En la actualidad se sabe que el efecto observado desde nuestra galaxia sería el mismo si observáramos desde cualquier otra parte del universo. A gran escala, todas las galaxias se están alejando unas de otras.

(Fuente: Cerezo, J. M. (edición) (1998) *Biología y geología Curso 4*, Madrid, Grupo Santillana de Ediciones SA, pp. 16–17)

Glosario♦

zanjada   resuelta

● Resuma la información del texto en un esquema cronológico.

La ciencia y la tecnología han producido grandes avances para la humanidad. En el texto que aparece a continuación, Vicente Blasco Ibáñez, novelista y periodista español (1867–1928), describe lo que es para él el mayor descubrimiento de la humanidad, y expresa su afecto y admiración por los seres humanos que realizaron esta hazaña.

La Madre Tierra

Yo admiro, como todos, los grandes progresos modernos, los descubrimientos e invenciones de nuestros días. Pero mi amor y mi agradecimiento no son para los inventores contemporáneos. Los grandes ingenios que yo admiro no estudiaron en universidades, no conocieron siquiera la camisa y los zapatos: fueron hombres peludos y bárbaros, de cráneo pequeño poblado de hirsuta melena: de mandíbula ruda y saliente: de ojos pequeños y hundidos, en los que los primeros albores♦ de la inteligencia se reflejaban con una chispa maligna: de brazos largos y pies prensiles, con todas las irregularidades esqueléticas que delataban el reciente escape de la animalidad original.

[...]

Estos hombres-bestias, estos seres bárbaros, que apenas habían acostumbrado su columna vertebral a la verticalidad, sintiendo la atracción, por la longitud de sus brazos, a volver a descansar sobre las cuatro patas, son los grandes inventores que yo admiro, los inolvidables bienhechores de la Humanidad, que aseguraron nuestra existencia al aguzar♦ su ingenio, descubriendo grandes cosas para la alimentación y conservación de nuestra especie.

El vapor y la electricidad con sus innumerables aplicaciones; los actuales medios de comunicación, que parecen extraídos de un cuento de hadas; las grandes máquinas, que producen objetos vertiginosamente; el vehículo eléctrico, el submarino, el automóvil, el aeroplano, son grandes inventos, orgullo de nuestra época. Todos ellos sirven para abaratar nuestra existencia, para acrecentar el bienestar y las comodidades, pero yo no sé por qué el teléfono o la luz eléctrica, por ejemplo, sirvan para aumentar ni en una sola hora nuestra vida, ni que necesitemos del ferrocarril o del fonógrafo cada veinticuatro horas como de algo indispensable para la existencia, sin cuyo auxilio podríamos perecer. Naciones inmensas hubo en otros tiempos que no conocían nada de esto y vivieron bastante bien; pueblos enteros quedan aún en ciertas partes del planeta que no tienen noticias de tales cosas, y vegetan sin que les falte la alegría.

Los descubridores amados por mí son nuestros remotos abuelos, ingeniosos salvajes que inventaron el fuego, inventaron el surco e inventaron el pan. ¿Qué descubrimientos pueden compararse a éstos? Sin la ferretería y los fluidos cautivos de la invención moderna se vive incómodamente, pero se vive; sin las ingeniosidades de aquellos inventores peludos, que aún conservaban en su agilidad y su organismo el recuerdo del parentesco con el mono, lejano primo nuestro que no ha hecho carrera♦; sin el esfuerzo mental de aquellos simpáticos salvajes no hubiese habido fuego, no hubiese habido pan, no se habrían creado ciudades, y tú, lector, no existirías, ni yo tampoco, y tal vez a estas horas rodaría la Tierra en el espacio silenciosa y solitaria, como una casa abandonada.

Ahora que se levantan estatuas al que realiza la más pequeña invención, imaginaos qué monumento debería elevar nuestra gratitud a aquellos descubridores desconocidos, cubiertos de pieles, untados de grasa, cuyo lenguaje no debía de ir más allá del ladrido del perro o del chillido del mono. Los Alpes, colocados sobre los Pirineos, no bastarían a testimoniar nuestro agradecimiento a estos héroes de la prehistoria, padres de la civilización y abuelos de nuestro bienestar.

Edison, rodeado en su gabinete de bocetos de invenciones, de monstruos informes de la mecánica que han de convertirse en descubrimientos, aparece como un niño de genio entre juguetes maravillosos, si se le compara con el hombre salvaje que, cejijunto◆ por la concentración dolorosa de un pensamiento naciente, se aproximó a la hoguera encendida por el rayo en la selva prehistórica.

Aprovecharse del calor del fuego es un instinto natural. Todas las bestias, por torpes y rudimentarias que sean, saben aproximarse al fuego. Pero lo que no saben, lo que no han hecho nunca, ni aun las más inteligentes, es buscar un tronco seco o cogerlo cuando lo tienen a su lado, arrojándolo a la hoguera para que se prolongue su calor.

El hombre no inventó el fuego; pero hizo algo más útil, que fue descubrir el arte de conservarlo. La noche en que la bestia bípeda, acurrucada◆ junto a la hoguera encendida por la tempestad, intentó el gesto salvador asiendo una rama para arrojarla al rescoldo◆, prolongando su luz y su calor, fue la verdadera Nochebuena de nuestra historia, la del nacimiento del hombre-rey.

(Fuente: Blasco Ibáñez, V. (1949) *Obras completas*, Madrid, Aguilar SA, pp. 488–90)

Glosario◆

albor   inicio, comienzo de una cosa

aguzar   hacerse más agudo

no ha hecho carrera   no ha llegado muy lejos, no ha tenido mucho éxito

cejijunto   con las cejas juntas, es decir con cara de concentración

acurrucada   doblada y encogida

rescoldo   resto de madera incandescente que queda bajo las cenizas

- Según Blasco Ibáñez, ¿cuál es el descubrimiento más importante de la historia de la humanidad?

- Haga una lista de lo que usted considera que son los cinco descubrimientos o inventos más importantes de la historia, y explique su selección.

Los dos textos que siguen tratan de inventos e inventores en un mundo ficticio y en el mundo real. Aunque están escritos en estilos muy distintos, ya que uno es un texto literario y el otro divulgativo, ambos nos inducen a pensar cómo algunos descubrimientos pueden cambiar radicalmente el mundo que nos rodea.

En este relato corto el escritor y periodista uruguayo Omar Prego (1927–) recrea el mito del viaje en el tiempo y las consecuencias que podrían derivarse del mismo. El narrador habla con su amigo, Karate, un "auténtico científico".

Salto atrás

—¿Qué es eso?—pregunté al cabo de un largo silencio.

—Es un aparato para viajar al pasado—respondió Karate. Con la misma naturalidad con que uno habría dicho 'Es una nueva fracción ubedista'♦. Sin ningún énfasis.

—¿Es un trompo del tiempo♦, entonces?

— Bueno, algo parecido—dijo—. Y sin transición alguna añadió: —¿Qué te parece si nos damos una vuelta por el pasado? Elegí una época, y ya está.

No sin temor (en el fondo pensé que Karate estaba loco y no me preocupaba mucho la imaginaria aventura) subí al trompo. Karate se sentó a mi lado, se ajustó una especie de cinturón de seguridad, se colocó un casco de cuero recubierto de sustancia plástica y preguntó:

—¿Estás listo? Vamos a la prehistoria. Siempre quise ver un dinosaurio vivo. Pero —dijo—debemos tener mucho cuidado. Es imprescindible no tocar nada. Ni una mariposa, ni una hoja. Es imposible saber qué consecuencias podría tener la alteración de la realidad prehistórica proyectada a través de millones de años. Suponé que mataras un dinosaurio. Ese animal pudo haber alimentado a una familia cavernícola♦. En esa familia cavernícola pudo estar el prehistórico antepasado de Einstein, de Carlos Marx, de Piendibene, del Mago Scarone. ¿Quién lo puede saber? De pronto, pisamos una mariposa. Esa mariposa muerta alimentará gérmenes que, impensadamente, pueden alterar el equilibrio biológico y determinar, en este 1968, que sean los rinocerontes quienes ocupen nuestro lugar.

—¿Y qué diferencia habría?

—Ya estamos. Ahora, tené cuidado. Y si te pica algún mosquito, no te olvides: no debemos destruir ninguna forma de vida.

Al abrirse el gran portalón, un penetrante vaho♦ invadió la nave. Olor a materia en descomposición, perfumes violentísimos, y ruidos. Gritos de animales, invisibles detrás de la impenetrable selva. Ramas resquebrajadas por el paso de los gigantescos monstruos antediluvianos, árboles arrancados casi de cuajo♦ y gritos agónicos de bestias engullidas.

Cerca del trompo, a menos de diez metros, surgiendo bruscamente por entre las copas de los árboles, una cabeza horrenda se proyectó, como una catapulta, hacia una especie de pájaro que descansaba en una roca. Sorprendido, grité. Y aquel grito, resonando extrañamente en la súbita calma matinal, salvó al pájaro de su muerte inevitable. Planeó un instante por encima de nuestras cabezas, como una cometa con poca cola, y cayó en picado detrás de otra roca, tal vez sobre una víctima.

Karate palideció:

—Hiciste mal —dijo—. Has intervenido activamente en el pasado. Le salvaste la vida a un animal y no sabemos qué desequilibrio aparejará ese acto en el futuro. El pájaro que salvaste pudo luego destruir quién sabe qué otros animales, que de haber vivido quién sabe qué alimañas♦ a su vez hubieran aniquilado. Así, esto me inquieta. Partamos. Inmediatamente. No quiero provocar una catástrofe.

Subimos al trompo, cerramos los portalones y los motores ronronearon suavemente. Poco después, estábamos de vuelta en el laboratorio de mi amigo. Miré mi reloj. No había transcurrido ni un minuto. "Esto lo soñé", me dije para tranquilizarme.

Salí a la calle. Aparentemente, nada había cambiado. La ciudad parecía ser la misma. Tomé por Rivera, caminé unas cuadras hacia el Centro y me hallé en las puertas mismas del Zoológico. Respondiendo a un extraño presentimiento, entré. Caminé por senderos abandonados, rodeé edificios ruinosos. Pasé por la jaula de los monos, me detuve frente a la de un orangután. Parecía alterado. Mirándolo bien, era y no era un orangután. Semejaba un hombre. Le raleaba♦ el pelo en la base del cráneo.

Me aproximé más, recogí una piedrecita y se la tiré, para divertirme con su confusión. En efecto. La recogió creyendo que era un caramelo y furioso por el engaño exclamó sorpresivamente:

—Las piedras sirven para todo, menos para comérselas.

(Fuente: Prego Gadea, O. (1968) 'Salto atrás', *En este país*, Montevideo, Editorial Alfa, pp. 96–9)

Glosario♦

fracción ubedista   subgrupo del partido blanco (nacional), uno de los partidos políticos uruguayos

trompo del tiempo   máquina para viajar en el tiempo

cavernícola   que vive en las cavernas

vaho   vapor

de cuajo   de raíz, completamente

alimañas   zorros, lobos, y otros animales salvajes dañinos para el ganado o los animales pequeños

raleaba   se hacía poco denso

- Explique por qué, en la historia de Omar Prego, los protagonistas no deben actuar sobre ningún elemento cuando viajan en el tiempo.

- ¿Qué se deduce del final del relato?

En este artículo se cuenta la historia de cómo surgió la nevera, un invento revolucionario que ha pasado a formar parte de nuestra vida diaria.

LA NEVERA

Siempre se supo que el frío conservaba los alimentos; pero hasta la segunda mitad del siglo [XIX] no existieron pioneros del hielo artificial, a quienes acusaron de querer imitar al mismo Dios. La nevera no tiene un solo padre; desde Gorrie que inventó la refrigeración hasta Birdseye, que industrializó la comida congelada, pasando por Linde, fabricante de los primeros armarios fríos, muchos abrieron la vía de esta nueva forma de conservar.

Con la refrigeración de alimentos se enriqueció nuestra dieta y se contribuyó a mejorar la nutrición en el mundo

La revolución fría

Desde hace mucho tiempo – hay datos de un almacén de hielo en la China del siglo XI a.C. – la refrigeración fue un método para conservar alimentos. Tenía la ventaja de que no alteraba sus cualidades, como sí lo hacían la salazón♦, el secado, el ahumado o las conservas envasadas. Durante la primera mitad del siglo XIX, la demanda de hielo llegó a ser tal que se cortaban bloques de ríos y lagos congelados para exportarlos a países cálidos. Los bloques de hielo se distribuían luego en trozos de tamaño manejable, que podían almacenarse entre capas de serrín o paja. Este comercio continuó hasta que se impuso el hielo artificial, en cuya fabricación fue pionero Jacob Perkins, inventor que en 1834 patentó el uso del éter como fluido refrigerante, aunque su máquina de fabricar hielo no tuviera éxito en Inglaterra porque todavía era más barato traer los bloques naturales remolcados♦ desde Noruega.

En 1844 el oficial médico americano John Gorrie puso en marcha una máquina que se basaba en el hecho de que el aire se calienta al comprimirse y se enfría en su expansión. Tenía como un bombín♦ de bicicleta, un serpentín♦ con agua salada y una bandeja con agua que iba perdiendo calor hasta congelarse. Gorrie quería suministrar hielo y aire frío al hospital donde trabajaba en Florida, para aliviar a sus enfermos de malaria, pero su idea mereció la crítica sarcástica del *New York Times*, que le dedicó un editorial calificándole de estúpido por pensar que podría hacer hielo 'mejor que Dios Todopoderoso'. La verdad es que aquella máquina, que patentó en 1851, no le proporcionó dinero alguno. Otros, en la misma época, tendrían también sus logros, como el escocés James Harrison, el americano Alexander C. Twinning y el francés Ferdinand Carré. Con aquellas primeras máquinas se fabricaban barras de hielo, se congelaba carne o se conseguía la elaboración de cerveza en verano. Pero la aparición de neveras en los hogares hubo de esperar al nuevo siglo.

El primero en trabajar en ello fue el ingeniero bávaro Karl von Linde, que ya en 1871 había adaptado un sistema de refrigeración industrial a la cervecería Spaten de Munich, para poder fabricar cerveza *lager* en verano. El problema de no refrigerar es que, en tiempo cálido, tiene lugar una fermentación oxigenada con la levadura en la parte superior, propia de la cerveza inglesa tipo *ale*, mientras que para obtener la cerveza *lager* – que es la preferida de los alemanes – se necesita realizar la llamada fermentación baja, que tiene lugar en el fondo y exige temperaturas entre 4 y 10 grados Celsius. Tras su éxito, Linde fabricó neveras que utilizaban éter metílico y luego amoniaco como refrigerante y por fin adaptó el sistema a un modelo doméstico pequeño, que se vendió en Alemania y Estados Unidos hasta 1892.

A comienzos de siglo empezó a haber armarios refrigerados en las industrias, y luego también en las casas muy grandes, que tenían espacio para aquellas máquinas. La primera nevera eléctrica de uso doméstico fue la Domelre (un nombre poco imaginativo, que venía de Domestic Electric Refrigerator), comercializada en Chicago en 1913. No obstante, el primer éxito comercial fue el de Kelvinator en 1918, al que siguió Frigidaire, empresa filial de General Motors, al año siguiente. La primera nevera europea fue la sueca Electrolux, un modelo con mueble de lujoso acabado en roble oscuro, dotada con bandejas para cubitos de hielo que se podían añadir a los *cocktails*, que estaban comenzando a causar furor. Se trataba de un aparato silencioso y funcional, cuya producción en serie empezó a realizarse en 1931.

Para las familias españolas quizás la historia de la nevera comience en junio de 1952, cuando se suprimieron las cartillas de racionamiento♦ y, guardando cola, ya podía comprarse carne congelada argentina. A los armarios nevera, en los que todos los días había que reponer el hielo en barra que traía un repartidor de la fábrica, los sustituyeron los frigoríficos. Los cambios que de entonces a hoy han tenido lugar en nuestra dieta dependen en gran medida de estas neveras eléctricas.

El protagonista es un fluido

Las neveras son aparatos que toman calor de un lugar (el interior) para desprenderlo en otro (el exterior). Lo que permite esta transferencia de calor es el fluido refrigerante, que puede ser un líquido volátil que al evaporarse absorbe calor. Desde 1930 se comenzaron a utilizar los CFC, que tenían la ventaja sobre el amoniaco o el éter de no ser tóxicos ni inflamables. Un ejemplo es el CCl_2F_2 o Freón–12. El descubrimiento posterior de que su presencia en la atmósfera afectaba a la capa de ozono llevó a su prohibición.

Ese fluido ha de moverse, en circuito cerrado, por los tres

componentes de la nevera: el compresor, el condensador y el evaporador. Los dos primeros están en la parte exterior del mueble. El fluido entra, como gas a baja presión y temperatura ambiente, en el compresor, donde se lo reduce de volumen, y este proceso hace que se caliente. Luego pasa al condensador en forma de serpentín, donde libera calor al aire de la habitación y se licúa. Este líquido, que está a presión pero a temperatura ambiente, se hace pasar por un estrechamiento para entrar en el evaporador, que es otro tubo en serpentín en contacto con el compartimento destinado a los alimentos. Al atravesar ese estrechamiento y disminuir la presión, el fluido se evapora y expande, absorbiendo calor. El aire y los alimentos que hay en la nevera se enfrían al ceder ese calor al fluido, que luego sigue circulando para pasar al compresor y comenzar un nuevo ciclo.

El arte del congelado

La refrigeración de los alimentos tiene por objeto retardar o impedir el proceso de descomposición por microorganismos (bacterias y hongos). Existen antecedentes de haber intentado la congelación que se remontan al filósofo Francis Bacon (1626)

y testimonios de haber conseguido, hacia 1861, congelar artificialmente carne en Australia, así como pescado y aves en Maine (Estados Unidos).

El francés Charles Tellier ganó en 1877 un concurso internacional por llevar carne de América a Europa en su *frigorifique*, a bordo del *Paraguay*, que era un barco de vapor y que tardó 105 días en cubrir 12.000 kilómetros entre Argentina y Francia. Llevó 10 vacas, 12 ovejas y 2 terneros refrigerados por aire seco a cero grados.

Cuando surgieron los primeros síntomas de que los países europeos no serían capaces de autoabastecerse◆, en 1880, se llevó carne de Australia a Londres, utilizando refrigeración mecánica, en un barco de vapor que llegó con sus 30 toneladas de carga en perfectas condiciones; hasta la familia real probó la carne importada. En 1891 ya habían salido de Nueva Zelanda más de un millón de corderos congelados.

La venta de alimentos congelados fue idea de Clarence Birdseye, un joven que había pasado 5 años como comerciante de pieles en Labrador (Canadá), donde vio cómo el pescado se congelaba tan pronto como los nativos lo sacaban del agua, por efecto del frío y el viento gélido. También

pudo comprobar que aquel pescado podía comerse meses después, y conservaba el sabor y la textura de cuando estaba fresco.

Birdseye advirtió que el secreto consistía en realizar la congelación de manera rápida, para que no se formasen grandes cristales de hielo en el interior de los alimentos, lo que hacía romper las paredes celulares. Tardó 8 años en perfeccionar el proceso antes de comercializar los productos, empresa que comenzó con guisantes, en 1924. Los envasaba en cajitas de cartón encerado, que luego se congelaban con una ligera presión entre dos superficies planas refrigeradas.

Un paquete de 6 centímetros de grosor estaba listo en 90 minutos. Aunque la técnica era conceptualmente simple, el éxito dependía de multitud de pequeños detalles, que llevaron a Clarence Birdseye a registrar hasta 168 patentes. Más adelante aprendió que el escaldado◆ de los vegetales antes de la congelación detenía la acción enzimática y mejoraba el sabor.

También hubo de persuadir a los minoristas◆ de que adquiriesen o alquilasen aparatos para almacenar sus congelados, y convencer al mercado de que aquel tipo de alimentación no era de segunda calidad. Progresó y, tras diversas vicisitudes

económicas, creó una línea de comidas congeladas en 1939. Pasada la Segunda Guerra Mundial inundaron el mercado americano una serie de alimentos precocinados, como pasteles de carne, gambas rebozadas, filetes de pescado o bollería.

¿Cuándo empezó el verdadero *boom* del consumo? En todo el mundo, los congelados comenzaron a significar calidades estándar y también mayor diversidad de productos. En los decenios siguientes se multiplicaron los platos preparados, así como las mezclas de vegetales, y los congelados llegaron a las cadenas de McDonald's, Burger King y similares. Por otro lado, el horno de microondas facilitó las tareas de descongelación, las familias urbanas ya no comían juntas, y se cenaba delante del televisor, lo que impulsó los nuevos envases de porciones individuales.

Luego aparecieron los congelados bajos en calorías y los platos de cocinas exóticas, así como los supermercados del frío. Algunos precios bajaron a límites casi incomprensibles. Los alimentos congelados han proporcionado al negocio de ultramarinos◆ y a la cocina simultáneamente variedad y uniformidad: en cada lugar hay más productos distintos, aunque éstos sean iguales en todas partes.

(Fuente: *Muy Interesante*, n°. 206, julio de 1998, pp. 89–90)

Glosario◆

salazón   acción y efecto de curar o salar los alimentos

remolcados   arrastrados por tierra o agua por un barco o vehículo

bombín   bomba pequeña de comprimir aire, para hinchar las ruedas de la bicicleta

serpentín   tubo alargado y en espiral que sirve para enfriar o calentar el vapor o el líquido que va por él

cartillas de racionamiento   cuaderno personal o familiar que, en tiempos de escasez o crisis, permite a las autoridades controlar o distribuir los productos comerciales entre la población

autoabastecerse   proporcionar lo necesario para uno mismo

escaldado   inmersión en agua hirviendo

minoristas   comerciantes que se dedican al comercio al por menor, es decir en pequeñas cantidades

negocio de ultramarinos   tienda de comestibles

- ¿Qué cambios esenciales representó el invento de la nevera para la vida diaria?

- Piense en uno de los inventos más importantes de los últimos cien años. Explique por qué le parece tan importante, e intente imaginar cómo sería la vida sin él.

La era espacial ha permitido que se puedan realizar muchos experimentos científicos en el espacio. En esta entrevista realizada poco antes de su vuelo espacial en el *Discovery* en octubre de 1998, el astronauta español Pedro Duque explica el tipo de investigaciones que se llevan a cabo en los viajes espaciales, y describe también cuáles serán sus funciones como astronauta en su próximo viaje al espacio.

5.10

Pedro Duque

Astronauta español, a punto de partir al espacio

"Cuando se funde una colonia en Marte, espero que no todos hablen con acento de Texas"

Jorge Alcalde

Madrileño de 35 años, Pedro Duque es ingeniero aeronáutico. Tras un periodo de trabajo como ingeniero de la Agencia Europea del Espacio, en 1992 pasó a formar parte del cuerpo de astronautas europeo y en 1994 participó desde tierra en la misión Euromir-94. En 1995 Boris Yeltsin le impuso la Orden de la Amistad.

A finales del mes de octubre, Pedro Duque habrá cumplido su sueño de viajar al espacio. Será uno de los 7 astronautas que vuelen en el *Discovery* para completar la misión STS–95. Mientras realiza en Houston los entrenamientos más intensivos, repasa cada uno de sus movimientos a bordo y estudia toda la microbiología que cae en sus manos, Duque ha tenido tiempo para conceder a [la revista] *Muy* su última entrevista antes de partir.

¿En qué va a consistir exactamente su misión?

Durante el despegue, lo que llamamos fase de cohete, estaré sentado en la cabina con los dos pilotos y el ingeniero principal de vuelo. Allí realizaré trabajos de supervisión general de los sistemas de navegación, con especial atención en la red de comunicaciones. Como número 4 de la cabina, no tengo muchos botones que tocar aunque sí he de mirar en un montón de libros y apuntar todo lo que ha pasado para que cualquier problema tenga solución. Esta primera fase dura sólo 8 minutos y medio pero es la más crítica porque precisamente se trata del momento en que los cohetes tienen tendencia a explotar.

¿Tan peligroso es?

Bueno, existen unos valores razonables de riesgo que tienes que asumir. Hay un 2 por 100 de probabilidades de que el cohete no llegue a órbita y entre las causas de ello está que explote.

Lo dice con cierto desdén...

Hombre, lo que no debes permitir es que la sensación de riesgo condicione tu trabajo.

En cualquier caso, en su cabeza seguro que ya está bien grabado todo lo que hay que hacer en caso de peligro.

Sí. Aun así, ahora que estoy hablando con usted voy repasando todo paso a paso por si acaso.

Una vez superada esta fase crítica y alcanzada la órbita, ¿qué le toca hacer?

Cuando ya nos encontremos en condiciones de microgravedad se entra en la llamada fase de conversión de cohete a nave espacial. Dos personas estamos destinadas a abrir las puertas para que los radiadores puedan expulsar el calor y desplegar la antena de comunicaciones con la Tierra. Yo después me ocupo de abrir el módulo Spacehab donde van la mayor parte de los experimentos científicos que tenemos que enchufar. Durante el vuelo tengo responsabilidades de mantenimiento y supervisión de los 19 ordenadores portátiles de a bordo, ¡un nuevo récord! Y, si hubiera que realizar un paseo espacial para solucionar alguna avería, yo sería

una de las dos personas que lo haría.

Me imagino que esta última misión será la más atractiva.

Los astronautas asignados para salir fuera del vehículo siempre nos enfrentamos a un curioso dilema. Por una parte no queremos que falle♦ nada pero, por otra, esperas tener oportunidad de vivir un paseo espacial.

A bordo hay un experimento español...

Sí, uno totalmente diseñado por la Universidad de Granada sobre la cristalización de proteínas. Está metido dentro de un aparato automático de la ESA♦ y la única atención que le tengo que prestar es que siga funcionando. Todos estos aparatos están pensados para ser instalados en una estación espacial sin mucha interacción con los astronautas, así que son absolutamente automáticos.

Nos queda la última fase de la misión: el vuelo de regreso.

Es la llamada fase de avión. Durante ella, en vez de ir en la cabina voy en la parte de abajo y allí me toca ayudar a ponerse el traje a todo el mundo y cerrar la puerta que conecta con el módulo. También tengo que hacer un repaso final de los aparatos que hay que cambiar para convertir la nave espacial en avión.

¿Le han contado otros astronautas qué se siente cuando uno está en el espacio?

Por supuesto. Creo que es algo parecido a lo que se siente en un vuelo parabólico en el que los aspirantes a astronautas experimentamos la gravedad cero durante 22 segundos. Pero claro, 22 segundos no son 9 días. Nos han explicado que durante la fase de

cohete, los motores se regulan para no producir más de 3g de gravedad, pero se apagan de golpe. Así que primero estás presionado contra el asiento a 3g y cuando se apagan los motores toda la fuerza elástica del respaldo te empuja hacia adelante contra los cinturones de seguridad (como si te dieran un golpe con un coche). Instantáneamente te encuentras en gravedad cero.

A apenas unos días del lanzamiento, ¿qué es lo que más le preocupa de la misión?

La responsabilidad que hemos asumido♦, sin duda. Hay cientos de miles de millones invertidos en el vuelo y en los experimentos que van a bordo. Cada uno de los siete tripulantes toca a un montón de pesetas. Somos responsables de que todo funcione y de que se consigan los avances para la ciencia que hay previstos y en los que mucha gente ha puesto su dinero y su esfuerzo.

¿Un astronauta tiene tiempo para dedicarse a otras áreas de la ciencia?

Cuando uno es astronauta está obligado a tocar de refilón♦ muchas áreas de la ciencia, entre otras cosas, porque allí en el espacio todos somos ayudantes de laboratorio de decenas de universidades distintas. Tienes que aprender medicina, metalurgia, física, astrofísica...

¿Y cuál es la que más le gusta?

Todas; no le hago ascos a♦ ningún artículo. Pero últimamente me interesa mucho la microbiología y la genética. Estoy encantado con el experimento español que llevamos en la misión: tratar de averiguar cómo son las estructuras de las proteínas que producen agentes patógenos. Estos estudios se hacen ahora en un ordenador, lo que supone un cambio fundamental en la forma en la que vemos la ciencia. Ya se ha pasado la era de ensayo y error. Antes la biología consistía en coger un poquito de esto y un poquito de lo otro, hacer que se lo tome fulanito♦ y esperar a ver qué le pasa. Pero ahora se preparan las proteínas, se llevan al espacio para que cristalicen, se ponen con mucho cuidado en una máquina de rayos X que produce 40.000 CD-ROM de datos y la labor del científico consiste en analizarlos en un ordenador.

¿Y no le parece una pena? ¿No ha perdido la profesión científica parte de su romanticismo?

Al contrario. La gente no se da cuenta de la cantidad de ciencia que se puede hacer delante de un ordenador, analizando y comparando los datos. Creemos que lo bueno termina cuando acaba el experimento de campo pero, en realidad, no ha hecho más que empezar.

Siendo realista, ¿qué papel le queda por jugar a España en el espacio?

Uno muy bueno, sin duda. Lo único que nos falta es presupuesto♦. Con una quinta parte del dinero de la NASA, hemos conseguido grandes logros♦. Lo único que los políticos españoles tienen que decidir es si les interesa a ellos también tener naves tripuladas por españoles y participar quizás en la aventura de ir a Marte.

Hay quien opina que invertir en carrera espacial es un despilfarro.

Me parece erróneo dar dinero para la carrera espacial y quitárselo a otras ciencias, lo que hay que hacer es dar más a la investigación en general. La inversión en ciencia es la única que realmente define el futuro de un país y de sus ciudadanos.

¿Todavía tiene la ilusión de viajar a Marte?

Bueno, cuanto más se retrase el viaje menos probabilidades tengo de ir, ¿no? Pero si no soy yo será otro, no hay problema. Eso sí, me gustaría que la bandera que pongamos en Marte no sea la misma que se puso en la Luna. Y cuando se funde una colonia en el planeta rojo espero que no todos hablen con acento de Texas. Nuestros pueblos también se merecen expandirse por el universo tal como nos expandimos desde Europa hacia América.

(Fuente: *Muy Interesante*, n°. 209, octubre de 1998, pp. 135–8)

Glosario♦

falle   salga mal

ESA   Agencia Europea del Espacio (*European Space Agency*)

asumido   aceptado

de refilón   de forma superficial

le hago ascos a   desprecio

fulanito   una persona indeterminada

presupuesto   dinero que se calcula que puede ser necesario para un periodo de tiempo o para un proyecto especial

logros   triunfos

- ¿Cómo le parece que es la vida de un astronauta?

- Duque afirma en la entrevista que: "La inversión en ciencia es la única que realmente define el futuro de un país y de sus ciudadanos". ¿Qué piensa usted de esta afirmación?

5.11

Los dos textos que siguen tratan del nivel de desarrollo científico en España y en América Latina. El primero es un análisis de la situación de la investigación española en relación al resto de los países desarrollados. Apunta asimismo cómo la investigación científica se mide según su productividad, traducida en número de científicos y artículos publicados.

Radiografía de nuestra investigación

Tal como somos

Con más de 48.000 investigadores en nuestro staff, España no es una potencia en ciencia si la comparamos con otros países avanzados, a pesar de que en los 10 últimos años se haya doblado el número de científicos y la producción haya ido en aumento. Éstas son las cifras.

Mucha gente cree que los científicos son personas más inteligentes que los demás, lo cual no es cierto. El Nobel de Física Heinrich Rörher manifestó en cierta ocasión que un investigador no tenía nada de especial; la habilidad para familiarizarse con el método científico se adquiere con entrenamiento, al igual que una persona se hace esquiador o jugador de tenis.

Podría pensarse, por ejemplo, que un país como Estados Unidos, con un gran potencial científico, concentra una enorme cantidad de talento para la ciencia debido al alto número de investigadores que mantiene en activo. Pero eso no significa que los norteamericanos sean más inteligentes que los franceses, los británicos, los hindúes o los españoles. A la hora de realizar una radiografía de la ciencia española es preciso acudir a una serie de parámetros que ayuden a definir este retrato tan complejo, parámetros que son aplicables a otros países.

Uno de ellos es la evaluación del número de investigadores profesionales con respecto a la población activa. Según las estimaciones de la Secretaría de Estado de Universidades, Investigación y Desarrollo, en el mundo laboral de 1994 había 2,7 investigadores por cada 1.000 españoles. Estas cifras orientativas indican un crecimiento del número de científicos de nuestro país desde el año 1987 (1,8 por cada 1.000 habitantes). Así, en 1997, la cantidad de investigadores era de 48.525, el doble que 10 años antes y también más que los datos aportados por la OCDE en 1995.

La cifra sigue siendo baja en comparación con los países de la Unión Europea (4 científicos por cada 1.000 trabajadores). Alemania tiene más de 230.000 investigadores; le sigue Francia, con 151.000 y Reino Unido, con 148.000. Estas cifras, proporcionadas por la OCDE – Organización para la Cooperación y Desarrollo Económico, con sede en París –, dan una idea del lugar que ocupamos en cuanto al número de investigadores no sólo en Europa, sino en el mundo. Estados Unidos, con 982.000 investigadores y Japón, con 637.000, se sitúan en el primer y segundo lugar respectivamente.

Promesas de inversión

España, pues, todavía no ha alcanzado la producción científica necesaria que caracteriza a la mayor parte de sus compañeros europeos; Severo Ochoa◆ creía firmemente que la ciencia española sólo florecería si lograra una cantidad de científicos bien entrenados.

Pero, ¿por qué tenemos menos investigadores? No se trata de una cuestión de talento, sino de dinero invertido. Los científicos profesionales precisan formación y entrenamiento, muchas veces adquiridos en el extranjero. Por tanto, los presupuestos◆ dedicados a investigación determinan, en parte, los puestos disponibles para los científicos en activo. En 1997 el gasto destinado a Investigación y Desarrollo fue del 0,8 por 100 del Producto Interior Bruto, es decir, 174.000 millones de pesetas. Es una cantidad menor que la dedicada en 1992 (186.000 millones de pesetas) y, desde luego, muy inferior a la media de los países de la Unión Europea (el 1,9 por 100, que equivale a más de 16 billones de pesetas). No obstante, el Gobierno ha prometido invertir 400.000 millones de pesetas en investigación y desarrollo para 1999.

Las cifras pueden ser más o menos variables e incluso aburridas, pero ayudan a diseñar una fotografía precisa del panorama científico español. A la cabeza de Europa figura Alemania, con un presupuesto estimado de 38.411 millones de dólares, según datos de la OCDE; la siguen Francia, con 27.044; Reino Unido, con 21.374 e Italia, con 12.882.

(Fuente: *Muy Interesante*, n°. 209, octubre de 1998, pp. 82–3)

Glosario*

Severo Ochoa (1905–93)   Médico y bioquímico español. Emigró a EEUU en 1941 y obtuvo la nacionalidad estadounidense en 1959. Fue premio Nobel de medicina y fisiología en 1959. Regresó a España en 1985.

presupuestos   dinero que se calcula que puede ser necesario para un periodo de tiempo o para un proyecto especial

---

● En el artículo se afirma que el número de investigadores de un país está relacionado directamente con el presupuesto dedicado a investigación y no con el mayor o menor talento de la población. ¿Está usted de acuerdo con esta idea? ¿Por qué (no)?

5.12

El siguiente extracto de un artículo sobre la primera cumbre científica entre Iberoamérica y Europa analiza el nivel de desarrollo científico de los países latinoamericanos en relación con el resto del mundo.

Primera cumbre científica entre Iberoamérica y Europa

Las actividades científicas en el conjunto de América Latina son aún escasas, y los países iberoamericanos podrían incrementarlas promoviendo la toma de conciencia de la población respecto del papel de la ciencia en el desarrollo económico y en la creación de empleo. Es necesario que los países de la región reciban la solidaridad científica de los países de la Unión Europea.

Programa CYTED

El programa de Ciencia y Tecnología para el Desarrollo (CYTED), creado en 1984, es el único superproyecto de cooperación científica y tecnológica de ámbito iberoamericano y uno de los mayores y más importantes a nivel mundial. Participan en él casi 6.000 científicos de 19 países (Argentina, Bolivia, Brasil, Chile, Colombia, Costa Rica, Cuba, Ecuador, El Salvador, Guatemala, Honduras, México, Nicaragua, Panamá, Paraguay, Perú, República Dominicana, Uruguay y Venezuela), y también iberoamericanos, de Portugal y de España.

Centros de investigación

De los 2.280 centros de investigación que hay contabilizados en los 19 países iberoamericanos, el 61 por 100 se dedica a la investigación biológica (en áreas como las ciencias médicas básicas y aplicadas, la agricultura, el medio ambiente y la biotecnología) y el 39 por 100 restante corresponde por igual a las áreas de química, ciencias de la tierra, física y matemáticas. La biología adquiere así un puesto relevante en la investigación en América Latina, dada la existencia de problemas relacionados con la salud, la nutrición y la producción agrícola. Las actividades de conservación del medio ambiente y del uso racional de los recursos naturales registra en la actualidad un significativo avance.

Las escasas relaciones existentes entre los centros de investigación y la industria es uno de los más graves problemas de Iberoamérica. En la mayoría de los países ni siquiera el 10 por 100 de los centros de investigación pertenecen al sector industrial, con la excepción de Colombia, Costa Rica y Uruguay. Uno de los grandes retos de la ciencia en los países de América Latina es el fortalecimiento de la capacidad de investigación de la industria.

Gasto en I + D* y producción científica

Los países iberoamericanos asignan cada año del 0,3 al 0,7 por 100 de su Producto Interior Bruto (PIB) a la ciencia, excepto Cuba, que supera este índice. Según el último informe mundial sobre la ciencia realizado por UNESCO, los gastos totales en investigación científica en América Latina ascienden a 4.040 millones de ecus. Por el contrario, el gasto en I + D en la

Unión Europea es de 104.184 millones de ecus; en EEUU de 124.559 millones de ecus y en Japón de 77.700 millones de ecus.

La producción científica de América Latina representa sólo el 1,4 por 100 del total mundial. De estos países, 10 de ellos (Brasil, Argentina, México, Chile, Venezuela, Colombia, Perú, Cuba, Costa Rica y Uruguay) produjeron el 97,6 por 100 del total de publicaciones científicas de toda América Latina.

Los recursos y resultados científicos de América Latina no llegan al 1 por 100 de la producción mundial, teniendo el 8 por 100 de la población. El progreso de la ciencia en América Latina se ve dificultado por la escasez◆ de recursos humanos y económicos, el relativo aislamiento de los investigadores, la escasa cooperación regional e internacional y la falta de coordinación entre la ciencia y la industria.

Es necesario, por tanto, conseguir un gran consenso en torno a la importancia de incrementar la cooperación entre las empresas y su entorno científico técnico, las universidades y los institutos de I + D. En este ámbito se destacan dos experiencias: Iberoeka (proyectos de innovación enmarcados en el programa CYTED y creados en 1991 para fomentar la cooperación en I + D entre las empresas) y la financiación de becas, por parte de España y Portugal, entre otros países, para la estancia e incorporación de científicos a las empresas.

(Fuente: (1996) *Política científica*, n°. 45, Madrid, Comisión Interministerial de Ciencia y Tecnología, pp. 11–12)

Glosario◆

I + D   Investigación y Desarrollo

escasez   insuficiencia

- ¿Cuáles son las causas principales del escaso desarrollo científico de los países latinoamericanos en relación al resto del mundo?

- ¿Cómo cree usted que los presupuestos dedicados a la investigación afectan el nivel de desarrollo de un país?

5.13

En esta entrevista la autora británica Sadie Plant comenta su nuevo libro *Ceros + unos* que versa sobre la relación de la mujer con la nueva tecnología.

"La tecnología no es sólo cosa de hombres"

La autora critica la cultura predominante en su libro *Ceros + Unos*

Catalina Serra

Ceros + Unos. Mujeres digitales y la nueva tecnocultura (Destino) es un libro río. Puede leerse como un ensayo académico, como una novela mitológica, como una revisión histórica del papel de la mujer en relación a las tecnologías o como un optimista y saludable panfleto ciberfeminista. Sadie Plant, en apariencia una frágil y delgada ex profesora universitaria británica de 33 años, amante del tecno y la contracultura, realiza en este libro un ingente♦ y sugerente trabajo de recopilación de datos históricos, literarios, periodísticos y científicos que demuestran, a su juicio, "que la tecnología no es sólo cosa de hombres". Desde los telares a las más recientes tecnologías, la mujer ha sido utilizada tradicionalmente como mano de obra barata para hacer funcionar los ingenios mecánicos. Legiones de mecanógrafas, taquígrafas, telefonistas, programadoras u obreras de sofisticadas fábricas de armamentos han realizado los trabajos más rutinarios y socialmente menos valorados que permiten que la gran maquinaria tecnológica funcione.

¿Las mujeres están mejor preparadas que los hombres para las nuevas tecnologías?

Es una ironía del destino. Tras dos mil años de patriarcado, las mujeres han desarrollado sus capacidades para sobrevivir haciendo múltiples funciones. Son multitécnicas y polifacéticas♦. Los hombres, en cambio, tendían a tener una sola función, un único papel en la sociedad. Las feministas antiguas decían que las mujeres tenían que aspirar a tener también una sola función. Pero no es así, son los hombres los que tendrán que aprender a ser multifuncionales.

El término ciberfeminista es un poco ridículo. ¿Le gusta?

Sí, da un poco de risa. Ahora se habla mucho de ello porque a la gente le gusta poner etiquetas. Lo encuentro más bien problemático, pero por otra parte hay mujeres que buscan nuevas ideas para un cambio y el ciberfeminismo como concepto tiene un cierto potencial. Es importante que las mujeres tengan una mitología propia para poder socavar♦ la dominante.

(Fuente: *El País*, 26 de noviembre de 1998, p. 16)

Glosario♦

ingente   muy grande

polifacéticas   que se dedican a actividades muy variadas o que tienen múltiples aptitudes

socavar   hacer disminuir la fuerza de otra cosa

● ¿Está usted de acuerdo con que las mujeres están mejor preparadas que los hombres para las nuevas tecnologías? Razone su respuesta.

Los textos que aparecen a continuación tratan de problemas relacionados con el agua y, en algunos casos, de cómo la ciencia o la tecnología pueden ayudar a resolverlos.

Los dos fragmentos siguientes describen dos problemas extremos: las inundaciones y la sequía. Ambos son textos literarios: el primero de la novela *Los misterios del Amazonas,* de Ramón Prieto, y el segundo de la obra *Sangre de mestizos*, del novelista boliviano Augusto Céspedes.

Una inundación

La inundación es una pesadilla que marca en intervalos frecuentes el soñar del Amazonas. Crece el río en los meses de noviembre y diciembre, cuando las grandes lluvias de la evaporación del Atlántico, después de condensarse en la región andina, caen sobre el oeste del vasto sistema hidrográfico. Un huracán endemoniado que levanta remolinos, arranca árboles, derriba casas y corre por la floresta◆ con murmurar de cataclismo, precede a las lluvias. Son tempestades secas, carentes de◆ humedad; un viento de fuego que seca la vegetación, exalta a los animales y enerva a las criaturas como el aguardiente y el dolor. Después, nubes plomizas, grávidas de humedad, llegan a las alturas, y cae la lluvia en torrentes como en un derrumbamiento de cataratas mitológicas. Los arroyuelos◆ se hacen torrentes, los torrentes ríos, y los ríos, contaminados de locura, parecen el genio del mal, la destrucción desatada. Ruedan las rocas arrastradas por la corriente embravecida◆; se doblegan los troncos, gigantes de verdor, al empuje de las aguas. Las barrancas◆, relamidas en intensidad progresiva, carcomidas por el empellón◆ persistente, se derrumban en cúspides de espuma negruzca. Los ríos, hasta entonces claros, dejando ver el florilegio◆ de sus lechos de arenas y piedras oscuras, se hacen terrosos, rojizos y opacos. De la corriente, antes silenciosa y solemne, sube un rugir ininterrumpido de entrechoques de gigantes, la tierra y el agua, lo inmóvil y lo dialéctico, lo cristalizado y lo vivo. La corriente es una densa población de detritus, de troncos, de ramas que ruedan en confusión de génesis. El nivel de las aguas sube aún. Las márgenes se agachan como amedrentadas◆ y las aguas asaltan el nivel, como una fatalidad, por la pendiente. Los cocodrilos, los peces, los carnívoros van hacia la corriente, ávidos de botín◆. La inundación lo trae todo: insectos, batracios, mamíferos sorprendidos. El gigante de la selva cayó en la vorágine◆ llevando su cargamento de nidos y de insectos, de ofidios◆ silbadores, enroscados en las ramas al sabor de◆ la corriente… El sol provoca el deshielo de los Andes… Las lluvias, persistiendo hasta marzo, coinciden con él y entonces es la catástrofe… El agua sube por sobre los troncos, cubre las casas, destruye los sembrados, arrastra a los animales y a los hombres, implanta el terror. La formidable masa líquida nivela todos los obstáculos. Aquí un puntal◆ que desaparece ante el encontronazo◆ brutal; allá un abismo que se llena con rocas y piedras que vienen desde los Andes, en un salto prodigioso; un bosque

que se hace balsa y, deslumbrante de verdor, corona el Amazonas con un penacho triunfal. Todo va a parar al Atlántico, receptáculo colosal de un mundo de cosas muertas.

La avalancha pasa. Las aguas vuelven a su nivel y el sol, sobre los terrenos húmedos y cubiertos de lodo, marca grietas que se llenan de insectos, de batracios y de serpientes venenosas. Un vapor pringoso◆ se extiende por la campiña… Y el hombre vuelve, rehace sus sembrados, recoge las reses◆ perdidas, repara la vivienda y vuelve a pescar. Un cambio catastrófico se ha producido en la margen. El embarcadero◆, que bajaba con suavidad domesticada hasta la línea del agua, es un barranco◆ quebrado. Pero los lagos, otra vez en su cuenca, están llenitos de peces. Las aves vuelven a cantar sobre los árboles floridos. La vida se llena de plenitud como si la inundación no hubiera sido más que una mala pesadilla.

Un fatalismo primitivo vive en el alma del hombre amazónico, predisponiéndolo a la resignación… Frente al río que es germen◆ de inmensidad, su granero◆ y su tumba, permanece callado como los adoradores ante su Dios. Él lo puede todo: la vida y la muerte, la felicidad y la desgracia, la miseria y la plenitud. El río, sendero y manantial, huerta y alcoba, espejo de movilidad.

(Fuente: Prieto, R. *Los misterios del Amazonas*, en Giner de los Ríos, G. (edición) (1958) *El paisaje de Hispanoamérica a través de su literatura (Antología)*, México, Imprenta Universitaria, pp. 202–3)

Glosario◆

floresta   terreno poblado de vegetación

carentes de   sin, faltas de

arroyuelos   cursos de agua pequeños y cortos

embravecida   furiosa

barrancas, barranco   cauces hondos que hacen las corrientes de agua en la tierra

empellón   empujón, golpe brusco

florilegio   recopilación de piezas musicales o literarias; aquí, conjunto de plantas y animales

amedrentadas   con miedo

botín   restos cogidos al enemigo; aquí, animales arrastrados por el agua

vorágine   corriente fuerte de agua que gira en espiral

ofidios   reptiles

al sabor de   llevadas por, arrastradas por

puntal   madera que sostiene provisionalmente un edificio

encontronazo   golpe violento

pringoso   pegajoso, grasiento

reses   vacas, ovejas y cabras

embarcadero   lugar en la orilla del agua donde se suben y bajan de los barcos las personas y las mercancías

germen   cosa que es el origen de otra

granero   lugar donde se guardan los cereales después de cortados; aquí, recurso vital

Sangre de mestizos

Verano sin agua. En esta zona del Chaco, al norte de Platanillos, casi no llueve, y lo poco que llovió se ha evaporado. Al norte, al sur, a la derecha, a la izquierda, por donde se mire o se ande en la transparencia casi inmaterial del bosque de leños plomizos, esqueletos sin sepultura condenados a permanecer de pie en la arena exangüe♦, no hay una gota de agua, lo que no impide que vivan aquí los hombres en guerra. Vivimos raquíticos, miserables, prematuramente envejecidos, los árboles con más ramas que hojas, y los hombres con más sed que odio… Llovió anoche. Durante el día el calor nos cerró como un traje de goma caliente. La refracción del sol en la arena nos perseguía con sus llamaradas♦ blancas… Otra vez el calor. Otra vez este flamear invisible, seco, que se pega a los cuerpos. Me parece que debería abrirse una ventana en alguna parte para que entrase el aire. El cielo es una enorme piedra debajo de la que está encerrado el sol… El suelo, sin la cohesión de la humedad, asciende como la muerte blanca, envolviendo los troncos con su abrazo de polvo, empañando la red de sombra deshilachada por el ancho torrente del sol. La refracción solar pone vibraciones magnéticas sobre el perfil del pajonal♦ próximo, tieso y pálido como un cadáver.

(Fuente: Céspedes, A. *Sangre de mestizos*, en Giner de los Ríos, G. (edición) (1958) *El paisaje de Hispanoamérica a través de su literatura (Antología)*, México, Imprenta Universitaria, p. 125)

Glosario♦

exangüe   que ha perdido toda la sangre (aquí, en el sentido figurado)

llamaradas   llamas gigantes que se levantan de repente del fuego y luego se apagan

pajonal   terreno cubierto de rastrojos, es decir de la paja que queda en el campo después de cortar los cereales

- En el primer texto la inundación se presenta como un acontecimiento enormemente violento. Subraye las palabras y expresiones que describen la violencia de las aguas.

- En el segundo texto, el autor describe los efectos mortales de la sequía. Subraye las palabras relacionadas con la muerte.

5.16

El siguiente artículo de fondo de un periódico paraguayo describe la crisis que afecta a este país en el contexto mundial del problema del agua, y hace una llamada para que se empiecen a buscar soluciones al problema.

http://gateway.abc.com.py/archivo/1997/02/24/editorial.htm

HAY QUE PREVENIR LA CRISIS DE AGUA

La cuestión del agua se va tornando problemática en el mundo entero y provoca preocupación en muchos gobiernos del orbe. Las informaciones científicas acerca del agotamiento progresivo de las fuentes naturales de agua dulce◆ son alarmantes; este fenómeno se produce principalmente por el abuso que el ser humano ha hecho de la extracción de agua del subsuelo y por efecto de las diversas técnicas perjudiciales de empleo de la misma, a lo que se suman la deforestación, la erosión, la contaminación, el cambio climático y otros agentes ecológicamente destructivos.

En nuestro país tenemos todas estas dificultades, pero como todavía no aparentan tan críticas, nadie les presta mayor atención. Además, es costumbre nuestra no buscar solución a los problemas sino cuando la situación se torna álgida◆ y a menudo irreversible. La pérdida de fuentes de agua en la Región Oriental debería considerarse ya una dificultad evidente, dados los cientos de miles de hectáreas deforestadas en las últimas décadas y el secamiento consiguiente de fuentes y cursos que otrora◆ regaban extensos suelos. El hecho de que en ciertos años llueva mucho no compensa el desequilibrio ya provocado, y lejos de significar bonanza◆ como antaño◆, la lluvia es un agravante de la destrucción del suelo sin cubierta vegetal, cuando los raudales◆ aceleran la erosión y desertizan más velozmente.

En la Región Occidental del país, el problema está representado también por la erosión, aunque agravado con la salinización. El recurso agua, al igual que en la Región Oriental, está mal aprovechado, sin regulación, sin tecnología apropiada, sin conciencia de su valor y de su agotabilidad. El Estado, que de acuerdo a la Constitución es el propietario del agua del subsuelo, no ejerce sus derechos de dominio para defender este precioso bien público en riesgo de agotarse, considerando que el tiempo que tardará la naturaleza en reponer sus depósitos será tan extenso que, a los efectos prácticos, para el ser humano puede considerarse definitivo.

[...]

La escasez de agua y el deterioro gradual de este recurso son males que van a comenzar a azotarnos. Estamos a tiempo de prevenirlos; se cuenta con asistencia técnica, financiera y cooperación internacional para impedirlo. No hacerlo implicaría un acto de irresponsabilidad y negligencia imperdonable.

(Fuente: http://gateway.abc.com.py/archivo/1997/02/24/editorial.htm) [esta dirección ya no se encuentra en Internet]

Glosario◆

agua dulce   agua sin sal, es decir el agua procedente de ríos, manantiales y yacimientos subterráneos

álgida   que alcanza el momento más importante de un proceso o situación, que implica por lo general peligro

otrora   en otros tiempos

bonanza   prosperidad y progreso

antaño   antiguamente

raudales   masas de agua que corren rápidamente

• ¿Existe en su país algún problema relacionado con el agua? Descríbalo y explique qué medidas se pueden tomar para solucionarlo.

En los artículos que aparecen a continuación se describen proyectos de obras civiles o de investigación tecnológica para intentar resolver el problema del agua y mejorar su calidad en Ciudad de México y en Valencia.

5.17

http://lanic.utexas.edu/la/Mexico/water/libro.html

EL SUMINISTRO DE AGUA DE LA CIUDAD DE MÉXICO

Mejorando la sustentabilidad

La creciente urbanización es una realidad insoslayable en el mundo cambiante de hoy. En los países en desarrollo, la falta de oportunidades de trabajo en las áreas rurales, la declinación de las economías de subsistencia* y la esperanza de acceder a una vida mejor han propiciado el nacimiento de las modernas megalópolis. Desafortunadamente, la infraestructura urbana, las instituciones y los recursos naturales disponibles han resultado a menudo insuficientes para responder al ritmo de expansión de los nuevos asentamientos*. En todo el mundo se plantea una pregunta central: '¿cómo integrar los principios del desarrollo sostenido bajo circunstancias de esta naturaleza?' El agua es un recurso vital insustituible. Su abastecimiento*, localización y desecho* presenta numerosos retos, los cuales deben ser enfrentados para satisfacer las crecientes demandas de estas nuevas áreas metropolitanas.

La Zona Metropolitana del Valle de México (ZMVM) ejemplifica estos retos. La demanda de agua para los 20 millones de personas que habitan en el área, significa un desafío formidable para quienes tienen la responsabilidad de abastecer* a esta población. Como el agua superficial en la Cuenca de México es muy escasa, la principal fuente de abastecimiento para la ciudad es el Acuífero* de la Ciudad de México, localizado en el subsuelo del área metropolitana. Aunque el volumen de agua almacenada* es muy grande, su calidad es susceptible de sufrir un serio deterioro, debido a la permanente actividad que tiene lugar sobre el acuífero. La falta de tratamiento a las aguas residuales y el control insuficiente de los desechos peligrosos han colocado a este acuífero – y a todo el sistema de distribución de agua – en riesgo de contaminación microbiológica y química. Además, el uso del acuífero se ve restringido debido a una serie de problemas relacionados con el hundimiento del suelo. En efecto, desde que se inició la explotación del agua subterránea en el siglo XIX [hasta] la fecha, el constante descenso en los niveles de agua subterránea ha provocado un hundimiento cercano a los 7.5 metros en el centro de la Ciudad de México. Este hundimiento ha aumentado la propensión natural de la ciudad a las inundaciones, al tiempo que ha dañado la infraestructura urbana.

Los intentos de controlar las inundaciones, así como los de abastecer de agua y servicios de desagüe* a la ZMVM, han puesto en marcha proyectos masivos de obras civiles, tales como la construcción del sistema de drenaje profundo y la importación de agua desde la Cuenca del Cutzamala. La actitud prevaleciente entre la población ha sido suponer que el agua es propiedad del Estado y que, por tal razón, debe proporcionarse como parte de un derecho constitucional (aunque no está estipulado de esta forma en la Constitución) y gratuito. Tradicionalmente, los servicios de abastecimiento de agua y de drenaje han recibido importantes subsidios del Gobierno federal. Como resultado, ha sido necesario enfrentar severas pérdidas financieras, así como un constante desperdicio del recurso causado por fugas de agua y un uso ineficiente. El rápido crecimiento urbano y la falta de sustentabilidad financiera han restringido la capacidad del Gobierno para satisfacer la demanda de agua, ampliar el sistema de distribución a las áreas donde el servicio es deficiente, así como para proporcionar un tratamiento adecuado a las aguas residuales antes de desecharlas o reutilizarlas.

Desde 1988, México ha llevado a cabo grandes reformas enfocadas a la localización de nuevas fuentes de agua y al mejoramiento de los servicios de abastecimiento. Sin embargo, el futuro del agua en la ZMVM, al igual que en muchas ciudades del mundo, es incierto. En un sentido, el caso de esta zona de México plantea una situación extrema que podría presentarse en muchos otros lugares.

(Fuente: http://lanic.utexas.edu/la/Mexico/water/libro.html) [último acceso el 6 de septiembre de 2000]

Glosario♦

economías de subsistencia   economías de mercado, es decir economías en que los precios se fijan según la oferta y la demanda

asentamiento   lugar donde se establece un núcleo de población

abastecimiento   provisión

desecho   eliminación de aguas residuales

abastecer   proporcionar; aquí, proporcionar agua

acuífero   terreno que contiene agua en una capa o zona del subsuelo

almacenada   guardada

desagüe   acción de hacer salir el agua por un conducto

LA APORTACIÓN DE OXÍGENO MEJORARÁ LA CALIDAD DEL AGUA EN LA ALBUFERA◆

La Albufera de Valencia dispondrá, a finales de año, con 35 aparatos aireadores que se instalarán en las zonas más contaminadas del lago, y que aportarán oxígeno, con lo que contribuirán a la regeneración de las aguas y a la mejora de la situación de la flora y la fauna de la zona. La instalación de estos aireadores y el seguimiento de sus datos, que tiene un presupuesto◆ de 25 millones de pesetas, forma parte de un proyecto europeo denominado Thermic, en el que colabora la Universitat◆ Politécnica de Valencia. Este tipo de aparatos, que se alimentan de energía solar a través de un panel fotovoltaico, es único en Europa, y está siendo probado, desde hace más de un año, en el paraje◆ de la Mata del Fang. El objetivo principal de estos aireadores es paliar◆ la falta de oxígeno de estas aguas, que se produce especialmente por las noches. El aparato está equipado con un sistema de adquisición de datos, que de forma instantánea permite conocer la situación de las variables meteorológicas, incluida la radiación solar, y las otras variables que definen la calidad del agua, como el oxígeno disuelto, la conductividad del agua y el PH. La información que recogen estos aireadores se graba en el sistema, y semanalmente se recogen los datos, que se facilitan a los técnicos del Ayuntamiento. Está prevista, además, la instalación de un sistema con tecnología GSM◆, utilizada por los teléfonos móviles, que permita transmitir esta información de forma automática para su evaluación.

(Fuente: http://www.europapress.es) [último acceso el 14 de marzo de 2000]

Glosario◆

La Albufera   Una albufera es una extensión de agua salada separada del mar por una estrecha franja de tierra. Aquí se refiere a La Albufera de Valencia, a unos 15 kilómetros de la ciudad de Valencia.

presupuesto   dinero que se calcula que puede ser necesario para un periodo de tiempo o para un proyecto especial

Universitat   'universidad' en valenciano

paraje   lugar, generalmente en el campo

paliar   disminuir, mejorar una situación mala

GSM   Sistema Global de Comunicaciones Móviles (*Global System for Mobile Communications*)

● Explique con sus propias palabras las obras de ingeniería y los proyectos técnicos para mejorar los problemas del agua descritos en los textos que acaba de leer.

5.19

Para afrontar los problemas del agotamiento de las fuentes naturales de agua dulce es necesario organizar campañas de educación ambiental para concienciar a la población del problema y promover técnicas sostenibles que respeten este recurso insustituible.

http://www.wwf.es

WWF/ADENA PONE EN MARCHA LA CAMPAÑA DE EDUCACIÓN AMBIENTAL *EN BUSCA DEL AGUA* EN TENERIFE, LA PALMA, LA GOMERA Y EL HIERRO

La campaña, con el patrocinio◆ de la Caja General de Ahorros de Canarias y la colaboración de la Consejería de Educación del Gobierno de Canarias, desarrollará actividades de educación ambiental sobre el agua dulce◆ en 500 colegios de la provincia.

Santa Cruz de Tenerife, 20 de octubre de 1998 – La campaña educativa **En busca del agua**, presentada hoy en rueda de prensa◆, está dirigida a niños y jóvenes de entre 9 y 14 años y se centrará en la sensibilización sobre el uso, naturaleza y problema del agua dulce en las islas Canarias.

Uno de los problemas ambientales fundamentales de Canarias es la carencia◆ de agua dulce. Aunque cada isla posee características propias desde el punto de vista hidrológico, es fundamental abordar el problema global del desigual reparto de agua; Canarias está asociada a una especial cultura del agua, por lo que es especialmente necesario concienciar a los canarios más jóvenes sobre los problemas de este escaso recurso: uso irracional, gestión◆ inadecuada, contaminación, escasez◆, aumento del riesgo de erosión y desertificación. En este sentido, **En busca del agua** pretende sumergir a los alumnos de edades comprendidas entre 9 y 14 años y a sus profesores, de 500 colegios distintos de Tenerife, La Palma, La Gomera y El Hierro, en un proyecto educativo para sensibilizar, concienciar y promover la participación activa en la búsqueda de soluciones y uso adecuado de este recurso natural.

En busca del agua ofrece a los colegios una serie de materiales educativos para facilitar al profesorado el trabajo con sus alumnos de manera participativa. A través de una metodología activa, los estudiantes irán conociendo este precioso y escaso recurso natural, a la vez que adquieren habilidades que les permitirán organizar una 'campaña'. Estos materiales son una guía didáctica destinada al profesorado, donde se detalla la metodología y las actividades; un vídeo cuya función principal es motivar a los alumnos; un cuaderno de actividades dirigido a cada alumno, con experimentos y actividades divertidas para profundizar en el conocimiento del agua, así como un esquema explicativo de los pasos a seguir para realizar la campaña y un cartel informativo que recoge, además, las bases del concurso o certamen escolar.

[...] Las clases pueden enviar informes o reportajes sobre las campañas realizadas, y así participar en el concurso escolar. **En busca del agua** busca, en definitiva, concienciar a los jóvenes canarios sobre el uso y problemas de uno de los recursos más escasos del archipiélago, a la vez que fomenta◆ su activa participación en las distintas actividades programadas.

(Fuente: http://www.wwf.es) [último acceso el 14 de marzo de 2000]

Glosario◆

patrocinio   ayuda económica, generalmente con fines publicitarios

agua dulce   agua sin sal, es decir el agua procedente de ríos, manantiales y yacimientos subterráneos

rueda de prensa   conferencia de prensa

carencia   falta

gestión   administración

escasez   insuficiencia

fomenta   impulsa

● Describa cómo organizaría una campaña de educación ambiental para concienciar a la gente de su país o su región sobre algún problema ecológico que les afecte a todos.

http://rolac.unep.mx/terram/esp/anio01/num02/0102titi.htm

TITICACA: UN LAGO, DOS DUEÑOS

Más de dos millones de personas dependen del lago navegable más alto del mundo. Ni Perú ni Bolivia tienen soberanía absoluta sobre él y deben compartirlo.

Abraham Lama

La leyenda histórica dice que de sus aguas emergieron Manco Capac y Mama Occllo, la pareja mítica que dio origen al imperio incaico. El lago Titicaca es un emblema de identidad nacional para Bolivia y Perú, y es ahora también escenario de uno de los más sugestivos programas de cooperación binacional.

A 4.000 metros de altura sobre el nivel del mar y con 9.330 kilómetros cuadrados de extensión, tiene influencia geográfica, social y política sobre 58.000 kilómetros del altiplano♦ boliviano y peruano. Densamente poblado, el territorio que circunda el lago es un área con graves problemas ecológicos. Situado en un punto en donde se dividen las vertientes del Atlántico y el Pacífico, el Titicaca no pertenece a ninguna cuenca fluvial♦, sino que forma una propia, vinculada a los ríos que integran la cuenca del Amazonas y del Río de la Plata. Políticamente, el lago es un condominio de Perú y Bolivia, ninguno de los cuales tiene soberanía absoluta sobre su masa hídrica ni sobre sus recursos, que están obligados a compartir.

"El proyecto binacional marcha sin obstáculos, con reuniones semestrales de evaluación", dice Nora Donayre, del Instituto Nacional de Desarrollo de Perú.

"El lago es una frontera no conflictiva, de integración armoniosa entre Perú y Bolivia", apunta el diplomático peruano Alejandro Deustua.

Uno de los ejemplos de la cooperación peruano-boliviana es la convivencia de técnicas agrarias prehispánicas y tecnologías modernas.

El Proyecto Especial Lago Titicaca (PELT), creado en 1981 por ambos países, intenta rescatar los *waru waru*, técnica de más de mil años de antigüedad. Se trata de montículos aplanados, de 200 metros cuadrados en promedio, rodeados por canales que los campesinos de Puno construyen, extrayendo tierra del fondo del lago en las áreas ribereñas♦ para sembrar papa, cebada o quinua. Vistos a vuelo de pájaro, desde un avión, los *waru waru* son chacras♦ rectangulares circundadas por canales de agua. Los *waru waru* – que en lengua aymara significa 'surcos de los antepasados' – aprovechan las difíciles características de la geografía local para establecer formas de cultivo muy eficaces.

"Los campesinos no pueden pagar abonos artificiales, pero recogen de los canales hierbas, batracios y caracoles, que al secarse se convierten en fertilizantes orgánicos", comenta el sociólogo Luis Grados. Pero esa técnica no sólo otorga tierras nuevas, con riego permanente y fertilización natural, sino que también es un factor de estabilización térmica, vital en una región cuya temperatura ambiente oscila entre el frío boreal y la subglacial tundra.

Aparte de los *waru waru*, el PELT ejecuta programas de desarrollo en 200 comunidades.

Felipe Huarachi, campesino de la comunidad de Pomata, tiene un criadero de truchas, vecino al lago, con crías proporcionadas por el proyecto.

"En año y medio las truchas llegan al medio kilogramo de peso, y si uno las deja más tiempo, pueden alcanzar los tres kilogramos", dice Huarachi.

En Catarata – otra comunidad indígena – cada familia tiene de cuatro a nueve vacunos que se alimentan de llacho, hierba que crece en el fondo del lago y que se extrae con largas hoces♦ de metro y medio. Allí siembran 'totora' – planta de la familia del papiro – que crece de dos a tres metros por encima del agua y sirve como alimento, para hacer embarcaciones y hasta islas flotantes, en el hábitat de los 'uros'♦.

En el proyecto binacional participan técnicos peruanos y bolivianos, y su costo es de casi 109 millones de dólares.

(Fuente: http://rolac.unep.mx/terram/esp/anio01/num02/0102titi.htm) [último acceso el 6 de septiembre de 2000]

Glosario◆

altiplano   llanura de gran extensión muy elevada sobre el nivel del mar

cuenca fluvial   terreno extenso atravesado por cauces de agua que van a parar al mismo río, lago o mar

ribereñas   de la orilla, del borde

chacras   granjas (Amér.)

hoces   herramientas agrícolas formadas de un palo y una hoja de metal curvada

uros   pueblo amerindio de la región del lago Titicaca

● El texto describe algunas de las técnicas indígenas que respetan el medio ambiente en el lago Titicaca. ¿Conoce usted otras técnicas tradicionales – en su país o en otras culturas – que utilicen los recursos naturales sin degradar el medio ambiente? Describa alguna.

tema **6**

Comercio
y trabajo

La ley de la oferta y la demanda

La palabra 'mercado' tiene una serie de connotaciones y asociaciones según el contexto en el que se usa. Para algunos sugiere una plaza o un edificio donde se compran los ingredientes para el almuerzo. Para otros el mercado es el marco en el que se desarrolla el comercio, es decir, ese entramado de relaciones entre productores, mayoristas, minoristas y consumidores. Otros pensarán en el mercado internacional, en las empresas multinacionales y en la globalización, o en el mercado laboral, en el que los que buscan empleo venden su trabajo a las empresas. La palabra 'mercado' abarca todo un abanico de conceptos que tienen, a pesar de todo, dos rasgos en común. Por una parte, el vendedor – la persona o empresa que quiere ofrecer un producto o servicio a los demás – y, por otra, el comprador, que quiere adquirir un producto o contratar un servicio. Implícita en este encuentro entre el vendedor y el comprador está la noción de intercambio, la cual define la relación entre ambas partes. El producto o servicio se ofrece al comprador con tal que este dé un importe de dinero o posiblemente otro producto o servicio al vendedor como recompensa. La actividad de cambiar o intercambiar (que está detrás de la noción de 'mercado') es desde tiempos inmemoriales una de las características más notables de los seres humanos, expresando nuestra voluntad de cooperar con los demás, nuestra necesidad de dar y recibir y nuestro deseo de conocer un mundo más allá de nuestro entorno.

La ley de la oferta y la demanda de productos en el mercado es, para la mayoría de las empresas, un aspecto de gran importancia. La oferta permite al consumidor tener capacidad de decisión a la hora de elegir entre un producto u otro. En los últimos años, los criterios que rigen este proceso de elección no se limitan únicamente al precio y a la calidad del producto. Existen otros criterios determinantes que se van perfilando a medida que el consumidor informado conoce ciertos hechos relacionados con un determinado producto. Hoy en día los criterios ecológicos y éticos están cobrando cada vez más importancia. Los consumidores no solo son conscientes de que las decisiones que tomen en el supermercado pueden acarrear toda una serie de repercusiones para el productor y el medio ambiente; también se han dado cuenta de que a través del mercado tienen la posibilidad de ejercer una presión para cambiar las condiciones de vida de los productores.

Actualmente en diversos puntos de la geografía de España y de América Latina existen tiendas especializadas en productos cuyas etiquetas garantizan que han pasado por organizaciones de 'comercio justo'. Pongamos por ejemplo un paquete de 250 gramos de 'Cuba café' comprado en una de estas tiendas. El envoltorio de este café informa, por una parte, de que tan solo el 4 por ciento del dinero que se paga por un paquete de café comprado en una tienda o supermercado normales llega a los campesinos que lo han cultivado y manipulado. Por otra parte, en el mismo envoltorio se puede leer que, comprando 'Cuba café', un 33 por ciento se orienta a la compra del café verde, un 32 por ciento se dedica a su manipulación, y un 35 por ciento a su comercialización a través de entidades solidarias. Las cifras hablan por sí mismas.

Así pues, las implicaciones éticas de consumir café de comercio justo son que, con su consumo, se apoya a los pequeños productores familiares campesinos e indígenas. Estos productores no utilizan las explotaciones intensivas propias de las empresas medianas y grandes. Pero elegir comprar este café no solo tiene implicaciones éticas, sino también ecológicas. Estas podrían resumirse en que, en general, el café que proviene del comercio justo ofrece una serie de beneficios ambientales relacionados con las técnicas tradicionales agrarias del modo de cultivo: por ejemplo, en arbustos que permiten la diversidad biológica de los ecosistemas del lugar. Además, este mismo café es luego manipulado utilizando métodos tradicionales, lo que explica que, a menudo, el café tenga mejor sabor. Una consecuencia de esto es que el consumidor puede llegar a pagar entre un 10 por ciento y un 15 por ciento más por un producto de 'comercio justo', comparado con su equivalente convencional; pero le compensa el saber que está apoyando un sistema de producción que no supone ni la explotación de los productores ni la degradación del medio ambiente.

Poco a poco, este conjunto de criterios va modificando los hábitos consumistas del público en general. De este modo, los técnicos de márketing, a la hora de introducir y/o comercializar sus productos, deben tener en cuenta no solo aspectos como el precio y la calidad de los productos, sino también las implicaciones ecológicas y éticas de la producción y venta de estos productos en los diferentes mercados. Esta concienciación de los consumidores es un fenómeno que está estrechamente vinculado a la globalización.

Las empresas que comercializan sus productos a nivel mundial están fomentando las mismas tendencias consumistas en diferentes países. Así pues, productos como Coca-Cola o una película como *La guerra de las galaxias* pueden tener éxito tanto en los EEUU como en América Latina o en España. Sin embargo, no hay que olvidar que aspectos más ligados a diferencias culturales locales pueden determinar el éxito de un producto. Por ejemplo, las telenovelas norteamericanas, brasileñas o mexicanas se hicieron populares en casi todo el mundo en la década de los 80. Al mismo tiempo otros países producían sus propias telenovelas y las televisaban en sus propios países de origen. De este modo, sucede a menudo que productos más o menos locales han pasado a hacerse muy populares, en algunos casos casi en detrimento de productos internacionales.

En gran parte la globalización de la cultura se debe a la influencia de la cultura norteamericana, sobre todo con industrias como la del cine y la música; de hecho la gran mayoría de los productos mundialmente conocidos son norteamericanos, como por ejemplo McDonalds o Marlboro.

La influencia de los EEUU sobre América Latina se ha formalizado incluso a través de la Organización de Estados Americanos (OEA), cuyo propósito es estrechar las relaciones de defensa y cooperación mutua en cuanto a aspectos políticos y económicos entre los dos bloques. En los últimos años sus metas se han ampliado a cuestiones de derechos humanos y culturales de las poblaciones indígenas y al uso de las nuevas tecnologías. Sin embargo, algunas Organizaciones No Gubernamentales (ONGs) sostienen que EEUU impone en América Latina un discurso fútil y falso al que ya se ha habituado todo el mundo. Un discurso que consiste en la defensa y fomento de la democracia, la lucha contra las actividades terroristas, contra el abuso de la droga y contra la corrupción gubernamental, y el estímulo del desarrollo industrial a través de la incentivación de la empresa privada y de la liberalización del comercio.

Es interesante observar que, desde los años 70, y paralelamente a la existencia de la OEA, empezó a gestarse una organización que estimula la relación entre los países de América Latina, Mercosur, que fue constituida oficialmente en 1991. Sus integrantes actuales (Argentina, Brasil, Paraguay y Uruguay) se proponen aprovechar eficazmente los recursos naturales, preservar el medio ambiente, aumentar sus mercados y coordinar políticas económicas y comerciales. Este tipo de organización, por lo tanto, si se mantiene fiel a sus objetivos, podría constituir una respuesta al desafío de la globalización, mejorando las condiciones económicas y sociales en los países productores.

En efecto, estas alianzas fomentan las relaciones intergubernamentales y aparentemente podrían ser muy beneficiosas para los diferentes países. Sin embargo, parece ser una opinión cada vez más extendida que, en realidad, no son los gobiernos los que deciden la política a seguir, sino las grandes corporaciones. Es decir, detrás de Mercosur y la OEA, existen grandes empresas que solo velan por sus propios intereses y que, según los mismos, manipulan las decisiones que se pueden tomar en el seno de estos grandes organismos.

Este fenómeno queda patente en las reuniones de la Organización Mundial del Comercio (OMC), donde se deciden las tendencias comerciales a nivel mundial. Muchos países, para poder comerciar a nivel internacional, no tienen otra opción sino ser miembros de la OMC. Sin embargo, para poder ser miembros de dicha organización, hay que estar de acuerdo con las principales directrices que esta sigue: el respeto al libre comercio mencionado anteriormente, es decir, la no intervención de los gobiernos en el comercio. Con el libre comercio no existen impedimentos gubernamentales entre países para la compra y venta de productos.

Una de las consecuencias del libre comercio es la prohibición de las subvenciones, es decir que no se permiten las ayudas financieras que un Estado desee aportar para el mantenimiento de las actividades de una empresa. Este es uno de los aspectos que perfila más claramente los intereses y las diferencias entre los países desarrollados y los países en vías de desarrollo en las reuniones de la OMC. No obstante, si se permite algún tipo de subvenciones, estas las deciden los países ricos, justamente donde se encuentran las macroempresas más poderosas. De este modo abogan por un comercio internacional que solo beneficia a los mismos países ricos y alimentan una competencia desleal.

Existen dos razones principales que justifican la presencia de las subvenciones. La primera es que, para que un país en vías de desarrollo pueda crear industrias competitivas en diferentes sectores, necesita que el Estado intervenga con la ayuda de subvenciones. La segunda es para proteger una industria considerada 'estratégica' para un país. Un ejemplo de ello es que cualquier país debería ser hasta cierto punto autosuficiente. De este modo, sería capaz de autoabastecerse de productos de primera necesidad, y no dependería completamente de otros países en posibles situaciones adversas. Es comprensible pues, la oposición de muchos países de América Latina a la supresión de las subvenciones.

Aunque las directrices de la OMC no permiten las subvenciones porque se supone que estas no respetan el libre comercio, muchos gobiernos continúan proporcionándolas. En Chile, por ejemplo, está el caso de los exportadores quienes, una vez hecha la exportación, reciben del Estado lo mismo que pagaron en concepto de impuestos. Los competidores de los productos chilenos afirman que esta es una práctica desleal ya que permite a los exportadores llegar al mercado mundial a precios más bajos. Asimismo, cuando los trabajadores no disfrutan de las condiciones mínimas de seguridad salarial, en algunos casos sucede que el Estado les proporciona subsidios sociales que complementan este salario, y así garantiza su permanencia en el puesto de trabajo. De este modo, una economía puede ser competitiva, aún cuando los trabajadores estén sobreexplotados. En el caso de Chile, se ha condenado a nivel internacional la ausencia de una legislación laboral que proteja mínimamente a los trabajadores. Además, la existencia en algunos sectores de este tipo de subsidios dificulta la participación de Chile en grandes foros económicos y el establecimiento de acuerdos comerciales, ya que la OMC por ejemplo, no tolera los subsidios que van en contra del libre comercio.

Los sindicatos son el tipo de organización que podría ayudar a mejorar las condiciones de los trabajadores negociando con los empresarios y también con el Estado para la modificación de la legislación laboral vigente en favor de los trabajadores y el impulso de reformas laborales necesarias. Pero el peso y las repercusiones laborales y sociales de los sindicatos han venido disminuyendo en los últimos años debido a varias razones. Por una parte, la naturaleza del trabajo ha cambiado radicalmente en los últimos 20 años; por ejemplo, se ha reducido considerablemente el número de grandes fábricas tradicionales que empleaban a miles de personas y que constituían un foco importante de movimiento sindical. Por otra parte, en varios países de América Latina los agentes sindicales han sufrido el amedrentamiento y la persecución.

En los últimos años el concepto de la ética en el trabajo ha ido tomando fuerza en todo el mundo. Incluso existen organizaciones privadas que trabajan por la difusión y el respeto de los valores éticos en las empresas. Estos valores se centran en cuestiones como la necesidad de la comunicación del personal, la igualdad laboral de la mujer, la flexibilidad por parte de la empresa de cara al trabajador, los salarios justos, la ausencia de inseguridad laboral, e incluso el deseo del mismo trabajador de conocer de cerca todos los detalles sobre los procesos de producción. Si todos estos aspectos coinciden en una empresa, aseguran estas organizaciones que, a largo plazo, los resultados son más rentables económicamente y más beneficiosos socialmente tanto para la empresa como para los trabajadores.

Entre todas estas cuestiones la lucha por la igualdad de los derechos laborales de la mujer destaca, sin duda, por su enorme repercusión en el mundo del trabajo. La incorporación masiva de la mujer ha revolucionado su papel como trabajadora en todos los campos. Sin embargo, es necesario mencionar que, si bien no existe en teoría traba legal que impida a una mujer efectuar cualquier trabajo, la discriminación sexual y la no aceptación de esta situación por parte de algunos hombres continúa manifestándose en muchas sociedades. De ahí que todavía se den situaciones como la de Cristina Sánchez, una torera española conocida a nivel mundial que, cansada de ser criticada abiertamente en los ambientes taurinos, acabara abandonando el toreo.

Los textos que siguen reflejan varios aspectos de los cambios y constantes que acabamos de describir. No pretenden ofrecer una visión de conjunto, sino que reflejan la complejidad, diversidad y paradojas evidentes en las relaciones entre las personas y entidades que participan en los intercambios que constituyen la fuerza vital del comercio y de los mercados.

~ CREAME QUE LUEGO DE COMPARTIR CON USTED TANTOS AÑOS DE TRABAJO NOS RESULTA MUY PENOSO DEBER NOTIFICARLE QUE DE ACUERDO A LA ÚLTIMA REESTRUCTURACIÓN DE LA EMPRESA USTED HA SIDO DECLARADO "*PERSONAL OBSOLETO*".

En el mundo de los negocios, tener dinero es tener poder. Sin embargo, un número creciente de organizaciones tanto en las grandes ciudades como en las pequeñas comunidades de España y Latinoamérica, está intentando sustituir el clásico sistema económico-comercial basado en el dinero por otro más ancestral, el de trueque. El siguiente artículo explica cómo funciona este sistema de comercio alternativo.

6.1

Alérgicos al dinero

BEGOÑA AGUIRRE

Vuelve el trueque. Aquí y ahora, los clubes de intercambio demuestran que es posible comprar saberes, bienes y servicios sin gastar un duro.

[...]. En sus bolsillos hay pesetas, y pronto, también euros. Pero en sus cuentas también utilizan otras unidades de intercambio llamadas nodines, iris, fondones, vareares, bies o foros que no brillan y que tampoco pueden invertirse en Bolsa. En sus agrupaciones, casi todas de pequeña dimensión y con menos de una década de existencia, no hace falta tener la faltriquera♦ llena para conseguir una amplia gama de servicios que pueden ir desde una consulta jurídica o psicológica hasta el cuidado de un niño, trámites burocráticos o la elaboración de una cena. Vale con ofrecer a cambio algo que el interesado sepa hacer.

El primer paso es crear un boletín donde los socios expliquen qué bienes o saberes están dispuestos a intercambiar. Una especie de catálogo. De esa manera, cada uno sabe a quién puede recurrir cuando necesita algo. No se fijan precios, el coste de cada servicio se acuerda entre quien lo oferta y quien lo precisa, y su valor no se evalúa en pesetas, sino en la unidad de medición que haya decidido cada grupo: nodines, fondones, iris... Los intercambios no son bilaterales, como en el trueque tradicional. No se trata de aquello de: yo te doy un queso y tú me das trigo. Cada vez que un socio requiere un servicio, la deuda no la contrae con quien se lo presta, sino con todos los socios de la agrupación.

[...]

¿Qué diferencia hay entre este sistema y el habitual de pago en pesetas? Eduardo Troncoso, un acupuntor y criminólogo argentino de 53 años, promotor del club de trueque de Zarautz (Guipúzcoa), con medio centenar de socios, lo tiene claro♦: "El trueque permite que personas en paro que no tienen dinero puedan satisfacer sus necesidades utilizando sus propias capacidades, que a veces el mercado laboral no valora. Hay muchas personas sin trabajo que saben hacer muchas cosas, pero no tienen titulación y no encuentran empleo; de esta manera pueden acceder a aquello que necesitan y reforzar de paso♦ su autoestima".

Fernando Cembranos no está en paro. Tampoco otros miembros de su cooperativa, como Marisa, profesora de educación física, o Antonio, abogado. Se conocieron en una escuela de adultos del barrio madrileño de Oporto y decidieron crear un espacio donde las relaciones no estuvieran inmersas en el sistema de mercado, que consideran injusto. "Aquí nadie puede acumular capital porque el foro (su unidad de intercambio) no es dinero, sólo sirve para medir", explican. En su caso, el trueque es una cuestión ideológica. Pero también algo más cálido porque a través del intercambio pretenden crear lazos de ayuda mutua entre los socios. "A veces, en las grandes ciudades las relaciones entre las personas son demasiado anónimas: sin embargo en este sistema del trueque hay un componente grande de confianza: nadie se plantea aquello de voy a sacar todo lo que pueda, todo

tiene un valor porque supone un esfuerzo, pero se trata de no abusar", afirman.

[...]

El Grupo Experimental de Trueque Alternativo (GETA) de Segovia también nació hace año y medio de un grupo que trabaja con ex toxicómanos y ex reclusos. Lo integran una treintena de personas que reconocen hacer verdaderos esfuerzos para desterrar♦ los conceptos de deuda♦, pago y acreedor♦. Marisa Meras, abogada, 50 años, es uno de sus miembros. "Sabemos que estamos en una utopía, pero es una forma de aportar nuestro grano de arena para que no todo lo maneje el dinero".

Pedro Barbadillo, un publicista de 42 años miembro del grupo de trueque mallorquín Taula de Canvis, sabe que no han inventado nada nuevo. "De hecho, nuestro nombre proviene de un organismo del siglo XIV que en Mallorca puso en cuestión el poder de las lonjas♦ de mercaderes para fijar precios abusivos. Nosotros, dentro de la modestia de nuestros grupos, también intentamos evitar que el mercado controle nuestras vidas", explica. "Pero no estamos en un plano muy teórico, sino del día a día, porque un grupo de trueque no tiene sentido si no te resulta útil", añade.

[...] "Una de las cuestiones que suscita más debate es cómo aumentar los intercambios sin llegar al absurdo de incluir en el trueque cosas que antes hacías gratis", afirma [Barbadillo]. En casi todos los grupos surge la misma duda: ¿debo contabilizar como trueque cualquier ayuda a otro miembro del grupo? Por un lado, incluirlo supone enriquecer la red de intercambios, pero, por otro, puede ser contraproducente por lo que conlleva cuantificar lo que antes se hacía como favor. A Barbadillo le gustaría que el trueque le sirviera para reorganizar su vida. "Mi deseo sería trabajar la mitad que ahora en la economía monetarizada y satisfacer el resto de mis necesidades con el trueque; por ejemplo, conseguir alimentos de unos campesinos ofreciéndoles a cambio ayuda burocrática".

Hay más cuestiones polémicas. Por ejemplo, la de la diferente valoración de los servicios según su especialización. Barbadillo relata que en su grupo un psiquiatra planteó que no veía justo intercambiar una hora de sesión suya, con muchas de preparación detrás, por la hora de un pintor que iba a retocarle la casa. "Como no lo vio claro decidió que intercambiaba otras tareas, pero no su trabajo profesional. Una nueva realidad no se inventa de un día para otro, y no nos podemos enmarañar✦ en debates que nos paralicen", apostilla✦.

Cembranos, de El Foro, no tiene inconveniente en incluir sus terapias como objeto de trueque. "Es verdad que detrás del trabajo de un especialista hay muchas horas de formación, pero también hay muchas horas de trabajo detrás de la actividad profesional de cualquier obrero; los que hemos podido estudiar somos unos privilegiados", explica. Meras, del GETA, cree que tampoco hay que sacralizar✦ los años que, por ejemplo, ella ha dedicado a formarse como letrada✦. "Es trabajoso, sí, pero quizá a mí me hubiera resultado más sacrificado permanecer todo ese tiempo cuidando de un anciano enfermo".

Una madeja de lana, una *troca* en catalán, es el símbolo del grupo de trueque creado hace dos años en la localidad barcelonesa de Vilafranca del Penedés. Lo forman una veintena de personas, desde jóvenes ecologistas hasta amas de casa y jubilados. Crear una red de ayuda mutua es su principal objetivo, según explica uno de sus miembros, Pere Subirana, de 37 años, dedicado a impartir cursos sobre consumo responsable. En ella intercambian masajes, labores domésticas, productos de huerta o servicios de acompañamiento y cuidado de niños y ancianos. "En general, no somos gente necesitada, simplemente estamos en esto porque creemos que nos enriquece la vida, porque mejora nuestras relaciones humanas".

(Fuente: *El País semanal*, 6 de diciembre de 1998, pp. 139–42)

Glosario✦

faltriquera   pequeña bolsa que cuelga de la cintura, por debajo de la ropa, utilizada para guardar el dinero

lo tiene claro   no tiene dudas

de paso   al mismo tiempo

desterrar   echar de un país; aquí, sacarse de la mente, olvidar

deuda   obligación de pagar lo que se debe

acreedor   que tiene derecho a exigir el pago de una deuda

lonjas   aquí, asociaciones

enmarañar   complicar, enredar

apostilla   comenta, aclara

sacralizar   dar a algo carácter sagrado, considerar muy importante

letrada   abogada

- ¿Cuál es la filosofía de fondo del sistema de trueque?

- ¿Cree que este sistema podría llegar a implantarse como alternativa al sistema actual de intercambio económico? Razone su respuesta.

Otra alternativa al comercio tradicional es el llamado 'comercio justo' que pretende fomentar la autonomía económica de los países del Tercer Mundo. El artículo que aparece a continuación explica en qué consiste esta iniciativa.

6.2

http://www.eurosur.org/EFTA/sumario/htm

COMERCIO JUSTO, UNA VÍA CONTRA LA EXPLOTACIÓN

Conseguir la autonomía económica del Tercer Mundo y fomentar la economía local son los objetivos de esta actividad

Este tipo de comercio nació en 1959 en Holanda, cuando una Organización No Gubernamental decidió importar artesanía directamente, sin intermediarios y pagando un precio justo desde los países del Tercer Mundo. En 1964 Naciones Unidas celebró la primera Conferencia sobre Comercio y Desarrollo cuyo lema fue *Trade, not aid* (Comercio, no ayuda). Aunque el objetivo era el contrario, a los países ricos les cuesta menos destinar dinero a programas de desarrollo que abrir el mercado al Tercer Mundo para que éste llegue a una autonomía económica. Actualmente hay un gran número de tiendas por toda Europa donde no sólo se vende sino que se informa y sensibiliza sobre este problema.

Para que una transacción comercial sea considerada dentro de esta denominación tiene que cumplir varias condiciones. Los productores tienen que ser microempresas – por ejemplo, cooperativas – donde se trabaje en condiciones dignas, con sueldos justos, dentro de estructuras participativas. Además, no deben dedicarse exclusivamente a la exportación sino tender a la creación y fomento de la economía local. Por otra parte las organizaciones de comercio justo deben trabajar prioritariamente con países que atraviesen problemas, con grupos que sufran discriminación y con organizaciones involucradas en proyectos sociales pudiendo conocer el destino del beneficio de la producción. Los productos deben ser de calidad, procedentes de tecnologías blandas♦ y no perjudiciales para el medio ambiente. Todo el proceso deberá seguir una política de precios transparente. Por ello, el producto puede ser de un 10% a un 15% más caro que su equivalente convencional, pero será más justo.

Las organizaciones de comercio justo se han ido agrupando en redes que coordinan la importación y comercialización. Las más importantes son EFTA♦, NEWS♦ e IFAT♦. En España la Coordinadora Estatal de Organizaciones de Comercio Justo, con sede en San Sebastián, se fundó en 1996. Cuenta con 26 organizaciones y más de 50 puntos de venta, además de redes de voluntarios, venta por correo y productos en tiendas comerciales.

En Europa existe un sello de garantía para estos productos, que se denomina 'flo'. En España, todos los productos cumplen un catálogo de criterios éticos firmado por las organizaciones que componen la Coordinadora.

EL CEIBO, BOLIVIA

Según la leyenda, el ceibo es un árbol inmortal del bosque tropical. Es también una cooperativa del Alto Beni, una región de unas 250.000 hectáreas en la parte boliviana de la Cuenca amazónica. La cooperativa se fundó para romper el monopolio de transporte y comercio de los intermediarios, o sea para que los productores pudieran controlar tanto la transformación como la comercialización del cacao. En poco tiempo, los socios construyeron un almacén y una instalación de secado, antes de edificar, unos años después, una sencilla fábrica de transformación del cacao. Fue la primera vez que unos productores transformaban ellos mismos su producción. En la actualidad, producen cacao en polvo, manteca de cacao y hasta su propio chocolate. En 1987, El Ceibo empezó a convertir buena parte de su producción al cultivo orgánico y, desde 1988, vende cacao certificado orgánico. Hoy en día, más o menos el 80% de los 700 socios de 36 cooperativas producen cacao biológico.

En 1994–95, las organizaciones de comercio justo pagaron a El Ceibo un promedio de 1.850 dólares US por tonelada en lugar del precio del mercado mundial de 1.000 dólares US. ¿Qué hace El Ceibo con los beneficios?

- Subsidio para las matrículas y pensiones escolares.

- Todos los socios tienen un seguro de enfermedad y accidente.

- La compra de camiones y la inversión en la fábrica de transformación rompe la dependencia de los intermediarios.

- El Ceibo administra varias cooperativas de consumo, donde se venden todo tipo de artículos a precios justos.

- El Ceibo explota un vivero de árboles de cacao e investiga nuevos métodos de cultivo.

- El Ceibo lleva a cabo programas de diversificación para reducir su dependencia de los ingresos obtenidos de la exportación del cacao.

CAFÉ GUATEMALA

Con el 3,2% de la producción mundial, Guatemala ocupaba el octavo en la lista de productores en la campaña 1994–95. El país, que produce sobre todo café arábica, está caracterizado por una estructura dualista: el 10% de los productores son sociedades medianas y grandes que producen más o menos el 80% de todo el café, mientras que el 20% restante proviene de unas 40.000 explotaciones familiares. La cuarta parte aproximadamente de los productores pertenece a una cooperativa.

En los últimos años, las explotaciones familiares han registrado un bajón◆ importante de los ingresos derivados del cultivo del café (hasta la subida de 1994). En la campaña 1992–93, la única manera de cubrir los costes de producción era utilizar métodos tradicionales de producción, sin el uso de productos químicos, y vender la producción a través de las federaciones de cooperativas de pequeños cafetaleros, puesto que invertir en la producción o vender a los intermediarios sólo provocaba pérdidas. La caída de los ingresos obligó a los pequeños cafeteros a reducir drásticamente la mano de obra y los *inputs*, por lo que descuidaron sus arbustos.

La baja cotización◆ del café también puso un punto final al 'Programa de mejora de los pequeños cafeteros' de la Agencia Internacional para Desarrollo (AID), el instituto oficial de ayuda al desarrollo del Gobierno de Estados Unidos. Creado a principios de 1990, el programa pretendía mejorar la gestión técnico-comercial de la producción de café a baja escala. Los créditos eran una parte esencial del programa, puesto que los pequeños cafeteros casi no tenían posibilidades de recibir préstamos de los bancos. En la práctica, sin embargo, la estrategia de la AID no fue capaz de mejorar la situación de los pequeños cafeteros: la baja cotización del café en el mercado mundial no les motivó para que invirtieran en la plantación de arbustos de café.

Los trabajadores estacionales del café también sufrieron las consecuencias de los precios del café, bajos hasta el año 1994. Cuando los precios cayeron, hubo numerosos despidos – la mano de obra es uno de los primeros gastos que se recortan en las grandes y medianas plantaciones.

La explosión del precio del café en 1994 cambió radicalmente el panorama: el café ha recobrado su carácter atractivo y es rentable invertir en él, hasta para explotaciones familiares. Sólo cabe una pregunta: ¿hasta cuándo?

(Fuente: http://www.eurosur.org/EFTA/sumario/htm) [último acceso el 6 de septiembre de 2000]

Glosario◆

tecnologías blandas   tecnologías que no son industriales

EFTA   Asociación Europea de Comercio Justo (*European Fair Trade Association*)

NEWS   Red de Tiendas Mundiales Europeas (*Network of European World Shops*)

IFAT   Federación Internacional de Comercio Alternativo (*International Federation for Alternative Trade*)

bajón   descenso

cotización   precio que alcanza un producto en la Bolsa

- ¿Por qué las transacciones comerciales de El Ceibo cumplen los requisitos del comercio justo?

- Siguiendo los criterios del comercio justo, ¿qué se podría hacer para ayudar a los pequeños cafeteros de Guatemala?

- ¿Conoce usted alguna iniciativa que promueva el comercio justo en su país? Describa de qué se trata y cómo funciona.

6.3

Si es importante establecer un comercio justo a nivel internacional, también es esencial diseñar sistemas que permitan que las comunidades se ayuden a sí mismas. El texto que aparece a continuación describe un programa basado en las comunidades locales que se ha creado en Filipinas para ayudar a las personas con una discapacidad a conseguir su integración profesional.

Formación para el trabajo y creación de empleo basadas en la comunidad en las islas Filipinas

Un programa de rehabilitación para el trabajo basado en la comunidad presta, en Filipinas, a las personas discapacitadas servicios sociales, médicos, educativos y de formación profesional, con el fin de que puedan mejorar su nivel de vida por medio de actividades lucrativas. Al programa, que se puso en marcha en los años 80 con la ayuda técnica de la OIT◆, están acogidas personas de todas las edades y con toda clase de minusvalías.

Este programa opera, apoyándose en las comunidades locales, de tal modo que las personas discapacitadas y sus familiares pueden participar en el diseño de sus propios programas, en la evaluación de los recursos y en la realización de ciertas actividades.

Cada una de las comunidades que intervienen en el programa nombra un Voluntario de Rehabilitación Comunitaria, que, a tiempo parcial y sin remuneración alguna, actúa como catalizador de la acción comunitaria, encargándose de que se elaboren e instrumenten los planes adecuados. Las iniciativas que se adoptan cuentan con el apoyo de las autoridades a escala local y nacional y con el asesoramiento de los trabajadores sociales de los servicios gubernamentales.

La formación para el trabajo y la creación de empleo están basadas en las necesidades y los recursos locales. ¿Qué clase de tareas podría realizar tal persona, si no fuese discapacitada? De ahí arrancan los proyectos de orientación profesional. Este punto de partida permite que esos proyectos se amolden a las formas de vida locales. Para responder a la pregunta formulada arriba, se tienen en cuenta las ocupaciones de la familia y la economía de la localidad. La mayor parte de las rentas generadas se obtienen en el sector informal del empleo. La agricultura, la pesca, la artesanía, los puestos de venta en el mercado, el transporte local y la albañilería, figuran entre las principales posibilidades de empleo.

Hablando con la familia y valiéndose de las conexiones establecidas con la comunidad, se busca y encuentra el empleo compatible con la minusvalía que padece en cada caso la persona interesada. Gracias a este método, el adiestramiento◆ para el trabajo, los productos y los servicios se ajustan a los usos de la localidad y a las expectativas de los clientes. Las habilidades de los discapacitados no suelen alcanzar el nivel de las que se evalúan mediante exámenes y se acreditan con diplomas, pero son suficientes para satisfacer las necesidades locales y para generar rentas.

Se recurre también a cualquier centro de formación que haya en la localidad. Cuando un discapacitado posee aptitudes y capacidades excepcionales, se le incita a progresar en la vida profesional. Pero, la mayoría de las veces, basta con sencillos programas de formación para proporcionar a estas personas las destrezas básicas que necesitan.

Dado que no requiere más que un mínimo volumen de recursos externos, el método filipino basado en el respaldo de la comunidad puede ser aplicado en muy diferentes lugares. Los resultados obtenidos hasta la fecha van desde el simple trabajo autónomo en actividades como la cría de patos, la reparación de bicicletas y la artesanía, hasta florecientes negocios que, a su vez, crean empleos.

(Fuente: (1992) 'Creación de empleo para personas discapacitadas', Ginebra, Organización Internacional del Trabajo y Ministerio de Asuntos Sociales, pp. 17–18)

Glosario◆

OIT   Organización Internacional del Trabajo

adiestramiento   preparación, formación

- Resuma brevemente el funcionamiento, las bases y los objetivos del programa seguido en Filipinas.

- ¿Qué tipo de programas existen en su país para asegurar la integración de las personas discapacitadas en el mundo laboral?

En España la ayuda desinteresada en organizaciones de voluntariado o en donaciones ha aumentado significativamente en los últimos tiempos. Este artículo analiza la forma en la que se da este tipo de ayudas y plantea una cuestión difícil: las verdaderas razones que a veces impulsan la caridad de algunas empresas.

6.4

EL LLANERO *solidario*[7]

En la última década, el dinero que los Estados ricos han destinado al Tercer Mundo se ha triplicado; se estima que en España hay más de 600.000 voluntarios y hasta las empresas han descubierto el valor comercial de ayudar a los demás.

Eva Calva y Diego Areso

Durante 1998, más de 126 millones de personas resultaron afectadas en todo el mundo por alguna catástrofe natural. Al mismo tiempo, se conoció que el 7,4% de la población del África subsahariana estaba infectada por SIDA, que Nicaragua debe utilizar más de la mitad de su presupuesto anual para pagar la deuda adquirida con los países ricos y que en todo el mundo hay 49 millones de personas que sufren emaciación♦. Mientras esto ocurría, España pasaba del puesto número 11 al 21 en el último Informe sobre el Desarrollo Humano elaborado por las Naciones Unidas, Canadá seguía en su privilegiado puesto número uno y Sierra Leona era el último en una lista de 174 países. En medio de este panorama, ¿qué es lo que se hace para afrontar los problemas?

Recuerdo del pasado
"Podemos afirmar que, en los últimos 15 años, la sociedad española se ha vuelto más solidaria", explica María Teresa Burgui, responsable de comunicación de la Coordinadora de ONG para el Desarrollo en España. Una de las razones sociológicas podría ser que, durante mucho tiempo, nuestro país ha sido beneficiario de ayuda internacional, "lo que hace que ahora estemos muy sensibilizados ante las necesidades de los habitantes de otros continentes", añade.

La aportación económica que España realiza de su Producto Nacional Bruto (PNB) para Ayuda al Desarrollo se sitúa en el 0,25%, lo que supone casi duplicar

[7] El título hace referencia al Llanero Solitario, un personaje de los *comics* que siempre defendía a los más pobres o necesitados.

el porcentaje de hace 17 años. Sin embargo, aún está lejos del 0,7% solicitado por las Organizaciones No Gubernamentales (ONG) y asumido por los grupos parlamentarios en el Pacto por la Solidaridad en 1997. "En mi opinión, no hay que ser catastrofistas con estos datos. No podemos comparar nuestra economía con la de Dinamarca – el país que más aporta, un 1,04% de su PNB". [...]

Situaciones puntuales
A juicio de los expertos, es precisamente la insuficiente falta de implicación de los estados lo que ha propiciado que los ciudadanos hayan buscado otras maneras de ser solidarios, que en nuestro país se canalizan principalmente por estas dos vías:

Donaciones: "Es lo que conocemos como solidaridad explosiva, muy típica

de los países mediterráneos sin una cultura asociacionista, y que se produce cuando la gente se desvive por♦ ayudar en situaciones puntuales♦ de tragedia", explica María Teresa Burgui. En este sentido, nuestro país es extremadamente generoso: "La crisis política acaecida en España en los últimos años ha hecho que los ciudadanos no confíen en las instituciones y prefieran ayudar a título individual", comenta Santiago Álvarez de Mon, profesor de Comportamiento Humano de IESE – Universidad de Navarra [...].

Organizaciones de voluntariado: Aunque no se tienen datos exactos sobre el número total de voluntarios, "lo cierto es que en la Plataforma para la Promoción del Voluntariado en España hay más de 600.000 personas, que prestan sus servicios sin pedir nada a cambio" explica su secretario técnico, Antonio Bermejo. En general, los voluntarios suelen ser jóvenes – 79% – y estudiantes – 33% –, según refleja un estudio realizado por la Plataforma. Según los especialistas, esto puede deberse a la necesidad de buscar nuevas experiencias y a que el afán♦ por descubrir cosas distintas es algo innato a la juventud, "pero también a que esta generación no tiene unos ideales políticos claros, como ocurría antes, y la sociedad inculca valores muy materiales

que hacen sentirse vacío al individuo", explica María Teresa Burgui. [...]

Otro dato característico del voluntariado español es la diferente manera en la que canaliza su ayuda: "Mientras las donaciones de dinero más importantes se suelen aportar para planes internacionales, la mayoría de los voluntarios desempeñan su labor en organizaciones locales, ya que esto no implica tener que abandonar su residencia", señala María Teresa Burgui.

Empresas muy caritativas
Pero la moda de la solidaridad también ha traspasado la frontera de las organizaciones de ayuda humanitaria. En un mercado creciente, algunas empresas han comenzado a organizar campañas de ayuda concretas para zonas o colectivos necesitados: es lo que se llama márketing con causa. Por ejemplo, la marca de tabaco Fortuna ha puesto en marcha la campaña FOR 0,7, con la que pretende destinar el 0,7% de la recaudación anual obtenida con la venta de sus productos a Programas de Ayuda al Desarrollo dirigidos por ONG, y el fabricante del lavavajillas Fairy, en colaboración con UNICEF, se propone recaudar dinero para vacunar contra la tuberculosis a niños del Tercer Mundo. Pero, ¿hasta qué punto esta ayuda es desinteresada o se trata de una estrategia de venta? "Está claro que la crisis económica por la que hemos pasado ha provocado que las ONG se hayan abierto a nuevas vías de financiación, pero hay que tener cuidado para no sobrepasar la línea que separa el lucro◆ de la ética", asegura María Teresa Burgui. [...]

(Fuente: *Quo*, n°. 48, septiembre de 1999, pp. 31–4)

Glosario◆

emaciación   adelgazamiento extremo por enfermedad

se desvive por   se ocupa con gran solicitud de

puntuales   específicas

afán   deseo, empeño

lucro   ganancia económica que se obtiene de un negocio

- Describa brevemente las tendencias de los españoles en lo que se refiere a la solidaridad.

- ¿Conoce alguna empresa que destine parte de sus ganancias a la ayuda al Tercer Mundo? ¿Cuál cree que es el motivo de este tipo de ayudas?

- ¿Qué alternativas a las ayudas 'caritativas' podrían ayudar al desarrollo de los países del Tercer Mundo?

6.5

Bien es sabido que la calidad y el servicio de atención al cliente son estrategias competitivas de las empresas; sin embargo, cada vez más consumidores exigen que estas también asuman una función ética. En esta entrevista Emili Tortosa habla de la fundación para la Ética de los Negocios (ETNOR), de la que es el presidente. Esta fundación trata de sentar unas bases éticas que regulen el funcionamiento empresarial.

"LAS EMPRESAS CUANTO MÁS PODER CONCENTRAN, MENOS ÉTICAS SON"

La fundación ETNOR trabaja por la difusión y el respeto de los valores éticos en empresas y organizaciones

Miquel Alberola

[...] Desde 1991 [Emili Tortosa] preside la fundación ETNOR, una plataforma cívica sin ánimo de lucro♦ con sede en Valencia que trabaja por la difusión, el reconocimiento y el respeto de los valores éticos implicados en las empresas y las organizaciones en España. Con el compromiso de introducir esquemas de transformación en las sociedades, y el apoyo de la *European Business Ethic Network*, ha impulsado recientemente la Red Iberoamericana de Ética Empresarial en Colombia.

¿Cuál fue el origen de ETNOR?

Empezamos en 1991 con un seminario dentro de la obra cultural del grupo financiero Bancaja, sin ninguna estructura jurídica. Como primer ejecutivo de una entidad financiera me preocupaba mucho el tema, y sobre todo que no preocupase en el mundo empresarial. Y a partir de ahí, por cooptación, formamos un grupo de académicos, empresarios y profesionales que luego fue la junta de fundadores. El grupo originario, muy reducido, se ha ido ampliando a instituciones, organizaciones, empresas y profesionales con perfil directivo o gestor♦. [...]

¿Por qué la ética?

Cuando hablamos de un entorno globalizado resulta que nadie regula nada. Todavía no se han creado instituciones que supervisen y controlen en ese ámbito, por eso conviene desarrollar en una empresa la ética porque es lo que va a permitir trabajar en un mundo más equilibrado y justo. El objetivo final sería asegurar unos mínimos de justicia sin perseguir, necesariamente, un máximo de felicidad.

¿Negocio y ética son términos compatibles?

[...]

Ganar dinero es una necesidad para una empresa. Su primer deber es tener un proyecto a largo plazo, porque un año puede ganar y otro perder, y que funcione como tal para que la gente que está en ese proyecto se sienta motivada e integrada. Eso ya significa cambiar muchas reglas del juego. Si las empresas asumen♦ poco a poco la función ética, como asumieron en su día la función de calidad como ventaja diferencial, estamos asegurando el futuro.

¿La empresa española se presta al juego♦ de incorporar la ética?

Hay empresas que se lo han tomado muy en serio. No es casual♦ que se estén aproximando empresas a nuestra fundación con esta preocupación, como es el caso de Mondragón MCC, Mapfre o la ONCE.

[...] Los directivos empresariales coinciden en que es necesario desarrollar valores éticos, como la transparencia y la eliminación del dinero negro♦. La gente sabe cada vez más qué es lo que debe de ser, pero también sabe que hay que transitar un camino difícil para esa transformación del ser al deber ser. Y ése es el territorio de la ética. [...]

¿Una empresa que aplica principios éticos [...] es más eficaz?

Incluso más rentable, a medio y largo plazo. Porque una empresa está en un mercado, y en un mercado hay personas, que son los clientes y trabajadores. Desde una perspectiva ética, lo primero que hay que mirar es qué gana y qué pierde un cliente, porque a su servicio está la empresa. El cliente es la razón de ser de una empresa, y los empleados, los trabajadores son el vehículo para llegar al cliente.

¿Llevarse la producción de una empresa a países donde la mano de obra♦ es más barata es ético?

Esta pregunta no nos la hacíamos cuando empresas de otros países más ricos se instalaban aquí. Nos parecía perfecto porque contribuía a nuestro desarrollo. Lo que significa que para responder hay que tomar en consideración todas las perspectivas. Algunas empresas tienen factorías fuera de España, pero no necesariamente por el precio de la mano de obra, sino por un problema de costes de producción relacionado con el transporte del producto al país de destino. Para competir en un mercado una empresa se tiene que mover conforme las reglas de ese mercado. O funcionas así o te retiras del mercado, y ahí viene el conflicto. Y si la realidad no nos gusta hemos de transformarla.

(Fuente: *El País*, 31 de octubre de 1999, p. 12)

~SEÑORES, SI MEDIANTE LA HABITUAL *"GRATIFICACIÓN A NUESTRO HOMBRE CLAVE"* LOGRÁRAMOS QUE LAS AUTORIDADES NOS ADJUDIQUEN EL TOTAL MANEJO PUBLICITARIO DE LA *"CRUZADA NACIONAL DE LUCHA POR LOS VALORES MORALES, Y ESPIRITUALES"* CALCULO QUE PODRÍAMOS LLEGAR A OBTENER UNA GANANCIA NETA DE POR LO MENOS DOS MILLONES DE DÓLARES.

Glosario◆

sin ánimo de lucro   sin intención de conseguir beneficios económicos

perfil directivo o gestor   características de los profesionales que se dedican a la dirección o gestión de empresas

asumen   aceptan

se presta al juego   está de acuerdo

no es casual   no es una coincidencia

dinero negro   dinero no declarado a Hacienda

mano de obra   conjunto de personas asalariadas que hacen un trabajo

- Piense en alguna empresa que le sea familiar. ¿Qué reglas éticas sigue?

- ¿Cree usted que llevarse la producción de una empresa a países donde la mano de obra es más barata es ético? Razone su respuesta.

Según un dicho popular, la unión hace la fuerza. Los artículos que siguen describen los antecedentes y objetivos de dos organizaciones latinoamericanas que agrupan países con intereses similares.

LA ORGANIZACIÓN DE LOS ESTADOS AMERICANOS (OEA)

Desde las épocas de las luchas de la independencia, los países latinoamericanos buscaron estrechar sus relaciones; primero por necesidad de su defensa y, luego, para la cooperación mutua en el logro de sus fines. La creación de la OEA en Bogotá en 1948 constituyó un paso más hacia la realización de ese sueño de integración latinoamericana. Los fines de la OEA contenidos en su 'Carta' son:

- lograr un orden de paz y justicia;
- solucionar pacíficamente las controversias entre los Estados miembros;
- intervenir en forma solidaria en caso de agresión;
- procurar la solución de los problemas políticos y económicos.

Durante sus primeros años, la OEA tuvo que enfrentar una diversidad de problemas económicos, inmediatos y estructurales, que afectaban adversamente el desarrollo americano. Para los latinoamericanos, una de las principales expectativas de la nueva OEA era un «Plan Marshall»◆ para las Américas, que proporcionaría financiamiento público para la infraestructura física y el desarrollo industrial. Para fines de la primera década, los dirigentes latinoamericanos estaban insistiendo en un esfuerzo amplio destinado a lograr un desarrollo más equilibrado en toda la región.

En 1958 el presidente brasileño Juscelino Kubitschek, con el apoyo del presidente colombiano Alberto Lleras Camargo, ex secretario general de la OEA, propuso un plan masivo, la Operación Panamericana, para la cooperación económica interamericana. La meta◆ era respaldar a los Estados en sus esfuerzos por crear, mediante la inversión pública, las condiciones económicas y sociales que atraerían a la empresa privada a América Latina con el fin de estimular el desarrollo industrial de la región. Este plan fue propuesto como el programa fundamental de desarrollo de la OEA.

Las propuestas de la Operación Panamericana se convirtieron en realidad dos años después con la Alianza para el Progreso. Creada por el Presidente John F. Kennedy en mayo de 1961, la Alianza fue un esfuerzo singular de parte de los Estados Unidos, conjuntamente con los países latinoamericanos, para llevar a cabo programas destinados a acelerar el desarrollo económico y social en el hemisferio.

La Alianza fue un esfuerzo masivo, sin precedente histórico en las relaciones interamericanas. Entre 1958 y 1970 generó entre 15.000 y 16.000 millones de dólares en asistencia externa para la región. [...]

Desde 1994, las prioridades de la OEA se han concentrado en cuatro áreas y en la formulación de convenciones y acuerdos que orientarán el futuro de la Organización. Tres de las áreas ya existían antes del mandato del Secretario General César Gaviria: (a) la Comisión Interamericana de Derechos Humanos, que extiende su labor a las poblaciones indígenas y los derechos culturales; (b) la Comisión Interamericana para el Control del Abuso de Drogas, que se concentra en la reducción de la demanda, así como en otros problemas relacionados (como por ejemplo los niños de la calle◆, el lavado de dinero◆ y el tráfico de armas), y (c) la Unidad para la Promoción de la

"Todo país tiene algo que enseñar y algo que aprender; así todos los latinoamericanos tenemos que intervenir en este reto del destino. Por ello la financiación del desarrollo es responsabilidad conjunta del hemisferio".

Democracia, que si bien inicialmente se concentró en la observación de elecciones y la asistencia técnica, ha participado en actividades de desminado◆ en América Central y en el fortalecimiento de las instituciones democráticas y la resolución de conflictos en América Latina y el Caribe. La cuarta área, la recientemente creada Unidad de Comercio, en pocos años ha ofrecido apoyo técnico, secretarial, de información y de investigación al movimiento hemisférico hacia una zona de libre comercio en las Américas para el año 2005.

Cuando se creó la OEA en 1948, los 21 países de la Unión Panamericana se convirtieron en los Estados miembros de la Organización. A partir de la ratificación de la Carta por el Gobierno de Trinidad y Tobago en 1967, el número de miembros se expandió gradualmente hasta incluir a todos los países del Caribe. Cuando los Gobiernos de Belice y Guyana ratificaron la Carta en 1991, la Organización se convirtió en un organismo verdaderamente hemisférico; los 35 países independientes de las Américas son ahora miembros de la OEA. La incorporación de 13 países caribeños al sistema interamericano enriqueció y diversificó la Organización, incluyendo en sus asuntos una tradición de amplia participación política, así como el modelo de Gobierno Westminster. Al mismo tiempo, desde 1972 se ha conferido la calidad de miembros observadores a los países interesados en asociarse con la OEA que no pertenecen al Hemisferio Occidental, y en la actualidad 38 Estados, la Santa Sede◆ y la Unión Europea son miembros observadores de la institución. Estos países han participado en diversas formas, desde la asistencia en observaciones electorales hasta la provisión de recursos destinados a programas para los niños de la calle y la rehabilitación de drogadictos. El potencial de cooperación aún no se ha agotado.

Las reformas a la estructura y el tamaño de la secretaría general, iniciadas a fines de los años 80, llegaron a su conclusión lógica cinco años después, transformando a la OEA en una organización más pequeña, compacta y sensible. Al modificarse los mandatos políticos e incrementarse las convenciones internacionales y las responsabilidades de la Organización – incluyendo el tráfico de armas, el desminado, las actividades antiterroristas, la corrupción gubernamental, el medio ambiente y las telecomunicaciones – fue cambiando la forma y la orientación de la OEA. Lo que no ha cambiado son las metas que ayudaron a crear el sistema interamericano y que están consagradas en la Carta: la integración regional, la democracia representativa, los derechos del individuo y el respeto por la soberanía de las naciones.

(Fuente: *Américas*, abril de 1998)

Glosario◆

Plan Marshall   programa de ayuda económica a Europa que Estados Unidos llevó a cabo después de la Segunda Guerra Mundial, desde 1948 a 1952

meta   objetivo

niños de la calle   en Brasil, niños que viven solos en la calle, sin casa ni familia

lavado de dinero   operación por la cual el 'dinero negro' aparece como dinero declarado

desminado   acción de quitar minas

la Santa Sede   el Vaticano

EL MERCOSUR Y SU ORIGEN

El Mercado Común del Sur (Mercosur) es un ambicioso proyecto de integración económica, en el cual se encuentran comprometidos Argentina, Brasil, Paraguay y Uruguay. Tiene como principal objetivo aumentar el grado de eficiencia y competitividad de las economías involucradas ampliando las actuales dimensiones de sus mercados y acelerando su desarrollo económico mediante el aprovechamiento eficaz de los recursos disponibles, la preservación del medio ambiente, el mejoramiento de las comunicaciones, la coordinación de las políticas macroeconómicas y la complementación de los diferentes sectores de sus economías.

La conformación de un Mercado Común es una respuesta adecuada a la consolidación de grandes espacios económicos en el mundo y a la necesidad de lograr una adecuada inserción internacional.

Los inicios del proceso de integración del Mercosur

En la década del 70 Uruguay profundizó su relacionamiento comercial con Brasil a través del Protocolo de Expansión Comercial (PEC), y con Argentina a través del Convenio Argentino-Uruguayo de Cooperación Económica (CAUCE).

Entre los años 1984 y 1989 Argentina y Brasil suscribieron 24 protocolos bilaterales, en los que se regulaban diversas áreas.

Se puede decir que los antecedentes más inmediatos datan del año 1985 con la Declaración de Foz de Iguazú, por la que se crea una Comisión Mixta de Alto Nivel para la integración entre Argentina y Brasil.

En 1990, Argentina y Brasil suscribieron y registraron en ALADI♦ un Acuerdo de Complementación Económica, en el que sistematizaron y profundizaron los acuerdos comerciales bilaterales preexistentes. En ese mismo año, representantes de ambos países se reunieron con autoridades de Uruguay y Paraguay, ocasión en la cual estos últimos expresaron la firme disposición de sus países de incorporarse al proceso bilateral en curso. Se convino entonces que era necesario suscribir un acuerdo creando un mercado común cuatripartito.

El 26 de marzo de 1991 se firma el Tratado de Asunción entre los cuatro países, que no debe considerarse como un tratado final constitutivo del Mercosur, sino como el instrumento de carácter internacional destinado a hacer posible su concreción. Es un acuerdo con vocación regional, pues queda abierto a la adhesión de los demás Estados miembros de la ALADI. Es, también, un acuerdo de integración económica, estableciéndose un programa de liberación comercial, la coordinación de políticas macroeconómicas y un arancel♦ externo común, así como otros instrumentos de la regulación del comercio.

En virtud de lo dispuesto por el artículo décimo del Anexo I del Tratado de Asunción, los cuatro países suscribieron el 29 de noviembre de 1990 un Acuerdo de Complementación Económica en el marco jurídico de la ALADI, que lleva el número 18 y que en esa fecha entrará en vigor.

(Fuente: http://www.rau.edu.uy/mercosur) [último acceso el 6 de septiembre de 2000]

Glosario♦

ALADI   Asociación Latinoamericana de Integración

arancel   impuesto oficial que hay que pagar, especialmente por pasar una aduana

- ¿Cuáles son los objetivos de la OEA? ¿Y los de Mercosur?

- ¿Cuáles cree que son, en general, las ventajas y los inconvenientes de la creación de organizaciones de cooperación internacional como estas?

6.8

El comercio entre España y Latinoamérica siempre ha sido importante. En el siguiente artículo se describen las fructíferas relaciones comerciales entre España y Cuba en las décadas de los 80 y los 90. La empresa española ocupa un lugar de privilegio en la isla, y está intentando consolidar y ampliar su posición con un claro respaldo institucional.

De España ha venido un barco

Mauricio Vicent

[...]

La empresa española siempre ocupó un puesto de primera línea♦ en Cuba. Pero es a partir de 1996 cuando España se convierte en el primer socio comercial de la isla. En 1997, por ejemplo, las exportaciones españolas crecieron en un 18% mientras que el volumen de intercambio bilateral superó todos los récords históricos, llegando a 90.000 millones de pesetas. Hay que tener en cuenta además que en la actualidad la tercera parte de las empresas extranjeras con representación oficial en Cuba son españolas, y 70 de las 340 asociaciones mixtas♦ que funcionan en el país son hispano-cubanas. En el sector financiero, tres bancos españoles tienen oficinas en La Habana – el BBV, el BEX y el Banco de Sabadell – mientras otros como Banesto y Aresbank financian operaciones de empresas españolas que exportan diversos productos.

El origen del actual despegue♦ de los vínculos♦ económicos hispano-cubanos viene de lejos. Antes de la caída de Europa del este y la desintegración de la URSS, cuando La Habana realizaba el 85% de sus intercambios comerciales con el campo socialista, ya España era el primer proveedor de Cuba del mundo occidental. En aquella época la mayoría de las compañías españolas vendían en Cuba suministros industriales, bienes de equipo, maquinaria, herramientas y algunos alimentos y bienes de consumo. Por aquel entonces, Cuba se beneficiaba también de algunas importantes líneas de crédito oficial del Gobierno español, lo que permitió poner en marcha♦ proyectos millonarios, como el que emprendió el empresario gallego Eduardo Barreiros para crear en la isla una industria automotriz.

De esta forma, fue cuajando un tejido empresarial, sobre todo de pequeñas y medianas empresas, que echó raíces en Cuba y constituyó el cimiento en el que hoy se asientan los vínculos económicos entre ambos países.

Paradójicamente fue en la década de los 80 y a comienzos de los 90 – coincidiendo con la agonía y posterior desaparición del campo socialista – cuando se produjo el gran desembarco de empresas españolas en Cuba. Un número considerable de pequeñas y medianas empresas que llevaban años comerciando con Cuba se instalaron entonces de forma definitiva en la mayor de las Antillas. Otros empresarios desconocidos llegaron y pusieron en La Habana diversas representaciones, haciendo de Cuba su negocio particular – y en muchas ocasiones también sentimental.

A comienzos de los 90 unas 200 empresas españolas tenían vínculos económicos estables con Cuba, de las cuales unas 130 estaban acreditadas ante la Cámara de Comercio. De éstas, alrededor de 15 [...] aglutinaban el 40% de las exportaciones a Cuba (fundamentalmente suministros industriales, maquinaria y piezas de repuesto para la industria azucarera). El resto eran una multitud de pymes♦ que vendían en Cuba los más diversos productos, desde válvulas hasta pollos congelados.

Esta estructura del comercio se sigue manteniendo en la actualidad, aunque cada vez más empresas se dedican a suministrar mercancías para los sectores emergentes (turismo, servicios, inmobiliarias).

Desde luego la caída del campo socialista provocó una grave crisis – en tan sólo cuatro años, entre 1989 y 1993, Cuba perdió el 80% de sus mercados exteriores y el producto interior bruto cayó en un 35% – que significó un duro golpe para el comercio bilateral.

[...] Pero la crisis galopante♦ obligó a las autoridades de la isla a introducir las primeras medidas de corte aperturista en la economía y sobre todo a impulsar la inversión extranjera, lo que abrió las puertas a nuevos negocios.

Al principio el Gobierno cubano limitó las inversiones al sector turístico. Y los pioneros fueron, cómo no, los empresarios españoles. Más concretamente el empresario canario Enrique Martinón, quien, asociado con el grupo Sol-Meliá, creó CUBACAN, la primera empresa mixta entre un socio capitalista extranjero y el Gobierno cubano.

La inversión española, aproximadamente de unos 50 millones de dólares, sirvió para construir tres hoteles en Varadero, que hoy constituyen la mejor propaganda de las potencialidades de este tipo de asociaciones mixtas en el sector turístico, con altos índices de rentabilidad.

[...]

Hoy en Cuba el capital extranjero invertido en las 340 asociaciones mixtas que funcionan en el país ronda los 2.000 millones de dólares, de los cuales aproximadamente 100 son españoles. Según los expertos es precisamente en el campo de las inversiones donde se juega en gran medida el futuro de las relaciones hispano-cubanas.

(Fuente: *El País*, 19 de abril de 1998, p. 16)

Glosario◆

de primera línea   muy destacado

asociaciones mixtas   con capital de dos o más países

despegue   fase en la que se inicia un crecimiento

vínculo   unión, relación

poner en marcha   empezar

pymes   plural de pyme, acrónimo de 'pequeña y mediana empresa'

galopante   grave, acuciante

- ¿Cuál es la situación actual de las relaciones comerciales entre España y Cuba?

- ¿Cómo modificó la caída del bloque socialista el comercio bilateral entre estos dos países?

- ¿Qué productos se han intercambiado estos dos países a lo largo de las décadas de los 80 y los 90?

6.9

Los textos que aparecen a continuación tratan, a veces de manera seria y otras de modo irónico, el tema de las actitudes hacia el mundo laboral.

En el primer texto, Rafael Valdueza Barrios compara desde una perspectiva histórica dos filosofías muy distintas: la ética del trabajo de la Europa del norte y las actitudes supuestamente más relajadas que existían en España hasta hace pocos años. Como apunta el autor, ahora que las cosas empiezan a cambiar, España sigue estando desfasada, ya que los españoles se están convirtiendo en trabajadores obsesivos en el momento mismo en que los países del Norte empiezan a descubrir el placer del ocio.

La ética del trabajo

La ética del trabajo, tal como se la conoce hasta nuestros días y que sentó las bases filosóficas e ideológicas para el proceso de industrialización, nos remite a la Reforma Protestante del siglo XVI. Se trataba de un enfrentamiento, no sólo religioso, entre el norte y el sur europeo, del cual ha salido triunfante el primero […].

[…] En la ética protestante, el *quid* de la cuestión reside en que ser patrón y obtener beneficios quedan legitimados siempre que se haga un uso 'racional' de ellos, es decir, reinvirtiéndolos y creando nueva riqueza, de manera que queden consecuentemente garantizadas la continuidad y la reproducción del sistema económico y social; y todo ello con la bendición divina.

Arropado◆ por la fuerza normal que se desprende de esta sanción divina, hubiera sido realmente difícil imaginar que no se implantase el comúnmente denominado capitalismo.

El Sur, y España en cabeza◆, ha sido considerada por mucho tiempo como una de las regiones típicas de la pereza y del señoritismo, palabra por cierto intraducible a otros idiomas, donde el trabajo era visto como un acto vergonzoso digno sólo de siervos◆; como si no hubieran existido labradores castellanos, pescadores gallegos y braceros◆ andaluces, por mencionar sólo algunos ejemplos.

[…] Es verdad que el estancamiento◆ y el atraso que padeció España durante el siglo XIX significaron un desastre para la mayoría de la población, quienes sufrieron miseria, hambre, guerras y frustraciones. Por eso puede ser más que opinable hasta qué punto menos 'señoritismo' y más ética del trabajo no le hubiese venido bien a España en el sentido de no verse constantemente a la zaga◆ de los demás países de su entorno europeo.

Ironía de la historia, pero ahora que España parece decidida a rechazar el lema de Miguel de Unamuno, aquello de 'inventen ellos', es decir, que trabajen los europeos de más allá de los Pirineos, es cuando precisamente estos países, siempre fervorosos de la ética protestante, van aceptando y haciendo suyo el ocio y el placer contemplativo, como [por ejemplo] la tan española siesta, a fin de compensar los trastornos físicos y psíquicos que ocasiona un estilo de vida cada vez más acelerado y estresante. Mientras tanto, aquí la siesta, a pesar de su más que demostrada y recomendada benignidad, se cuestiona e incluso se considera como un signo de retroceso.

Lo que sí parece cierto es que España suele llegar a la 'modernidad' de cada época con retraso, y ahora que 'el Norte' comienza a poner en tela de juicio a los *workaholics*, aquí no son pocos los que están sumergidos en una *rat race* desfrenada, extendiendo de hecho la jornada laboral real y ampliando sus actividades profesionales. O sea, recuperando como casi siempre el tiempo perdido y 'dando los primeros pasos'.

(Fuente: Valdueza Barrios, R. (1994) *Desafío del hombre de empresa contemporáneo*, Madrid, Editorial Instituto de Cultura, pp. 19–21)

Glosario◆

arropado   protegido

en cabeza   delante, en primera posición

siervos   esclavos, especialmente campesinos que en la Edad Media pertenecían a un
señor feudal dueño de la tierra en que vivían

braceros   obreros no especializados que trabajan en el campo

estancamiento   paro o detenimiento de un proceso

a la zaga   detrás

● El autor comenta cómo el Sur, y España a la cabeza, ha sido
considerado por mucho tiempo como una de las regiones de la
pereza. ¿Cree que la idea que se tiene actualmente de España en
su país coincide todavía con este concepto?

6.10

Mariano José de Larra (1809–37) fue una figura sobresaliente entre los intelectuales románticos españoles, autor de innumerables artículos, muchos de ellos costumbristas. La característica del costumbrismo era su interés, no por la realidad observada en su conjunto, sino por aquellos aspectos de la realidad que fueran típicos de una región o área, y al mismo tiempo pintorescos o divertidos. En el artículo que aparece a continuación, Larra expone irónicamente cómo los oficios de aquella época, aunque aparentemente sin importancia, son fundamentales para que funcione la sociedad. En la segunda parte del artículo se concentra en la descripción del zapatero, que en el siglo XIX no trabajaba en un establecimiento propio, sino que se instalaba provisionalmente en los portales de las casas adineradas.

Modos de vivir que no dan de vivir

Oficios menudos

Considerando detenidamente la construcción moral de un gran pueblo, se puede observar que lo que se llama profesiones conocidas o carreras, no es lo que sostiene la gran muchedumbre: descártense los abogados y los médicos, cuyo oficio es vivir de los disparates y excesos de los demás; los curas, que fundan su vida temporal sobre la espiritual de los fieles; los militares, que venden la suya con la expresa condición de matar a los otros; los comerciantes, que reducen hasta los sentimientos y pasiones a valores de bolsa; los nacidos propietarios, que viven de heredar; los artistas, únicos que dan trabajo por dinero, etc., etc., y todavía quedará una multitud inmensa que no existirá de ninguna de esas cosas, y que sin embargo existirá. […] Para ellos hay una rara superabundancia de pequeños oficios, los cuales, no pudiendo sufragar por sus cortas ganancias la manutención de una familia, son más bien pretextos de existencia que verdaderos oficios: en una palabra, modos de vivir que no dan de vivir; los que los profesan son, no obstante, como las últimas ruedas de una máquina, que sin tener a primera vista grande importancia, rotas o separadas del conjunto paralizan el movimiento.

Estos seres marchan siempre a la cola de las pequeñas necesidades de una gran población y suelen desempeñar diferentes cargos según el año, la estación, la hora del día. Esos mismos que en noviembre venden ruedos o zapatillas de orillo, en julio venden horchata; en verano son bañeros en Manzanares; en invierno, cafeteros ambulantes; los que venden agua en agosto vendían en carnaval cartas y garbanzos de pega, y en navidades motes nuevos para damas y galanes.

[…]

El zapatero de viejo hace su nido en los rincones de los portales; allí tiene una especie de gruta, una socavación subterránea, las más veces sin luz ni pavimento. Al rayar del alba◆ fabrica en un abrir y cerrar de ojos◆ su taller en un ángulo (si no es lunes): dos tablas unidas componen su recinto◆; una mala banqueta, una vasija de barro para la lumbre, indispensablemente rota, y otra más pequeña para el agua en que ablanda la suela, son todo su *ménage*; el cajón de las leznas◆ a un lado, su delantal de cuero, un calzón de pana y medias azules, son sus signos distintivos. Antes de extender la tienda de campaña, bebe un trago de aguardiente, y cuelga con cuidado a la parte de afuera una tabla, y de ella pendiente una bota inutilizada: cualquiera al verla creería que quiere decir: 'Aquí se estropean botas'.

No puede establecerse en un portal sin previo permiso de los inquilinos♦; pero como regularmente es un infeliz cuya existencia depende de las gentes que conoce ya en el barrio, ¿quién ha de tener el corazón tan duro para negarse a sus importunidades? La señora del cuarto principal, compadecida, lo consiente; la del segundo, en vista de esa primera protección, no quiere chocar con la señora condesa; los demás inquilinos no son siquiera consultados. Así es que empiezan por aborrecer♦ al zapatero, y desahogan su amor propio resentido♦ en quejas contra las aristocráticas vecinas. Pero al cabo, el encono♦ pasa, sobre todo considerando que desde que se ha establecido allí el zapatero, a lo menos está el portal limpio. [...]

(Fuente: Larra, M. J. (edición de 1973) *Artículos de costumbres*, Madrid, Espasa Calpe SA, pp. 92–7)

Glosario♦

al rayar del alba   al amanecer

en un abrir y cerrar de ojos   muy rápidamente

recinto   espacio comprendido dentro de unos límites

leznas   instrumentos que utilizan los zapateros para agujerear el cuero

inquilinos   personas que viven en una casa alquilada

aborrecer   odiar, detestar

desahogan su amor propio resentido   alivian su rencor

encono   rencor

● ¿Qué profesiones cita Larra como consideradas importantes socialmente?

● ¿Qué sería en la sociedad actual el equivalente a los oficios 'menudos'?

6.11

En la entrevista que aparece a continuación, un empresario cuenta las dificultades que tuvo al montar su propia empresa, y da varios consejos a quienes deseen seguir sus pasos.

http://www.odiseaweb.com

ARTURO LIMÓN: EMPRENDEDOR

Arturo Limón representa el caso típico de técnico reconvertido a emprendedor.

"Era 1983, estaba cansado de soportar las arbitrariedades de jefes diversos y yo programaba muy bien. Tenía frecuentes ofertas de empresas para irme con ellas, así que pensé que si creaba la mía propia, todo el mundo me compraría. Ahí empezó el gusanillo♦; luego me fui a la mili♦, trabajé después medio año por cuenta ajena♦, luego de autónomo♦ y por fin constituí una sociedad. He de reconocer que me equivoqué en el planteamiento inicial; pero bueno, fue parte del aprendizaje".

Y una vez en marcha se dio cuenta de que llevar una empresa requiere algo más que ser un buen técnico. De hecho, no es imprescindible ser un buen técnico (aunque nada desaconsejable♦). En seguida aparecieron las dificultades:

"Principalmente con la falta de experiencia, de consejo, de fuentes de información, de una especie de FAQ♦ sobre cómo montar una empresa y sacarla adelante. Hubo que aprenderlo casi todo por ensayo y error. Las triquiñuelas♦ de los organismos públicos (Hacienda, SS, INEM, etc.), donde te informan poco y mal, y a la que te descuidas♦ te la lían♦ por varios cientos de miles de pesetas. La dificultad para encontrar personal cualificado y con la personalidad acorde a lo que es la empresa".

Y respecto a la planificación previa...

"Pensé que para hacer *software* y venderlo se necesitaba un ordenador y poco más. El resultado fue un importante 'agujero' en el banco algún tiempo después. Realmente no se puede empezar sin dinero y esperar que se conseguirá sobre la marcha; no se lo recomiendo a nadie. En mi caso conseguí avales♦ de la familia para pedirle dinero al banco. Pero puestos a pedir, es mejor hacerlo de antemano♦ y saber lo que se hace; no pedirlo cuando las cosas han ido mal por falta de fondos iniciales; luego es mucho más lo que hace falta".

Sin embargo, había algo que le hacía creer en su proyecto y que le hacía seguir adelante a pesar de las dificultades. Entre ellas cita las tres siguientes, a cual más importante:

La paciencia y el apoyo de [su] novia (hoy [su] mujer).

La confianza de algunos buenos clientes.

Una fe ciega en que algún día todo iría bien, o muy bien.

Ahora, con 10 años de perspectiva, Arturo ofrece un análisis de lo más sincero que vale la pena meditar con detenimiento.

"Una primera consideración a tener en cuenta: para trabajar de fontanero, basta con ser buen fontanero. Para trabajar de contable, basta con ser buen contable. Para trabajar de vendedor, basta con ser buen vendedor. Para trabajar de financiero, basta con saber de finanzas. ¿Vale hasta aquí? Pues bien, para montar una fontanería hay que ser bastante bueno, en todo lo anterior. No vale con sólo ser bueno en una única cosa".

Esta es la más terrible realidad del empresario: hay que ser bastante bueno o muy bueno en muchas cosas diferentes, mientras que a un trabajador por cuenta ajena le basta con serlo en bastantes menos, generalmente le basta con una.

"Hay que ser bueno en cosas en las que no sabías que tenías que ser bueno; cosas que tal vez no te gusten en absoluto, para las que no tienes preparación o cualidades, o de las que tal vez ni siquiera habías oído hablar, o que no se enseñan en ninguna parte y sólo pueden aprenderse sobre el terreno◆ (o a palos◆). Es como hacer una carrera universitaria, pero en serio. Personalmente, y tras haber obtenido en su día un título de Ingeniero Técnico de Telecomunicaciones con nota media de notable, puedo decir que me ha costado mucho más tiempo, sudores, dinero, esfuerzo y lágrimas, sacar mi empresa adelante que sacar ese titulito tan 'mono'".

"Para tranquilidad de otros que se estén embarcando en la aventura empresarial o a punto de hacerlo, les diré que no se preocupen; las habilidades, cualidades, dones y experiencia requeridos para montar una empresa no tienen nada que ver con los requeridos para estudiar una carrera universitaria. Aún diría más; raramente coinciden ambos conjuntos de factores en la misma persona. Pero si alguien piensa montar una empresa además de haber estudiado, que no se preocupe; es posible llegar a tener éxito incluso a pesar de haber estado varios años apolillándose las neuronas en la universidad. Yo mismo soy un ejemplo. Como nota añadida, la mayor parte de mis clientes, empresarios todos ellos, no tienen título universitario; y algunos, ni siquiera el bachiller".

Y para terminar Arturo nos ofrece dos consejos más:

"Nunca montes un negocio de algo en lo que no hayas comprobado tu buen hacer como vendedor. Ahorrarás muchos sufrimientos. Sufre antes trabajando para otro, arriesgando sólo tu tiempo, no tu dinero; sufrirás menos, o quién sabe, tal vez descubras que eres un fenómeno. Pero en cualquier caso, si pasan meses y ves que no vendes una escoba, no te desanimes; estás aprendiendo. Si material y moralmente puedes resistir, al final aprenderás cómo hacerlo".

"Haz que tus clientes se conviertan en tus vendedores (para lo cual trátales muy bien, sin que ello sea sinónimo de dejarles abusar). Generalmente no cobran ni fijo ni comisión. ¡Un chollo◆…!"

El primero es un buen consejo; el último es un pasaporte al éxito. Sin lugar a dudas, Arturo lo tiene muy claro. El objetivo para su aventura:

"Llegar a ser la mejor empresa de servicios informáticos de la región. Esto no significa necesariamente ser la más grande, pero sí la que más fama y buen nombre tenga, y la que más dinero ingrese *per capita*".

Bueno, pues también hubo quien, en su momento, no creyó en Cristóbal Colón…

(Fuente: http://www.odiseaweb.com) [último acceso el 6 de septiembre de 2000]

Glosario◆

gusanillo   deseo de hacer algo

mili   servicio militar

(trabajé) por cuenta ajena   (trabajé) para otra persona

(trabajé) de autónomo   (trabajé) para mí mismo

aunque nada desaconsejable   aunque es aconsejable, aunque puede ser útil

FAQ   en Internet, lista de preguntas que se hacen con frecuencia, y sus respuestas (*Frequently Asked Questions*)

triquiñuelas   engaños

a la que te descuidas   si no prestas atención, si no tienes cuidado

te la lían   te causan un problema

avales   documentos por los que una persona se compromete a responder por una obligación financiera de otra

de antemano   con antelación, antes

sobre el terreno   durante la realización de algo

a palos   a través de una experiencia negativa

chollo   cosa provechosa que se consigue con un mínimo de esfuerzo o gasto

- Según Arturo Limón, ¿qué requisitos son necesarios para montar una empresa?

- ¿Qué concepto de las carreras universitarias se extrae de las palabras del señor Limón? ¿Comparte usted su idea sobre los estudios universitarios? Ejemplifique su respuesta con algún caso real.

6.12

Los textos siguientes tratan desde distintos ángulos la situación laboral de la mujer en la sociedad actual.

Tenemos la tasa de fecundidad más baja del mundo.

Cada española tiene 1,2 hijos de media.

Mucho menos que los 2,1 necesarios para el relevo♦ de las generaciones.

Un fenómeno inquietante cuyas consecuencias se sentirán en menos de 20 años.

Éstas son sus claves.

UN PAÍS DE HIJOS
ÚNICOS

Luz Sánchez Mellado

LAS ESPAÑOLAS REVOLUCIONAN LA DEMOGRAFÍA CON LA NATALIDAD MÁS BAJA DEL MUNDO

Las españolas de entre 15 y 49 años han decidido tener 1,2 hijos cada una. Y cuanto más tarde, mejor.

[…]

En 15 años, la población española ha sufrido una convulsión inédita en la historia del país en tiempos de paz. Nunca antes habían nacido tan pocos niños y de madres tan mayores como ahora. Y nunca antes habían existido tal cantidad de viejos, en tan buenas condiciones de salud y con una expectativa de vida tan prolongada. Alrededor de 5,5 millones de españoles tienen más de 65 años. […]

El salto al vacío se produjo en la década de los 80. En nueve años (1980–89), un suspiro en el *tempo* demográfico, la fecundidad de las españolas pasó de una media de 2,2 hijos por mujer a sólo 1,37. Muy por debajo de los 2,1 vástagos♦ por mujer necesarios para garantizar el relevo de las generaciones y el mantenimiento de la población. En la ciudad de Madrid, por ejemplo, cada día mueren seis personas más de las que nacen. Las cuentas no salen, la población disminuye. Y todo ello sin ninguna hecatombe por medio. Ni guerras, ni epidemias, ni hambrunas, tradicionales culpables de la bajada en picado♦ de la natalidad a través de la historia, han tenido nada que ver con esto. Ha sido, más bien, un asunto de mujeres.

[…] Son precisamente las chicas del *baby boom*, las que nacieron entre finales de los 50 y finales de los 60, las mismas que han decidido echar el freno y dar marcha atrás a la tasa de fecundidad nacional, quizá también por el famoso efecto péndulo o interpretación cíclica de la demografía.

Son la primera generación de españolas que ha accedido mayoritariamente a la educación media y superior. La primera que ha decidido, y podido, amortizar♦ esos estudios con una actividad laboral de largo plazo sin interrupciones definitivas para casarse y tener hijos. La primera que ha podido disponer con relativa facilidad de una batería de eficacísimos métodos anticonceptivos, desarrollados extraordinariamente hace sólo un par de décadas. […]

Marina Blancas […] está de dos meses♦. A sus 34 años, y sólo cuando ha conseguido que su contrato como administrativa de primera en una empresa de seguros tenga el marchamo♦ de indefinido, ha decidido ser madre. Un embarazo de alta precisión, calculado al milímetro para conseguir empalmar […] las 16 semanas del permiso de maternidad con el reglamentario mes de vacaciones y, a la vuelta al trabajo, con los tres meses de jornada intensiva del verano. De esta forma, Marina podrá cuidar de su hijo hasta que tenga ocho meses sin el desgarro emocional – 'y económico' – de tener que dejarlo más de 10 horas diarias en una guardería♦ del barrio.

Este plan, inconcebible por la generación anterior, es el que diseñan de antemano muchas de las mujeres trabajadoras que desean tener hijos. Primero, la estabilidad; luego, la descendencia. Coinciden en afirmarlo las representantes de dos sectores tradicionalmente en desacuerdo: patronal y sindicatos. [...] "No se puede una plantear la maternidad antes de los 30, que es el tiempo que dedicas a los estudios, la especialización y la consolidación de tu empleo. Y no sólo por una mera cuestión económica, sino por un deseo de la mujer, nuevo y pujante, de alcanzar la promoción social", dice la responsable de los asuntos de Seguridad Social de la Confederación Española de Organizaciones Empresariales (CEOE). [...]

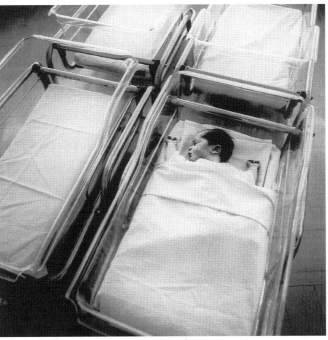

Lo difícil no es ahora [...] ser soltera y madre en la vida, sino más bien ser trabajadora y madre a la vez. Más allá del permiso remunerado por baja maternal♦ (16 semanas) y la posibilidad (aún reciente y poco explorada) de padres y madres de acogerse a la excedencia♦ para el cuidado de los hijos hasta que el niño tenga tres años, la percepción general es que un hijo significa un parón de consecuencias imprevisibles y una seria hipoteca sobre el futuro profesional de la madre. [...]

Empresarios y sindicatos están de acuerdo en que la legislación laboral de la maternidad en España – 16 semanas

(Fuente: *El País semanal*, 22 de septiembre de 1996, pp. 30–8)

de baja remunerada – está en un nivel medio-alto respecto a la media europea, excluidos los países nórdicos, que superan ampliamente al resto de la UE en duración y posibilidades de la baja parental. En Europa estos permisos oscilan entre las 13 semanas de Portugal y las 28 de Dinamarca. Sin embargo, mientras la responsable de Seguridad Social de la CEOE afirma que no dispone de datos que demuestren el incumplimiento o conflictos entre empresarios y empleadas embarazadas, María Jesús Vilches, de Comisiones Obreras, se atreve a afirmar que "la maternidad sigue pesando como una espada de Damocles en las mujeres trabajadoras".

[...] "Para muchos empresarios sigue funcionando el estereotipo de que un hombre con hijos será un trabajador más responsable y productivo, mientras que una mujer embarazada o con hijos va a faltar más, va a llegar tarde y no va a concentrarse en su trabajo". [...]

Los expertos hablan de la 'paternidad asimétrica'. Mientras los hombres están educados desde siempre a priorizar su trabajo sobre el cuidado de los hijos, las mujeres no han tenido tiempo de asumir esta posibilidad, y si alguna lo intenta es a costa de arrastrar permanentemente un angustioso sentimiento de culpa.

Glosario♦

relevo sustitución

vástagos hijos

bajada en picado descenso muy rápido

amortizar recuperar (el capital, esfuerzo, tiempo, etc., invertido)

está de dos meses está embarazada de dos meses

marchamo sello

guardería establecimiento educativo donde se cuidan a los niños pequeños que todavía no van al colegio

baja maternal periodo en el que una mujer deja de trabajar para tener un hijo o una hija y ocuparse de él o de ella durante sus primeros meses de vida

acogerse a la excedencia conseguir permiso para dejar el trabajo durante una temporada larga

- ¿Qué causas concretas se exponen como responsables de que las mujeres de la generación de los 60 hayan pospuesto la maternidad y reducido el número de hijos que tienen?

- La periodista ejemplifica con la historia de Marina Blancas la situación laboral-maternal de la mujer española. Compárela con la de un caso típico de su entorno social.

6.13

En esta entrevista Manuel Pimentel, ministro de Trabajo y Asuntos Sociales del Gobierno español hasta 1999, trata un tema muchas veces debatido: la integración de la mujer en los puestos de trabajo clásicamente denominados 'masculinos'.

ENTREVISTA A MANUEL PIMENTEL

Mariano Guindal

Perfil

Manuel Pimentel (Sevilla, 37 años), ministro de Trabajo y Asuntos Sociales, es ingeniero agrónomo, licenciado en Derecho y el ministro más joven de Europa. Fue secretario general de Empleo y secretario general del Partido Popular◆ en Sevilla.

Mide sus palabras. El debate que ha abierto sobre contratar a mujeres para los llamados 'oficios masculinos' ha sido un revulsivo◆ para la sociedad en un momento en que las empresas tienen escasez de mano de obra masculina y reclaman emigrantes. […]

"Liberación de la mujer es que se pueda incorporar a cualquier oficio o puesto de trabajo en igualdad con el hombre. El trabajo no tiene sexo; hay que remover las conciencias como pasó con las primeras mujeres policía".[…]

La fuerza de las mujeres

¿Por qué quiere convertir a las paradas en albañiles?
Yo quiero que la mujer tenga la oportunidad de incorporarse a los mismos oficios con el mismo rango y el mismo nivel que los hombres, que puedan ser presidentas de empresas, tener puestos intermedios y trabajos manuales en la mayor parte de los oficios.

¿Y la fuerza física?
Las nuevas tecnologías hacen que en determinados oficios la fuerza física ya no sea necesaria como en el pasado. El símbolo del empleo masculino ha sido el camionero y hoy día un *trailer* se conduce con facilidad.

¿Es así como entiende usted la liberación de la mujer?
Yo la entiendo como la posibilidad de acceder a cualquier puesto de responsabilidad al margen de los convencionalismos.

¿Por qué las empresas no las contratan para los llamados trabajos de hombres?
Un puesto de trabajo no tiene sexo. Influye mucho el factor cultural, la falta de costumbre y la falta de formación profesional. Recuerdo cuando era chico y las primeras mujeres policía removieron las conciencias. Eso tiene que continuar.

(Fuente: *La Vanguardia*, 21 de febrero de 1999)

Glosario◆

Partido Popular   partido de centro-derecha en España
ha sido un revulsivo   ha provocado una reacción beneficiosa

- ¿Cómo entiende Manuel Pimentel la liberación de la mujer?

- ¿Qué piensa usted de la afirmación del ministro: "un puesto de trabajo no tiene sexo"? ¿Puede encontrar excepciones a la misma?

El texto siguiente explica cómo la situación económica de las comunidades indígenas de América Latina ha obligado a las mujeres a recurrir a la emigración como única solución a sus problemas de subsistencia.

6.14

http://www.xs4all.nl/~rehue/art/huen1.html

MUJERES INDÍGENAS Y EL TRABAJO

"Huellas demográficas y de sus condiciones de vida"

Sandra Huenchuán Navarro

[...]. A nivel nacional, regional e internacional se reconoce que la situación de las mujeres indígenas y rurales es de alto riesgo. En América Latina las comunidades indígenas y sus familias enfrentadas a problemas de subsistencia han tenido que recurrir al último recurso que les permitía su sociedad: la movilidad geográfica de las mujeres indígenas del campo, que permite y avala◆ la salida de muchas de ellas de sus hogares con la obligación, por lo regular bien cumplida, de enviar su salario a la casa. Esta situación no es ajena al mundo indígena rural de la Araucanía. Al contrario, la alta migración femenina confirma la necesidad de intervenir en favor de las mujeres, puesto que de no mediar políticas dirigidas a mejorar sus condiciones de vida y posición, corren riesgos no sólo ellas sino también el bienestar de las futuras generaciones.

[...]

En Chile la población indígena alcanza al 8% del total nacional, con una distribución por sexo prácticamente similar: 49.5% mujeres y 50.5% hombres.

[...]

De un punto de vista cualitativo, en la región no existiría un único tipo humano 'mujer rural', sino que existe una gran diversidad dada por la estratificación social, sistemas productivos y grupos étnicos, en todos los cuales el aporte de las mujeres es significativo y se materializa de formas diferentes.

De acuerdo al nivel de estratificación, las mujeres de aquellos niveles más pobres participan más activamente en la satisfacción de necesidades del grupo familiar, presentándose como tendencia una mayor presencia femenina en los movimientos migratorios y un mayor porcentaje de mujeres en relación a los hombres en los centros urbanos, revelando una 'expulsión de las mujeres de los sistemas agrarios' como parte de las estrategias de sobrevivencia de sus familias. En este tipo de migración se da como una característica casi permanente el que las mujeres indígenas se inserten al mercado laboral como 'empleadas domésticas', debido a sus características educacionales como también a las garantías que ofrece este tipo de trabajo para sus familias.

En aquellas economías en que las mujeres representan un valor económico, por ejemplo a través de la generación de ingresos de la producción y venta de artesanía, es preferida la migración masculina. Es el caso de aquellas familias donde el varón migra temporalmente, dependen de un trabajo asalariado y donde las mujeres tienden a hacerse cargo de la producción de subsistencia como actividad secundaria.

En cuanto a los sistemas productivos en la región, aquellos categorizados como: producción hortalicera, chacarera*, ganado menor* y artesanía y producción triguera y artesanía, las mujeres hacen aportes considerables, debido a su alta presencia en el cuidado y manejo de ganado menor, huerta, producción y comercialización de artesanía. También aportan en otros rubros*, – tales como chacarería o producción triguera – inclusive en forma indirecta a través del pago de las deudas de insumos*, semillas y otros.

A su vez en todos estos sistemas y niveles de estratificación el aporte de las mujeres es fundamental a través de su rol doméstico, función inestimada cuantificablemente, pero que ocupa más del 60% del tiempo de un día diario de las mujeres.

(Fuente: http://www.xs4all.nl/~rehue/art/huen1.html) [último acceso el 6 de septiembre de 2000]

Glosario*

avala   garantiza

chacarera   de la chacra, pequeña granja o casa de campo

ganado menor   ovejas, cabras y otras reses pequeñas

rubros   títulos, apartados, secciones

insumos   bienes empleados en la producción de otros bienes

- ¿En qué estrato social se da mayoritariamente la emigración de las mujeres del medio rural?

- ¿Por qué son las mujeres y no los hombres las que emigran?

- ¿Cuándo se prefiere la emigración masculina a la femenina?

tema 7

Medio ambiente

Actividades medioambientales pasadas y futuras

Es indudable que actualmente el medio ambiente se ha convertido en un tema de candente interés a nivel mundial. Pero lo importante es que no se trata de un simple interés, sino que ha implicado la intervención de muchos gobiernos en la puesta en práctica de acciones planificadas en vistas a la conservación del entorno natural. En efecto, en muchos países ya existen ministerios dedicados exclusivamente a estas cuestiones. Asimismo, cada vez con más frecuencia se celebran cumbres y conferencias a nivel mundial donde expertos científicos de todos los países discuten sus últimas averiguaciones. Tanto en televisión y radio, como en periódicos, revistas y prensa en general, se hace continuamente eco de noticias relativas al desarrollo de este tipo de eventos, cuyos resultados interesan a un creciente número de personas.

No cabe duda que en los últimos años la difusión de noticias sobre el medio ambiente ha aumentado considerablemente. Esto ha contribuido sobremanera a la toma de conciencia del ciudadano medio sobre la necesidad de cambiar nuestros hábitos diarios. Se han creado cantidades no despreciables de ONGs con voluntarios dispuestos a dedicar unas horas a la semana a llevar a cabo iniciativas relacionadas con estos temas. Incluso en las escuelas, la educación ambiental se considera una asignatura importante para la formación cultural de los niños.

Un papel decisivo en cuanto a la educación ambiental en España fue el que jugó el Dr. Félix Rodríguez de la Fuente en los años 70 con su serie documental *El hombre y la tierra*. Este programa, uno de los de mayor audiencia en esa época, mostró en los televisores de miles de hogares españoles la gran variedad de animales y plantas que habitaban nuestro planeta, identificando además los que se hallaban en peligro de extinción. Los reportajes mostraron también imágenes sobre costumbres, modos de alimentación y supervivencia de personas de tribus indígenas cuyo modo de vida demostraba un total respeto por todos los seres vivos y por la naturaleza. Sobre todo, lo que provocó esta serie del Dr. Rodríguez de la Fuente es que se extendiera entre la población un gran respeto por la flora y fauna de los bosques y las montañas de España. Muchas de las plantas y animales que se veían en televisión habitaban Parques Naturales no demasiado numerosos por entonces, pero cuyo número ha ido en aumento con el paso de los años tanto en España como en América Latina. Los Parques Naturales son espacios cuyos valores ecológicos, científicos, educativos y estéticos merece la pena conservar. En España existen en la actualidad unos 600 espacios protegidos. Entre ellos, cabe destacar el Coto de Doñana por la belleza de sus paisajes y por la variedad de flora y fauna que exhibe. Sin embargo, muchos biólogos y ecólogos consideran que el grado de protección que los gobiernos establecen como ley en muchos parques no es necesariamente el suficiente. Un ejemplo de negligencia gubernamental ocurrió en España en 1998, cuando miles de toneladas de unos líquidos tóxicos procedentes de una mina empezaron a desprenderse hacia el Coto de Doñana, sepultando a su paso las orillas de las riberas del río Guadalquivir. Esos líquidos contenían plomo, cadmio, zinc, mercurio, arsénico y ácidos letales. Las tareas de limpieza duraron meses y la flora y fauna se vieron gravemente afectadas; de hecho muchos de los daños sufridos son irreversibles.

Al otro lado del Atlántico cabe mencionar el ejemplo de las selvas tropicales del río Amazonas. A nivel mundial se reconoce la necesidad imperativa de conservar lo que queda de esa zona, no obstante, cada día se procede a la tala de árboles. Las razones principales son la extracción de madera, muy preciada en algunos países occidentales, y la explotación de cultivos que tan solo van a durar entre tres y cinco años. De este modo se están destruyendo no solo el hábitat de culturas aborígenes, sino también una zona de irrecuperable valor ecológico para el planeta.

Actualmente se reconoce que algo hay que hacer si los humanos queremos continuar habitando el planeta Tierra. Esto implica no solo reparar errores del pasado, sino también evitar posibles errores en el futuro. En cuanto al primero, existen grandes diferencias entre los países dependiendo de cuándo empezaron a industrializarse. Muchas regiones de España y partes de Latinoamérica, por ejemplo, empezaron a industrializarse en el siglo pasado, mientras que otros países latinoamericanos han empezado este siglo, o todavía están en fase de expansión y desarrollo. Las consecuencias de este hecho son que los países más industrializados como Argentina, Chile, Brasil y España a veces han contaminado de manera irreversible sus bosques, ríos y montañas. Las razones se deben sobre todo a que, hasta hace relativamente poco tiempo, todavía no se tenían en cuenta cuestiones medioambientales. Es más, la naturaleza se consideraba más bien como un obstáculo que había que afrontar para conseguir los recursos procedentes de ella, o para realizar algunos proyectos como, por ejemplo, la construcción de carreteras. Muchos países en fase de industrialización, en cambio, todavía no han contaminado gravemente sus ecosistemas. Por tanto, estos países tienen la oportunidad de subirse al tren del progreso, teniendo en cuenta los errores del pasado y aprovechando todo lo que actualmente se conoce sobre la conservación del medio ambiente, energías alternativas y desarrollo sostenible.

Existen varias razones para mantener la biodiversidad (la diversidad genética, la diversidad ecológica, y la de las diferentes especies de animales y plantas) de los ecosistemas mundiales. La biodiversidad, también llamada 'oro verde', ha permitido que ciertas tribus de América Latina hayan elaborado durante siglos unos modos de cultivo y métodos curativos tradicionales, beneficiándose así con su uso. Diversas ONGs actualmente están trabajando en favor del mantenimiento de la biodiversidad y para que estas tribus indígenas puedan seguir elaborando sus productos. Sin embargo, también existen gigantes industriales que intentan legitimar la explotación económica de estos productos con leyes de patentes creadas a su medida y conveniencia. El esfuerzo de estas ONGs se encamina a que toda la humanidad, y no solo unas pocas multinacionales, se pueda beneficiar de la biodiversidad.

Existe otra razón obvia para industrializar países en vías de desarrollo sin dañar la biodiversidad. Es, además, una razón de gran peso económico: el turismo. La primera industria en España es el turismo. En otros muchos países de América Latina el turismo es también una gran industria en potencia. Sin embargo, existen muchos tipos de turismo, y muchos de ellos afectan negativamente no solo al medio ambiente, sino también a las personas oriundas del lugar cuyo turismo se quiere fomentar.

Es el caso de México, por ejemplo, adonde un gran número de turistas acuden atraídos por playas tropicales y la famosa cultura maya. La mayoría de los turistas desconocen que, debido a la construcción de grandes hoteles y carreteras, a menudo se han tenido que destruir ruinas arqueológicas, poner en peligro especies de animales y plantas, e incluso echar a los indígenas de sus poblados aún cuando llevaban siglos viviendo en esos lugares. También desconocen a menudo los turistas que, además, esa población autóctona, cuya cultura ancestral tanto desean conocer, se ve obligada a vivir en lugares sin los servicios mínimos.

Es por esa razón que muchas organizaciones ecologistas abogan por un turismo no convencional que respete el medio ambiente; un turismo cuyo interés resida en el placer de conocer no solo los paisajes, sino también las personas por cuya cultura se siente curiosidad: el ecoturismo. A diferencia del turista convencional, el ecoturista normalmente intenta 'pasar desapercibido', es decir, intenta que su presencia en el lugar de visita produzca el menor impacto posible no solo en el medio ambiente, sino también en las personas que habitan el lugar. Para ello viaja en pequeños grupos, renuncia a una serie de comodidades dependiendo del país que visite, y está dispuesto a pagar mucho más por sus vacaciones que un turista convencional.

El turismo, junto con áreas como la de las finanzas, la banca, la venta al público, el mundo académico, o cualquier trabajo que requiere el uso de los ordenadores, forma parte de lo que se llaman las industrias de los servicios, clasificadas como el sector terciario de la economía de un país. Este tipo de industria se caracteriza porque no se basa en la fabricación de productos. Así pues, las minas, la industria agrícola y ganadera, las fábricas o la construcción, no forman parte de las industrias de los servicios. La industria manufacturera, por su parte, controla los procesos de producción de cualquier producto proveniente de la explotación propiamente dicha de los recursos naturales. Pues bien, la mayoría de los países de América Latina tienen como principal fuente de ingresos de su economía la explotación de sus recursos naturales. Por lo general, estos países productores no se encargan de manufacturar los productos ellos mismos, sino que estos son exportados en bruto a países que los manufacturarán posteriormente, y por lo general son las empresas europeas y americanas las que comercializan y manufacturan el producto. Estas empresas son las que deciden y controlan el precio de venta al cliente y el precio a pagar por los recursos naturales en bruto. Esto ha provocado que los precios de los productos en bruto (como los del café, por ejemplo), hayan disminuido dramáticamente en los últimos años, enriqueciendo a empresas y multinacionales europeas o americanas, en detrimento de los habitantes de los propios países productores. Pongamos por ejemplo el caso de Venezuela, el segundo productor mundial de petróleo. En los últimos 25 años, Venezuela ha recibido 300.000 millones de dólares, el equivalente a 20 Planes Marshall. Sin embargo, más de la mitad de los habitantes viven todavía en la pobreza y más de 200.000 niños subsisten en la mendicidad. Además de esta consecuencia inmediata, el transporte del producto en bruto al extranjero para su refinamiento o manufacturación conlleva otros muchos problemas.

Cambiar esta dinámica no es tarea fácil. Hoy en día la tensión recae en el consumidor de los países industrializados. Su decisión sobre comprar o no, por ejemplo, madera de caoba que proviene de las selvas tropicales del Amazonas puede contribuir a parar un gran daño ambiental. Si disminuye la demanda de este producto en los países occidentales, también disminuirá el proceso de desertificación de esas zonas. Si el consumidor está informado y es consciente de estos asuntos, tiene la opción de orientar su poder adquisitivo hacia un consumo que no promueva la explotación desmesurada de recursos naturales que, por otra parte, solo beneficia a unos pocos.

Podemos concluir que dos factores principales tienen el poder de decidir el futuro del medio ambiente en el mundo: los políticos y los consumidores de los países industrializados. Actualmente, en España y en la enorme mayoría de los países latinoamericanos la forma de gobierno es la democracia. Si los votantes así lo desean, está en su mano votar partidos políticos cuyos programas electorales tengan como prioridades principales la preservación del medio ambiente y cuya política de explotación de los recursos naturales se efectúe de manera sostenible. Sin embargo, para que los votantes decidan apostar por estos políticos, es necesario que conozcan que existe una verdadera problemática que les afecta tanto a ellos directamente como al resto de la humanidad.

7.1

El futuro de nuestro planeta depende de que utilicemos los recursos naturales existentes de manera sostenible, sin abusar de ellos. En el texto que sigue, el ecólogo argentino Eduardo Rapoport nos presenta un cuadro conciso de los efectos de la conquista de América sobre los recursos naturales del Nuevo Mundo. Pero, ¿es la situación actual muy diferente a la de cinco siglos atrás?

EL DESCUBRIMIENTO DE AMÉRICA

Un análisis ecológico y biogeográfico

Eduardo Rapoport

El autor es uno de los ecólogos de la Argentina que ha demostrado mayor interés en llevar al gran público su opinión tan ingeniosa como reflexiva sobre los temas de su investigación. En esta oportunidad sintetizamos la conferencia que Rapoport dio en España en el Seminario 'En los umbrales de los grandes descubrimientos: 1492–1992'.

En 1960, Genoveva Dawson publicó un trabajo en el que sostiene que, luego de la colonización de América, el europeo, a pesar de estar mal alimentado, se negó a admitir en su cocina los alimentos americanos. Transcurriendo el tiempo, la difusión de cultivos como el de la papa en Europa, permitió no sólo cubrir en buena parte las necesidades energéticas de la población, sino que también produjo excedentes como para ser comercializados provechosamente en las urbes. De ello, podemos deducir que el balance que han dejado estos cultivos en Europa ha sido altamente positivo.

Pero los frutos de América no fueron tenidos en cuenta en un principio. Sucede que el conquistador y colonizador europeo, al llegar al Nuevo Mundo no tenía ni remota idea de lo que la tierra podía ofrecerle. Las riquezas eran el oro, la plata y las piedras preciosas. Tuvo que pasar bastante tiempo como para que los colonos y comerciantes se dieran cuenta de que podían sacar provecho◆ de otros recursos naturales.

Es por eso que, a partir de la Conquista, el Nuevo Mundo ganó el trigo y la vaca, pero perdió, por algunos siglos, otros recursos naturales importantes. De esta manera, el guanaco◆, por ejemplo, fue reemplazado, a pesar de que se hallaba bien adaptado a las condiciones de vida que el hábitat le exigía.

Por otro lado, es sabido que, a través de la historia, el europeo ha ido incrementando su conocimiento de la flora utilitaria, incremento gradual en ciertos lapsos, y por momentos explosivo, debido a acontecimientos como el regreso de Alejandro Magno, o el establecimiento de relaciones comerciales con Oriente, o con África, o el descubrimiento de América y de Australia.

Sin embargo, el intercambio entre el Viejo y el Nuevo Mundo tuvo otras facetas negativas. Así como la introducción de los esclavos negros en América derivó en la extinción de culturas indígenas y su reemplazo por las africanas, la introducción de animales, plantas y microorganismos perjudiciales para el hombre y la naturaleza desató epidemias y plagas agrícolas que aún persisten en la actualidad. Lo mismo ocurrió a la inversa con especies que llegaron a Europa. Lenta y silenciosamente, tales plantas y animales van reemplazando a las especies autóctonas de la flora y fauna, contribuyendo fuertemente a su extinción.

Si calculamos que, aproximadamente, por cada individuo introducido habrá un individuo nativo menos, podemos concluir que el mundo del futuro será más diverso a nivel 'puntual' o local, menos diverso a nivel mundial, y mucho más mezclado que en la actualidad. De esta manera, las especies más agresivas y dominantes van desplazando a las nativas, se producen extinciones y el mundo se va haciendo cada vez más abigarrado◆, más diverso puntual o localmente, pero menos rico genéticamente a nivel planetario.

El hombre se comporta igual hoy que los marineros de Colón, y los compinches◆ de Cortés y de Pizarro: seguimos siendo tan inmediatistas◆ y cortoplacistas◆ como en aquel entonces.

Se calcula que la tasa de extinción de especies de plantas es de 1–2 especies por día, y se estima que la de especies animales es de 50 a 250 diarias. La evolución biológica se encarga de restaurar la diversidad perdida, pero es necesario aclarar que ese proceso lleva mucho tiempo.

Frente a esto, pedirle a la gente que no comercie plantas ni animales sin asesorarse, es totalmente utópico, porque si hoy en día hay gente que comercia con niños de toda edad, si aún existen tratantes de blancas◆, políticos y funcionarios corruptos, y fabricantes de armamentos, y tropas mercenarias, y comerciantes de estupefacientes, y asesinos a sueldo, es totalmente inútil hablar de la protección de la naturaleza.

No pretenda el lector que ofrezca 'sabias' reflexiones, ni tan siquiera buenos consejos ecológicos. Declaro solemnemente ser un perfecto ignorante en el actual proceso de invasión del planeta. Soy pesimista a corto, mediano y largo plazo, pues veo cómo el hombre se comporta igual hoy que los marineros de Colón, y los compinches de Cortés y de Pizarro: seguimos siendo tan inmediatistas y cortoplacistas como en aquel entonces. Hacer un camino o reemplazar un bosque o arbustal◆ por un cultivo, son actividades constructivas para el ser humano a corto plazo, pero destructivas para una naturaleza que, a largo plazo, el hombre habrá de necesitar. [...]

(Fuente: *Naturaleza y conservación*, mayo de 1997, pp. 32–3)

Glosario◆

sacar provecho   conseguir un beneficio

guanaco   mamífero parecido a la llama que habita los Andes

abigarrado   lleno de cosas

compinches   compañeros de diversiones o delitos

inmediatistas   interesados solo por el beneficio inmediato

cortoplacistas   incapaces de planear a largo plazo

tratantes de blancas   personas que se dedican al comercio de mujeres para destinarlas a la prostitución

arbustal   grupo de arbustos

- ¿Por qué opina el autor que es "totalmente utópico" pedirle a la gente que se preocupe de los problemas que afectan a la flora y la fauna?

- Rapoport es pesimista en cuanto al progreso de nuestra actitud desde los conquistadores. ¿Está usted de acuerdo? Justifique su respuesta.

7.2

Hay opiniones para todos los gustos. Dos españoles nos muestran dos puntos de vista opuestos sobre la conciencia medioambiental de sus conciudadanos.

¿CUIDAMOS LOS ESPAÑOLES LA NATURALEZA?

Conocer la naturaleza y respetar el medio ambiente se ha puesto de moda. Muchos compatriotas presumen de♦ ecologistas y de cuidar nuestro entorno como se merece, pero, ¿de verdad es así?

Eulalia Sacristán

Joaquín Fernández, periodista, Redactor de medio ambiente de RNE♦. Director del programa Zona Verde en Radio5. Ex presidente de APIA (Asociación de Periodistas de Información Ambiental). Premio Nacional de Medio Ambiente 1994.

Juan Carlos del Olmo, Secretario General de WWF/Adena♦, Naturalista. Asesor científico y realizador de varias series documentales de televisión. Fue coordinador del Programa Latino-americano de WWF/Adena.

Acaso los españoles no cuidemos demasiado la naturaleza, como dice mi vecino de página, pero hemos empezado a degustarla y eso supone una garantía de futuro. Tras nuestra incorporación comunitaria, se habló de España como reserva natural de los europeos y hubo quienes vieron en ello una forma de llamarnos tercermundistas; o sea, que éramos la Kenia, o algo así, de Europa.

Pues bien, las cosas han cambiado. Poco a poco, nos hemos dado cuenta de que esa riqueza existe y constituye un patrimonio excepcional que puede dar mucho de sí♦. De repente, los agricultores encontrarán nuevas funciones como guardianes de la naturaleza que justifican sustanciosas subvenciones de Bruselas, y se afanan en diseñar productos de calidad con denominación de origen♦. Incluso hay quienes siembran cosechas para el exclusivo consumo de determinadas especies en peligro de extinción. Pagadas, naturalmente.

Y qué decir de ese nuevo fenómeno en que se ha convertido el turismo de naturaleza: una forma de ganarse las habichuelas♦ y una nueva mirada al campo que tiene, en el fondo, mucho de revolución cultural. En España existen amplias

> "El clamor ante la marea de lodos envenenados que puso en peligro Doñana es el último indicio de que el cuidado de la naturaleza empieza a preocuparnos".

Cuando se hacen encuestas para sondear el grado de preocupación por el medio ambiente, las respuestas podrían llevarnos al optimismo y a calificar nuestra sensibilidad ambiental como media-alta (un estudio realizado en 1996 por la Universidad Autónoma de Madrid señala que el 63 por ciento de los españoles declaran estar muy o bastante preocupados por el medio ambiente). Pero si analizamos la situación, se comprueba que la sensibilización ante el medio ambiente que los españoles declaran en las encuestas no se refleja en la práctica. Existen varios ejemplos: Muchas personas afirman que les encanta la naturaleza; pero cuando salen al campo pretenden llegar a todos los lugares en coche y algunos abandonan las basuras en el medio natural.

El coleccionismo de especies vegetales y animales se justifica por el deseo de acercar la naturaleza a nuestra casa, pero significa un expolio♦ del que muchas personas no son conscientes.

La sociedad está habituada al usar y tirar. Las empresas no apuestan por la reutilización de envases; como mucho se tiende a reciclar sus componentes.

No se potencian suficientemente las energías renovables; es paradójico que, en un país con un nivel tan alto de insolación,

> "Se comprueba que la sensibilización ante el medio ambiente que los españoles declaran en las encuestas no se refleja en la práctica".

minorías que empiezan a entender de otra manera el concepto de calidad de vida.

Piénsese que muchas de estas iniciativas turísticas están en manos de urbanitas desertores del asfalto. Irse ahora al campo no es tanto una moda de estúpidos esnobs como una opción de vida razonable con infinitas gratificaciones.

[…]

Por otra parte, en este país hay más de 600 espacios protegidos. Con desidias♦ y contradicciones, pero ahí están. Los avasallamos♦ con los 4x4, a veces los incendiamos y hasta los convertimos en vertederos de residuos insólitos. Es cierto, pero ya son legión♦ quienes se sienten orgullosos de vivir al lado de un espacio protegido. El clamor ante la marea de lodos envenenados que puso en peligro Doñana es el último indicio de que el cuidado de la naturaleza empieza a preocuparnos. ¿Por egoísmo? Bueno, ¿y qué?

Ya hay cientos de maestros que han hecho de la educación ambiental algo más que una consigna♦. Los resultados empezarán a apreciarse pronto porque hemos entendido por fin que el aprendizaje de la naturaleza es un aspecto esencial de nuestra formación cultural. Vale, a lo mejor suspendemos en junio, pero en septiembre pasamos la prueba♦. Seguro.

la energía solar esté menos desarrollada que en los países nórdicos.

No se favorece el transporte público, y se fomenta la construcción de carreteras. Los mismos que afirman que están preocupados por los efectos del cambio climático no están dispuestos a dejar de usar el coche ni un día a la semana.

El uso del papel reciclado no está todavía extendido entre las administraciones públicas♦.

Existe una escasa disposición a pagar un poco más por artículos producidos con menor impacto ambiental.

El medio ambiente tiene poca relevancia en los programas de los partidos políticos.

El nivel de voluntariado ambiental continuado♦ es el más bajo de Europa. En la encuesta antes aludida un 60 por 100 de la población colaboraría con menos de 1.000 pesetas al mes con una asociación en Defensa del Medio Ambiente, pero en realidad los asociados a ONG♦ medioambientales no superan el 0,25 por 100 de la población española.

La defensa del medio ambiente no está considerada como un fin social; en la declaración de la renta♦ el ciudadano no puede destinar una cantidad de sus impuestos a obras sociales para la conservación del medio ambiente.

Podríamos seguir citando ejemplos, pero creemos que lo más interesante es reflexionar sobre esta esquizofrenia entre lo que declaramos y creemos pensar y lo que hacemos en realidad.

(Fuente: *Muy Interesante*, n°. 206, julio de 1998, p. 148)

Glosario♦

presumen de   se muestran orgullosos de ser (algo)

RNE   Radio Nacional de España

dar mucho de sí   rendir, producir mucho

denominación de origen   garantía que acompaña a determinados productos certificando su calidad y lugar de procedencia

ganarse las habichuelas   ganarse la vida (coloquial)

desidia   falta de interés o cuidado

avasallamos   invadimos

son legión   son muchos

consigna   lema, eslógan

a lo mejor suspendemos en junio, pero en septiembre pasamos la prueba   En España los estudiantes que suspenden los exámenes de fin de curso en junio, se pueden volver a presentar en septiembre. El autor quiere decir que aunque los españoles todavía no cuidan la naturaleza tanto como pudieran, lo siguen intentando.

WWF/Adena   Fondo Mundial para la Naturaleza (*World Wildlife Fund*) que en España se llama Adena (Asociación para la Defensa de la Naturaleza)

expolio   acción de quitar injustamente algo a alguien

administraciones públicas   conjunto de los organismos del gobierno

voluntariado ambiental continuado   conjunto de las personas que trabajan como voluntarios de forma regular y continua para la protección de la naturaleza

ONG   Organización No Gubernamental

declaración de la renta   comunicación que una persona tiene que hacer anualmente al Ministerio de Hacienda en la que detalla sus ingresos

- ¿Cuál de las dos posturas – la de Joaquín Fernández o la de Juan Carlos del Olmo – le parece más realista? ¿Por qué?

- Según lo que ha leído, compare la actitud de los españoles ante el medio ambiente con la de la población de su propio país.

7.3

Los dos textos que aparecen a continuación describen la belleza de dos entornos naturales muy distintos, y la admiración que ambos causan a la gente que los visita.

El escritor valenciano Vicente Blasco Ibáñez (1867–1928) narra las impresiones que le produjo su travesía por el Pacífico frente a las costas de América Central. El escritor queda maravillado ante la exuberancia de la naturaleza virgen.

Las costas del Pacífico

[…]. Al salir de Panamá, la serena y luminosa esplendidez del Pacífico tropical nos envuelve durante una semana. El mundo parece tricromo♦, como si no existiesen en él otros colores que el azul, el verde y el blanco. El cielo es eternamente azul; las aguas, de un verde dorado y clarísimo que mantiene su transparencia a enormes profundidades; las crestas de las olas, al levantarse como cascada invertidas en los arrecifes de las islas, tienen, lo mismo que las nubes, una blancura inmaculada, que parece de los primeros días del planeta, cuando la vida animal aún no había contaminado la pureza de los primitivos ensayos de la creación. Las costas de la tierra firme y las islas de graciosos nombres españoles, inventados por los navegantes del descubrimiento, no añaden ningún color nuevo. Todas son verdes como el mar, pero de un verde más oscuro, semejante al de los óxidos metálicos.

El suelo desaparece bajo la arrolladora♦ vegetación. Lianas y matorrales luchan trabando sus brazos retorcidos, y por encima de esta selva, en muda batalla, cortan el aire graciosos y aéreos ramilletes de palmeras y cocoteros. En la orilla, cabos e islotes están festoneados con una doble fila de plátanos.

Muchos, al contemplar acodados en la cubierta♦ esta Naturaleza libre, en la que solamente muy de tarde en tarde alcanzamos a ver con los anteojos marítimos alguna hormiga de paso vertical, que es un hombre, sienten deseos envidiosos de repetir la aventura de Robinsón. ¡Qué felicidad vivir en una de estas islas que ignoran el invierno, donde los árboles dan espontáneamente sus frutos alimenticios de azucarada pulpa, y el agua cristalina se pierde cayendo por el acantilado en hilos de plata!… Ricas damas acostumbradas a todos los refinamientos de la civilización se sienten de pronto con un alma primitiva, y fantasean sobre la poética existencia que puede llevarse en estos lugares esplendorosos, saboreando las ventajas de un salvajismo dulce.

Yo, que he vivido en terrenos desiertos de América, sufriendo las penalidades del colonizador [8], quiebro♦ con mi pesimismo tales ilusiones. Sé por experiencia que la Naturaleza sólo es madre cuando el hombre la ha vencido y esclavizado, haciéndola saber que existe. Donde los humanos no la pisotearon en masa durante siglos y no la golpean y desgarran todos los años con millares de brazos y de máquinas, es una madrastra que nos ignora

---

[8] En 1909 el autor se estableció en Argentina, fundando dos explotaciones grandes agrícolas que fueron desastres económicos.

y nos abruma bajo sus exuberancias crueles, más aún que a los seres inferiores, mejor preparados para amoldarse a sus asperezas.

En los mares de Europa, devastados por una pesca excesiva y empobrecidos por la aridez creciente de sus fondos, resulta difícil convencerse de la posibilidad de esta hipótesis científica. En el Pacífico tropical, frente a las costas de la América del Centro, el agua parece hervir con el chisporroteo de las bandas de peces que huyen ante la proa del buque. Algunos, al saltar fuera del agua, dan varias vueltas en el aire, muestran su panza blanca y se dejan caer cómicamente de costado, con una gracia de payaso torpe.

Durante las horas meridianas van desfilando sobre la llanura verde y dorada, con la tranquilidad que proporciona la ignorancia del peligro, largas hileras de tortugas. Son enormes y llevan a flor de◆ agua su duro escudo de carey◆, isla flotante en la que vienen a descansar las aves marinas vagabundas, mientras por abajo mueven sus patas rugosas de lagarto y su cabeza de serpiente tonta.

Atraídos por la novedad de estos blancos, el comandante y los oficiales que están en el puente empiezan a tirar sobre ellas con pistolas y carabinas. Muchas damas americanas pertenecientes a sociedades protectoras de animales protestan con indignación, y al poco rato cesa el tiroteo. [...]

(Fuente: Blasco Ibáñez, V. (1949) *Obras completas*, Madrid, Aguilar SA, pp. 392–3)

Glosario◆

tricromo   de tres colores

arrolladora   dominante, imponente

cubierta   suelo que cubre o divide horizontalmente un barco

quiebro   rompo

a flor de   en la superficie de

carey   materia dura del caparazón de algunas tortugas que se emplea para fabricar peines y objetos decorativos

- Blasco Ibáñez sintetiza el cromatismo del paisaje del Pacífico tropical en tres colores: azul, verde y blanco. Piense usted en un paisaje por el que sienta especial afecto y descríbalo nombrando sus colores principales.

- "Sé por experiencia que la naturaleza sólo es madre cuando el hombre la ha vencido y esclavizado". Comente esta frase.

7.4

Sierra Nevada ofrece algunos de los parajes más bellos e impresionantes de la Península Ibérica. El siguiente texto nos describe algunos de los atractivos naturales de esta zona.

Las flores de Soraya

Juan J. Marqués García

Cuenta la leyenda que el rey nazarí◆ Muley Hassem, padre de Boabdil, se prendó◆ de Isabel de Solís, doncella cristiana a quien convirtió en su favorita bajo el nombre de Soraya. En venganza, la sultana Aixa alentó una guerra civil que acabó con la derrota del monarca. Abatido, Muley abdicó en su hermano El Zagal y abandonó Granada rumbo al exilio. Pero cayó enfermo de muerte en Mondéjar. Desde allí, Soraya hizo llevar su cuerpo al pico más alto de Sierra Nevada que en su honor se llama Mulhacén. La historia no dice qué flores depositó Soraya sobre la tumba del rey nazarí.

Lo cierto es que, además de ser tierra de leyendas y último reducto◆ de los moriscos andaluces, Sierra Nevada alberga el jardín botánico silvestre de alta montaña más valioso de Europa. En él se reúnen más de 1.700 especies vegetales diferentes entre las que se encuentran 66 joyas botánicas exclusivas de esta zona. Declarada Reserva de la Biosfera por la UNESCO en 1986, sus cumbres aguardan ahora la decisión por la que ha de convertirse en parque nacional.

A grandes rasgos, la nueva figura de protección afectará a 51.000 hectáreas por encima de los 2.000 metros de altitud. Por debajo de esta cota◆, se suceden cuatro escalones de vegetación claramente diferenciados que concluyen en fértiles valles cultivados en bancales◆.

La riqueza de Sierra Nevada no termina en su flora, sino que continúa en su fauna. La inconfundible *Apollo nevadensis* es una mariposa que destaca entre otros 50 invertebrados endémicos◆ más. Por su parte, la cabra montés es el mamífero emblemático del parque, acosado a veces por el furtivismo◆ y el rebrote aislado de alguna plaga. Su silueta puede verse recortada en algún risco con la crestería de los omnipresentes Mulhacén, Veleta y Alcazaba◆ al fondo. Además, la altitud y las nieves glaciares propician un clima idóneo a especies como el acentor alpino◆ y el topillo nival◆.

En la vertiente Sur, Las Alpujarras ofrecen al visitante la placidez del tiempo detenido. Tierras hospitalarias donde lo humano se funde con lo natural. Inefables tras la huella de Gerald Brenan y otros viajeros ilustres. De barrancos rotundos como los de Poqueira, Trevélez o Bayárcal, con pueblos de dados blancos y grises que trepan por la ladera. Y el agua, siempre presente, como fuente de vida y de salud.

Tras cada curva se esconde una sorpresa que rebate el tópico. ¿Sabían que se puede practicar esquí de fondo en Almería? ¿O que Pampaneira acoge a una importante colonia de monjes tibetanos?

Curiosidades aparte, adentrarse en la auténtica Sierra Nevada más allá de las masificadas zonas turísticas de temporada requiere tiempo y buenas dosis de energía. Como el mar, la alta montaña exige que se tomen ciertas precauciones. Una ventisca◆ inoportuna o un cálculo erróneo de las provisiones puede acarrear un mal trago◆.

Pero también hay rutas verdes aptas para todos los públicos. El popular sendero de La Estrella, en otros tiempos ruta obligada hacia Almería de los condenados a galeras◆, brinda la oportunidad de penetrar en el parque con facilidad. Alcanzar las Siete Lagunas o la cima del Alcazaba es harina de otro costal◆. Si se buscan otro tipo de emociones, las posibilidades de montar a caballo o volar en parapente están aseguradas.

Lo mejor, en fin, es acercarse a Granada o Almería con el corazón y los ojos bien abiertos. Y dejarse tentar por la atracción que ejerce Sierra Nevada ya desde la distancia.

(Fuente: *Páginas del sur*, abril de 1997, p. 39)

Glosario◆

nazarí   de la dinastía árabe que reinó en Granada desde el siglo XIII al XV

se prendó   se enamoró

reducto   lugar donde permanecen costumbres, ideologías o culturas ya pasadas o en vías de extinción

cota   altura sobre el nivel del mar

bancales   terreno llano dispuesto en una pendiente en forma de escalera, que se puede usar para el cultivo

endémicos   que ocurren con frecuencia o permanentemente en un país o región determinados

furtivismo   caza ilegal

Mulhacén, Veleta, Alcazaba   tres picos de Sierra Nevada

acentor alpino   pájaro pequeño de plumaje oscuro

topillo nival   roedor semejante al topo

ventisca   tempestad de viento y nieve

un mal trago   una situación difícil

galeras   condena que consistía en remar en un barco poco profundo de vela y remo, muy usado en el Mediterráneo

es harina de otro costal   es cosa muy diferente; aquí, es mucho más difícil

● ¿Qué elementos de la descripción le resultan más atractivos?

● ¿Le gustaría viajar a Sierra Nevada? Razone su respuesta.

7.5

Si bien es verdad que tanto España como América Latina ofrecen paisajes de gran belleza y ecosistemas de valor inestimable, también es cierto que hay que preservarlos del deterioro a toda costa. Los textos que aparecen a continuación tratan de dos de estas iniciativas que se están llevando a cabo en el Parque de Doñana, en España, y en las islas Galápagos en Ecuador.

En esta entrevista conocemos algunos datos sobre el Parque Nacional de Doñana por boca de uno de sus mejores conocedores. José Antonio Valverde nos habla de los primeros tiempos de Doñana como zona protegida y de algunos de los problemas a los que debe hacer frente en la actualidad.

José Antonio Valverde EL PADRE DE DOÑANA

Hace 45 años se le metió en la cabeza que Doñana debía convertirse en reserva natural. ¡Vaya si lo consiguió! Creó el parque nacional y la estación biológica, fue su primer director y los hizo famosos en el mundo.

Rafael Ruiz

Él habla. Casi da igual lo que pregunte el periodista. Él cuenta, entre puntilloso y entrañable◆, historias de su trayectoria como biólogo, como padre de la estación biológica y el parque nacional de Doñana; fundador del Centro de Rescate de la Fauna Sahariana, en Almería; maestro de Félix Rodríguez de la Fuente◆… Él habla. Y el principal asunto del encuentro, Doñana, deriva en mil ramas de curiosidades, proyectos y logros, desde su estudio sobre los montes ibéricos en los que Alfonso XI◆ cazaba osos hasta las memorias que ahora está escribiendo. ¿Y cuántos folios lleva? Suelta una expresión, algo entre ¡bufff! y ¡bueenooo!

El día de la entrevista, José Antonio Valverde (Valladolid, 1926–) acaba de llegar de Doñana – su hábitat más propicio desde hace 45 años – de recoger una cría de marsopa◆ varada◆ en la playa y destinada al museo de cetáceos que se montará en Matalascañas. La primera vez que visitó las marismas◆ fue en 1952, acompañando a Francisco Bernis, pionero de la ornitología en España. Un año después, los dos naturalistas acometieron◆ el primer anillamiento◆ científico de aves – de garzas – que se efectuaba en España. Ese mismo año, 1953, el general Franco visitó también Doñana, pero con un propósito bien distinto: comprobar el estado de las repoblaciones forestales◆ con pino y eucalipto. En 1954, durante una estancia en Francia para estudiar las garcillas de La Camargue, Valverde consolidó su idea: Doñana debía convertirse en una reserva científica.

¿Qué fue lo primero que le impresionó de Doñana?
Me pareció un campo estupendo de investigación que había que conservar por encima de todo. Es lo que más me sigue impresionando siempre que voy, el juego del conjunto de la naturaleza. Bueno, también encontrarme con venados◆ tan confiados porque nunca han oído el tiro de un cazador, tan mansos y tan felices.

En 1958, Valverde se planteó como objetivo comprar 6.000 hectáreas de marismas a través de una cuestación◆ internacional. De ese movimiento europeo no sólo saldría el parque nacional de Doñana, sino también uno de los grupos conservacionistas mundiales con más prestigio, el WWF (Fondo Mundial para la Naturaleza, Adena en España). En 1963–1964 se formalizó la compra de la finca y se puso en marcha la estación biológica (con Valverde a la cabeza). Y final feliz: el 26 de octubre de 1969, Doñana adquiría la categoría de parque nacional; a la cabeza del emblemático espacio, también su padre, Valverde, como primer director.

¿Quiénes fueron los que más le ayudaron en aquellos años a salvar Doñana de los planes de desecación y forestación?

Entonces en España a nadie le importaba que se hiciera el parque nacional; luego se han querido apuntar muchos al carro♦, pero al principio me encontré bastante solo luchando frente al acuerdo de la Confederación Hidrográfica y los ayuntamientos para desecar el norte de las marismas. Mi arma era escribir cartas; emprender una campaña en Europa para recaudar dinero con el objetivo de comprar terreno en las marismas y convertirlo en una reserva natural para la investigación. Los primeros que mandaron dinero fueron suizos, franceses, holandeses y escandinavos.

¿Y en el Gobierno español?

El secretario general del Consejo Superior de Investigaciones Científicas, José María Albareda. También fue decisivo, vital, el papel de la prensa. Los reporteros fueron creando la *bola de nieve*.

(Fuente: *El País dominical*, 5 de marzo de 1998, p. 49)

¿Nota muchos cambios entre sus primeros viajes y los últimos?

La pérdida de biodiversidad es evidente, pero es algo que está pasando en toda Europa. En los cotos♦, el mal mayor han sido las dos enfermedades que han afectado al conejo, base de la estructura del ecosistema mediterráneo; muchos animales, como el lince, tienen en el conejo la base de su alimentación.

¿Es ése el principal problema del parque nacional?

Ése y la colmatación♦ de la marisma. En este caso hay dos grandes culpables: los ingenieros agrónomos y los cangrejos americanos, que se introdujeron en las marismas y que han acabado convirtiéndose en plaga. Los dos, ingenieros y cangrejos, se han dedicado a perforar el terreno y movilizar el fango.

¿Se hace mucha política con Doñana?

Sí. Es otro gran problema, que la investigación científica no es la que marca el camino a seguir.

¿Y ha habido en los últimos años errores de gestión?

El principal ha sido el del manejo del agua. Se ha cedido con excesiva frecuencia a las presiones locales para desecar la marisma y que haya más ganado.

Glosario♦

entrañable   muy querido, tierno, que provoca simpatía

Félix Rodríguez de la Fuente (1928–80)   Médico odontólogo de profesión, y apasionado por la fauna ibérica, profundizó en los estudios de la vida animal. Fundó la Sociedad Española de Ornitología y fue cofundador de Adena. Desarrolló una importante labor de divulgación a través de series televisivas como *Planeta azul* y *El hombre y la tierra*. Murió al estrellarse su avioneta cuando realizaba un documental en Alaska.

Alfonso XI (1311–50)   rey de Castilla y León

marsopa   animal marino semejante al delfín

varada   que ha quedado en la arena de la playa

marismas   terreno bajo y pantanoso que inunda el agua del mar

acometieron   empezaron

anillamiento   colocación de anillas o aros en las patas de los pájaros para estudiar sus movimientos

repoblaciones forestales   acción de replantar árboles y otras especies vegetales en los bosques

venados   ciervos o cualquier otro animal de caza mayor

cuestación   recogida de donativos para un fin benéfico

apuntarse (o montarse) al carro   unirse a un proceso o a una actividad que ya está en marcha para beneficiarse de su prestigio

cotos   terrenos reservados para la protección de ecosistemas y especies animales o vegetales

colmatación   rellenado de una depresión en el terreno con sedimentos arrastrados por el agua

- ¿Por qué son importantes los Parques Nacionales como el de Doñana?

- ¿Cree usted que en la actualidad se cuida más el medio natural que hace varias décadas? Justifique su respuesta.

7.6

Hay que tomar medidas urgentes si no queremos perder gran parte de la riqueza natural de nuestro planeta. Las islas Galápagos son un ejemplo de ecosistema en peligro de grave deterioro. El artículo siguiente explica algunos de los problemas a los que se enfrenta el archipiélago.

GONZALO SOLANO

ISLAS GALÁPAGOS: De Patrimonio Natural a patrimonio en peligro

ECUADOR. Una delegación conjunta del Patrimonio Mundial y de la Organización de las Naciones Unidas para la Educación, la Ciencia y la Cultura (UNESCO) expresó en Quito su preocupación por 'los peligros que amenazan' con destruir el ecosistema de las islas Galápagos, único en el mundo.

La delegación, que visitó Ecuador entre el 2 y el 11 de junio de 1996, estuvo integrada por el presidente del Comité del Patrimonio Mundial, Horst Winkelmann; el director del Centro de Patrimonio de la UNESCO, Bernd von Droste, y el director del Servicio de Parques Nacionales de Estados Unidos, Gunter Reck.

Winkelmann afirmó que hay preocupación por la situación de "las islas Galápagos, que son un Patrimonio Natural de la Humanidad que debe ser preservado para las generaciones futuras".

Identificó cinco 'peligros' inminentes que amenazan el archipiélago, ubicado a 1.000 kilómetros de las costas ecuatorianas, y dijo que es fundamental que las autoridades de Ecuador dicten una ley especial para proteger ese ecosistema con especies únicas en el planeta.

Entre las especies más amenazadas con desaparecer están las tortugas gigantes galápagos, que dieron el nombre a las islas, las iguanas, aves fragatas, piqueros, pingüinos y flora, entre otras, es decir, todas las que

siguieron un curso diferente en el proceso de evolución natural.

La delegación de ambos organismos llegó a Ecuador para verificar *in situ*◆ las condiciones de las islas, que podrían pasar a ser consideradas Patrimonio en Peligro y no Patrimonio Natural de la Humanidad, como fueron designadas por la UNESCO en 1978.

"Cualquiera que sea la decisión del Comité, no debe ser interpretada como una decisión en contra del Estado de Ecuador o del Gobierno de Ecuador", aseguró Winkelmann, quien afirmó que 'es impredecible' la resolución del Comité de Patrimonio Mundial.

El primer informe acerca de las islas Galápagos iba a ser entregado la última semana de junio en París y una decisión definitiva se adoptará en diciembre de este año en México, donde sesionará el Comité de Patrimonio Mundial.

Manifestó que "toda decisión que se adopte tiene el objetivo de apoyar los esfuerzos locales con el fin de mantener y preservar las islas Galápagos".

Winkelmann también dijo que hay un crecimiento demográfico excesivo en

Las islas Galápagos se encuentran a unos 1.000 km. al oeste de Ecuador. El archipiélago consta de nueve islas principales y unos 50 islotes, y están bajo dominio de este país sudamericano. La isla de mayor extensión es Isabela, de 120 km. de largo.

Las Galápagos se conocen mundialmente por sus famosas tortugas gigantes. Cuando llegaron los españoles, éstas eran tan abundantes que los exploradores llamaron a las islas 'Galápagos', el nombre de un reptil parecido a las tortugas. Algunas pesaban hasta 270 kg. y eran tan fuertes que podían transportar a una persona. A principios de siglo fueron sacrificadas un gran número de ellas.

Además de las tortugas, en la isla existen unas iguanas gigantes de tierra, de un metro o más de largo, raras especies de pájaros y de pelícanos, pingüinos y garzas, entre otros animales exóticos, además de una gran variedad de plantas diferentes a las del resto del mundo.

Las islas son Parque Nacional y Santuario de la Naturaleza, aparte de Patrimonio Natural de la Humanidad.

el archipiélago, una organ-ización inadecuada de las actividades pesqueras, que el turismo debe cambiar y, sobre todo, las especies animales foráneas♦ amenazan con la destrucción total de la flora y fauna nativas.

Agregó que la delegación y el Gobierno ecuatoriano comparten la evaluación acerca de las islas, que también están amenazadas "por la cultura moderna, que la podemos ver en todas partes del mundo".

El científico inglés Charles Darwin ratificó en esas islas la famosa teoría de la 'evolución de las especies' al observar la adaptación de algunas especies a las condiciones particulares del archipiélago donde no existía presencia humana de importancia hasta mediados de este siglo.

Bernd von Droste, director del Centro de Patrimonio de la UNESCO, calificó de 'excesivo' el crecimiento de la población en esa zona, sobre todo de la población animal introducida por el hombre.

Aseguró que en 1978, cuando las Galápagos fueron declaradas Patrimonio Natural de la Humanidad, existían 2.000 habitantes en la zona mientras que en la actualidad hay 15.000 personas con un crecimiento poblacional del 8.5% al año.

En ese año también había entre 80 y 100 especies introducidas por el hombre, informó, y en la actualidad hay entre 350 y 400 especies. "Si no tenemos un control de cuarentena y sobre la migración humana" en un futuro próximo "la naturaleza del Patrimonio Natural [se habrá alterado definitivamente]".

Los problemas 'más desastrosos' de las islas son producidos por los "chivos; hay más de 100.000 en la isla Isabela – la más grande – y entre 50.000 y 100.000 en la isla Santiago y es urgente tomar medidas para exterminarlos, porque de otra manera no quedará nada del maravilloso ecosistema de las Galápagos".

(Fuente: *Noticias Latin America*, julio de 1996, p. 10)

Glosario♦

in situ   en el propio lugar (latín)

foráneas   de fuera, extranjeras

- ¿Cuáles son los peligros concretos que amenazan el ecosistema de las islas Galápagos?

- ¿Qué medidas cree usted que sería necesario adoptar para conservar el entorno natural de estas islas?

- El turismo es una importante fuente de ingresos para Ecuador. ¿Qué tipo de turismo debería fomentarse en las Galápagos?

7.7

El efecto devastador que el turismo puede tener sobre el medio ambiente es el tema del siguiente texto, en el que se dan a conocer las consecuencias medioambientales de un plan para la construcción de un complejo hotelero en una reserva natural próxima a Cancún, en México.

Vandalismo ambiental de empresa hotelera española

Eduardo Lliteras

[La destrucción ambiental y cultural de la región es un problema poco conocido que no suele debatirse en los medios de comunicación.]

Excelente ejemplo de [esta destrucción] es el caso de la zona conocida como X'Cacel, ubicada a 65 millas de Cancún, en las costas de Quintana Roo. Reserva natural durante décadas, sitio privilegiado desde el punto de vista de la biodiversidad, X'Cacel es lugar de anidación de diversas especies de tortugas marinas en vías de extinción. Hoy la zona y sus ecosistemas costeros se encuentran bajo grave peligro después de haberse dado a conocer, el año pasado, el proyecto de construcción de un mega hotel de 450 habitaciones en el lugar.

El hecho inmediatamente ha desencadenado una fuerte y creciente movilización de grupos ambientalistas regionales e internacionales como Greenpeace o el Sierra Club. Estas organizaciones ecologistas han denunciado el gravísimo daño que sufrirían los ecosistemas de la región, como por ejemplo la extinción de las tortugas marinas en el Golfo de México, si se construyese el hotel, cuyo proyecto se ha manejado con gran sigilo♦ por parte de las autoridades estatales y de la empresa hotelera española Sol Meliá.

Del caso se han hecho eco♦ de forma inmediata diversos periódicos en México y en Estados Unidos como el diario norteamericano *The New York Times*, la revista de la misma nacionalidad *Business Week* o el canadiense *The Toronto Star*, entre otros importantes diarios en el ámbito mundial.

Con ello, la campaña para salvar X'Cacel de la depredación hotelera ha tomado una dimensión internacional que ha llegado a Europa a través de Greenpeace. A ella se han sumado organizaciones de Inglaterra, España, Francia y Alemania, que han tomado diversas iniciativas de protesta, como la de enviar mensajes por vía Internet a las autoridades mexicanas o a la misma sede de la empresa Sol Meliá en Palma de Mallorca, España.

Incluso se ha hecho llegar una carta al presidente mexicano, Ernesto Zedillo, además del envío a gran parte del planeta de postales con imágenes de las tortugas amenazadas.

X'Cacel es no sólo el nido más importante de tortugas marinas en todo el Caribe sino un ecosistema donde se encuentra una importante reserva de otras especies de flora y fauna también en peligro como es el caso de la palma Chiit, árbol que tarda 145 años en alcanzar un tamaño maderable y que ha sido ancestralmente utilizado por los mayas para la construcción de un sinfín de artefactos, comenzando por el techo y las paredes de sus cabañas.

Por ello, la palma Chiit tiene no sólo un gran valor desde un punto de vista biológico sino cultural. Su desaparición, hoy posible por la tala♦ creciente de las otrora♦ abundantes selvas en la península de Yucatán, significaría una irreparable pérdida para el patrimonio de los mayas, cuya cultura es explotada en la zona por los operadores turísticos sin recibir beneficios.

Los mayas, de hecho, viven hoy mayormente marginados y en zonas carentes de servicios en el mismo Cancún o en toda la zona del llamado corredor hotelero que parte del famoso puerto cancunense y que se extiende a lo largo de decenas de kilómetros de la costa quintanaroense♦ hasta llegar a las ruinas arqueológicas de Tulum. Esta es una ciudad maya conocida por la espectacularidad de sus pirámides que se asoman a un mar de infinitas tonalidades de azules, desde la altura desafiadora de los promontorios de roca.

Tal modelo de 'desarrollo', concebido por los grandes grupos hoteleros transnacionales y las autoridades locales, tiene su emblema en la irrupción brutal de los trascabos de forma indiscriminada en la selva.

Los empresarios de estos grupos han hecho derribar miles de árboles sin el prurito♦ de la vergüenza, e incluso han arrasado ruinas arqueológicas para construir carreteras y lujosísimos hoteles de cuyas playas se expulsa a los mismos mayas.

La amenaza para X'Cacel comienza, como han señalado expertos biólogos de la región de Cancún a través de la prensa, a partir de la ambigüedad de las autoridades mexicanas, quienes dicen proteger el ambiente a través de su legislación pero que a la hora de los hechos actúan con gran permisividad dejando que los ecosistemas sean destruidos irremediablemente.

En X'Cacel, la empresa hotelera española Sol Meliá ya comenzó dando muestras de su poco respeto por el medio ambiente al talar más de 1.200 palmas Chiit y de otras especies amenazadas, para solamente bardar el predio♦ donde pretende construir su hotel de 450 habitaciones.

El grupo español Sol Meliá, con inversiones en más de 20

(Fuente: *Noticias Latin America*, 10 de marzo de 1999, p. 16)

países de todo el mundo y en particular en varios países de América Latina, ha sido premiado por la organización ambientalista española Grupo Balear de Ornitología y Defensa de la Naturaleza (GOB) con su premio anual *Ciment* (cemento en catalán).

[El] GOB otorga este premio a aquellas "personas, empresas u organismos institucionales que se han destacado a lo largo del año a causa de sus iniciativas negativas para la conservación del medio ambiente", como ha explicado la misma organización.

De tal manera, X'Cacel se ha convertido en el símbolo de la lucha de los habitantes del Estado mexicano de Quintana Roo por defender su patrimonio natural y cultural de la depredación, que también está amenazando otras zonas aún conservadas, como es el caso de la extraordinaria reserva de la biosfera de Sian Ka'an.

La posibilidad de que las futuras generaciones de mayas y de extranjeros lleguen a ver y conocer a las tortugas marinas que anidan ancestralmente en el privilegiado lugar de las costas de Quintana Roo depende hoy de la lucha que están llevando a cabo las organizaciones ecologistas en México y en el extranjero.

Esto puede representar el primer paso para tratar de impulsar un desarrollo alternativo al actual que efectivamente signifique, antes que nada, la mejoría de las condiciones de vida de las poblaciones locales, y que no destruya su base de sustento: la naturaleza.

Glosario◆

sigilo   secreto

se han hecho eco   han aceptado una noticia como verdadera y la han difundido

tala   acción de cortar árboles

otrora   en otros tiempos (arcaico)

quintanaroense   del Estado mexicano de Quintana Roo

prurito   picor en el cuerpo; aquí, incomodidad producida por la vergüenza

bardar el predio   levantar un muro alrededor del terreno

- Enumere los aspectos positivos y negativos que ha traído el turismo a la región de Cancún.

- ¿Cuáles serían los efectos directos de la construcción del hotel sobre el ecosistema de la zona?

- Los países en vías de desarrollo son los más amenazados por la explotación y destrucción indiscriminadas del medio natural. Explique por qué y proponga posibles soluciones.

7.8

El español Joaquín Araújo es ecologista por vocación y por profesión. Nadie como él conoce el impacto medioambiental ocasionado por el turismo. En esta entrevista explica de qué modo se puede colaborar para minimizar sus efectos negativos.

Una conversación de tres horas y media con un ecologista como Joaquín Araújo, tan coherente en su radicalidad como humanista en sus propuestas, rescata esa parte de nuestra conciencia que la vida cotidiana adormece. Es relativamente famoso, sobre todo por programas de TV como *El arca de Noé*, pero presentémoslo. El divulgador de temas medioambientales de más prestigio en nuestro país, ha recogido el testigo◆ de su compañero de trabajo, y maestro como comunicador, Félix Rodríguez de la Fuente. A pesar de propugnar la vida serena y poco competitiva, Araújo es una máquina en lo suyo, la divulgación naturalista y la concienciación ecologista. Imparte unas cien conferencias al año, ha escrito más de 1.000 artículos para diarios y revistas, trabaja cotidianamente para TV y radio, da clases, ha publicado más de 30 libros y dirigido siete enciclopedias, entre ellas *Fauna ibérica* y *La aventura de la vida*.

Una vez en su piso de Madrid, donde la pequeña foto que recuerda la entrega por el rey de Suecia hace seis años a Araújo del premio Global 500 de la ONU, el más prestigioso del mundo en materia medioambiental, ni siquiera tiene marco y se mantiene sujeta por simple presión en el borde de un espejo de un despacho de trabajo que semeja al de cualquier estudiante, ese halo que rodea a Araújo, de inmediatez humana, de poca adhesión a lo convencional o accesorio, se confirma. Es muy crítico con las consecuencias

medioambientales y sociales del turismo, y con la propia sociedad de consumo. Pero no menos debe esperarse de quien entre frases, y sin énfasis alguno, afirma que nunca ha sido turista, 'en la vida', (las vacaciones las dedica a su granja extremeña) a pesar de haber viajado con frecuencia y a muchos rincones del mundo. O de quien en *XXI, siglo de la ecología*, su último libro, asegura que 'hay muy pocos lugares donde a uno no le consideren mercancía'. Una

de no predominancia y de respeto es clave, tanto en el impacto medioambiental y paisajístico como en la relación con las personas de los países o lugares que conocemos como turistas. El turismo sexual, sin ir más lejos, es repugnante, prostituye a poblaciones enteras, las explota. No somos ningún modelo a imitar, no tenemos de qué presumir. La dignidad y la cultura de la gente nativa de los enclaves turísticos son sagradas.

sus valores naturales y paisajísticos. En el interior de un parque natural, o en plena costa, no debe instalarse un hotel de 20 pisos de altura, autopista hasta la puerta y discoteca. Y eso, o poco menos, es lo que se está haciendo.

[...]

CONSUMER: Cuando el usuario elige un determinado tipo de vacaciones, ¿puede influir en algo para que el turismo sea más sostenible?

J. Araújo: Sin duda. El turista puede exigir en las agencias destinos con criterios de sostenibilidad. Por ejemplo, una playa con sol, pero también con agua limpia, bellos paisajes, sin ruido ni grandes concentraciones humanas, con una naturaleza poco agredida, con facilidades para contactar con la gente del lugar... Y si no lo tienen, ir a otra agencia. O, incluso mejor, pensar en un viaje distinto, adonde haya tranquilidad y un ecosistema poco modificado por el hombre. En general, si optáramos simplemente por un turismo sin artefactos, donde el coche se sustituye por bicis, caballos o burros, y el aire acondicionado por el botijo◆, la siesta y la sombra, y los circuitos interminables por la relación cercana con las culturas locales, el impacto negativo del turismo sería mucho menor en los lugares y entornos humanos que se visitan. El consumo justo y equilibrado nos devuelve la condición humana, y además, hemos de ser conscientes de que no podemos dilapidar recursos escasos, como el agua, el suelo, los bosques, la fauna, la cultura rural tradicional o el silencio.

La austeridad mejora el disfrute

de las tareas del pensamiento ecológico, afirma, es 'presentar como coherente y hasta necesaria la propuesta de que nuestra seguridad depende de consumir menos y de otra forma'.

CONSUMER: ¿Qué es lo que más distingue al turista respetuoso?

J. Araújo: Quien sabe disfrutar de un paisaje y de una cultura que le son extraños, debe hacerse notar lo menos posible individualmente, incluso convertirse en invisible si puede ser. El turista ha de ser sencillo y austero, procurar pasar desapercibido, y no exhibir su capacidad adquisitiva si es superior a la de la gente que desea conocer. Este planteamiento

CONSUMER: Bien, seamos respetuosos con las gentes del lugar, pero, ¿qué ocurre con la naturaleza, realmente la agreden◆ mucho los viajes turísticos?

J. Araújo: Sí, es un impacto grave. Es el mismo mensaje de antes. Lo ideal es que el ecosistema que visitamos, desde la flora hasta la fauna pasando por el aire, no perciba que hemos llegado. Debemos reducir el consumo de transporte y energía, de alojamiento; en fin, el turista responsable no reproduce en su viaje de vacaciones el despliegue de comodidades de su casa en la ciudad, porque ello supone costes medioambientales enormes, despilfarro de recursos escasos en lugares que visitamos precisamente por

(Fuente: *Consumer*, julio–agosto de 1997, pp. 14–16)

Glosario◆

ha recogido el testigo   ha seguido con la labor (figurativo)

agreden   dañan

botijo   vasija de barro que mantiene el agua fresca para beber

- Nombre algunas de las características que debe poseer el turista respetuoso.

- Piense en su propia manera de viajar. ¿Se corresponde con los consejos de Araújo?

7.9

Pío Baroja (1872–1956), novelista español perteneciente a la llamada Generación del 98, narra en este fragmento la decadencia de Labraz, un pequeño pueblo de la antigua Cantabria. En su relato queda reflejada la estrecha relación entre el progreso y el modo de explotar los recursos naturales, y la manera en que estos transforman el paisaje, la vida y las costumbres de las pequeñas comunidades rurales.

El mayorazgo de Labraz

La desamortización◆ echó a los cartujos◆ del monasterio; cambiaron las costumbres, vinieron nuevos usos, nuevas ideas; las familias hidalgas◆ se arruinaron o huyeron a la capital; las nobles casas solariegas◆ sirvieron de pajares; Labraz empezó a despoblarse, y como los carros y las recuas◆ no transitaban, se descuidó la carretera.

Mientras tanto, en Chozas, en el lugar de los leñadores y cabreros medio salvajes, se levantó una fábrica de aserrar madera; luego, otra y otra, y se formó un pueblo con sus casas blancas y sus tejados rojos, adonde fueron a vivir los madereros enriquecidos con la venta de los pinares del monasterio y con la tala◆ de nuestros montes.

Labraz vendió todos los árboles de los alrededores. El pueblo, que antes vivía de la agricultura y de la ganadería al mismo tiempo, trató de vivir sólo de la agricultura; se roturaron◆ todas las tierras, se labró más terreno que el que buenamente podía cultivarse, y todo quedó mal cultivado.

Un día vinieron a Labraz los contratistas del tren. El alcalde, un hombre enemigo de todo progreso, dijo que el ferrocarril incendiaba las mieses◆, que suprimía la carretería, y no quiso que la línea pasase por Labraz; en cambio, los de Chozas trabajaron para que el tren cruzase por su pueblo, y lo consiguieron. Después se presentaron en Chozas ingenieros con anteojos y trípodes; midieron unos sitios, plantaron estacas en otros; al cabo de algún tiempo, un mundo de obreros hicieron túneles y trincheras, y pasaron los trenes bramando y echando humo.

Chozas aumentó de tamaño, tuvo una bonita estación y alumbrado por la noche; en cambio, Labraz se fue arruinando, le quitaron a la iglesia la dignidad de Colegiata◆, trasladaron el Juzgado a Chozas, y de aquí se fue todo el mundo.

(Fuente: Baroja, P. (1946) *Obras completas*, Madrid, Biblioteca Nueva, pp. 55–6)

Glosario◆

desamortización   Expropiación y puesta en venta de bienes pertenecientes a colectividades, en particular religiosas. En el siglo XIX tuvo lugar en España la desamortización realizada por el político liberal Mendizábal, en la que se expropiaron y pusieron en venta los bienes de la Iglesia.

cartujos   monjes pertenecientes a la orden de San Bruno, fundada en el siglo XI, según la regla benedictina

hidalgas   de la baja nobleza castellana

casas solariegas   casas más antiguas y nobles de cada familia

recuas   conjunto de animales de carga que transportaban mercancías

tala   acción de cortar los árboles

roturar   arar por primera vez un terreno para dedicarlo al cultivo

mieses   cereales maduros

Colegiata   en la organización de la Iglesia católica, iglesia en la que oficia un abad y que tiene un cabildo colegial

- ¿Cuáles fueron las causas de la decadencia de Labraz?

- En su opinión, ¿cuál es la postura del autor ante los hechos que narra? ¿En qué elementos se reconoce?

7.10

Es evidente que los países industrializados no han sabido muchas veces mantener un desarrollo que respete el medio ambiente. Los textos que aparecen a continuación nos dan tres perspectivas de la cuestión.

La enorme riqueza natural de América Latina está gravemente amenazada por la falta de adecuada planificación en la explotación de sus recursos. El texto siguiente llama la atención sobre puntos clave de la problemática y señala la necesidad de fomentar la cooperación latinoamericana en el campo científico.

POR UNA BIOSFERA SUSTENTABLE: UNA AGENDA PARA LA INVESTIGACIÓN CIENTÍFICA

Exequiel Ezcurra

En el año de 1991, tuve la suerte de participar en una reunión internacional en Cuernavaca, México, donde un grupo de ecólogos y ambientalistas internacionales discutió y escribió una propuesta científica titulada "Iniciativa internacional por una biosfera sustentable". El motor de esta reunión fue la conciencia y la preocupación creciente en el medio científico internacional de que el uso global de los recursos naturales y del ambiente es marcadamente no sustentable, es decir, utiliza los recursos naturales de manera no renovable y tiende, en algunos casos rápidamente, al agotamiento de los sistemas que mantienen la vida sobre el planeta.

En esta reunión se reconoció la abismal dicotomía que existe entre países desarrollados y no desarrollados, y se identificaron los mecanismos a través de los cuales ambos tipos de naciones están contribuyendo al deterioro global del ambiente. Las propuestas resultantes giraron alrededor de tres esferas operativas: la investigación, la educación, y el manejo♦ ambiental. Es urgente definir una agenda, un programa latinoamericano de investigación, educación y desarrollo para el adecuado manejo del ambiente y sus recursos.

La globalización y extensión de los problemas ecológicos afecta a grandes sectores de las sociedades latinoamericanas, y continuará afectándolos en el futuro de manera creciente. La crisis ecológica, junto con una cada vez más obvia crisis distributiva, ponen un fuerte interrogante sobre la forma cómo los recursos naturales son apropiados, repartidos y utilizados. La crisis global, como dice Víctor Manuel Toledo, es una crisis de civilización, irresoluble mediante cambios tecnológicos o ajustes económicos solamente. Su superación implica un cambio a escala planetaria en los mecanismos de distribución y de uso de los recursos naturales, pero también implica la superación del doble estado de pobreza que hoy prevalece: la pobreza material y la intelectual.

En ese sentido, uno de los grandes problemas latinoamericanos es el deterioro del sistema científico, y cualquier proyecto de cooperación científica latinoamericano debe ser visto positivamente, tanto en aspectos de ciencia básica como aplicada. Creo que la ciencia, en sí misma, tiene un gran poder como catalizador cultural, y la cooperación científica de cualquier tipo puede ayudar a generar los nuevos paradigmas que Latinoamérica tan urgentemente necesita. Los países con educación, ciencia y cultura, han sido históricamente dueños de su destino. Nuestro desarrollo científico y cultural es, en ese contexto, un aspecto de soberanía y de libre determinación.

Con estas ideas generales en la mente, quisiera plantear algunos aspectos de la problemática ambiental y del desarrollo que creo especialmente importantes dentro de la agenda ambiental:

(a) Latinoamérica es la reserva planetaria más importante de biodiversidad. Las investigaciones sobre este tema son de la más alta prioridad. Preguntas como: ¿de qué manera podemos utilizar los recursos naturales de la región sin afectar la biodiversidad?, ¿cómo responden los ecosistemas latinoamericanos a la perturbación antrópica◆?, ¿qué especies o grupos de especies deben conservarse prioritariamente?, deben ser atendidas de manera urgente. Es todavía muy poco lo que sabemos sobre recursos que estamos en riesgo de perder.

(b) La conservación *in situ*◆ debería recibir una gran atención en proyectos de investigación. Por un lado, es más fácil conservar especies útiles y cultivos nativos en su lugar de origen; por el otro, los grupos indígenas mantienen de esta manera la propiedad sobre sus recursos naturales.

(c) El deterioro del medio urbano y la hiperurbanización son dos problemas inmensos en Latinoamérica que merecen la atención inmediata no sólo de ambientalistas y tecnólogos, sino también de científicos sociales. ¿Son realmente viables nuestras ciudades? ¿Cómo minimizar el riesgo ambiental que implica vivir en ellas? Estos interrogantes afectan ya a la mayor parte de los latinoamericanos, concentrados en inmensas y conflictivas megalópolis.

(d) El germoplasma◆ de los cultivos indígenas es un recurso de inmenso valor, recolectado y manejado por países desarrollados y casi olvidado en Latinoamérica. La investigación y el rescate de este patrimonio es un aspecto de gran prioridad, junto al apoyo a las poblaciones que actualmente lo cultivan.

(e) El agua, como recurso natural, se encuentra gravemente amenazada en toda Latinoamérica. El desarrollo de técnicas adecuadas de manejo del recurso hídrico es vital para la supervivencia de la región.

(f) El consumo de energía a nivel del subcontinente, y su reparto por países, merece gran atención. Es claro que Latinoamérica nunca podrá tener los niveles de consumo energético por individuo que existen actualmente en el mundo desarrollado. Si los tuviera, el impacto global sobre el ambiente de las emisiones provocadas por 500 millones de personas sería sencillamente catastrófico. Para Latinoamérica, el desarrollo implicará necesariamente un patrón distinto, más eficiente, de consumo energético.

(g) Finalmente, los aspectos generales de sustentabilidad en el uso de los recursos naturales merecen la mayor atención y la más alta prioridad. ¿Cómo utilizar los recursos naturales sin afectar la capacidad productiva futura? ¿Cómo armonizar el uso de estos recursos con las creencias, tradiciones y valores de las poblaciones del subcontinente? El futuro de Latinoamérica depende de una respuesta adecuada a estos interrogantes.

(Fuente: *Nueva sociedad*, n°. 122, noviembre–diciembre de 1992, pp. 136–7)

Glosario◆

manejo administración, gerencia

antrópica causada por el hombre

in situ en el propio lugar (latín)

germoplasma parte de una célula germinal que contiene factores hereditarios y se transmite sin alteraciones de una generación a otra

7.11

En vista del tremendo impacto ambiental traído por lo que llamamos 'progreso', quizá deberíamos empezar a cuestionarnos el significado de esa palabra.
Algunas comunidades humanas que hasta hace pocas décadas eran consideradas 'primitivas' han sabido gestionar mejor la explotación de los recursos que otras comunidades más modernizadas.

Los pueblos indígenas y la preservación de la naturaleza

Victoria Harrison; traducción de Pablo Conde

En el contexto de los temores crecientes a una crisis ambiental global en un futuro próximo, las actuaciones en el ámbito internacional se están enfocando en un grupo de cuestiones entre las cuales destaca la preservación de los bosques tropicales.

La preocupación por la protección de estos hábitats y por la preservación de la biodiversidad ha provocado la búsqueda de acciones que permitan mantener el equilibrio de los ecosistemas en los bosques tropicales, cuya influencia en el reciclaje de gases y en la regulación climatológica está demostrada científicamente.

Hasta ahora, la protección de la diversidad cultural y de las comunidades indígenas que habitan los bosques se ha pasado por alto♦ tanto en los proyectos comerciales como en los proyectos de conservación en esas regiones. Paradójicamente, la conservación de la biodiversidad está vinculada de modo inextricable a las comunidades indígenas, ya que la protección de estas comunidades puede asegurar la supervivencia de los bosques tropicales.

Por primera vez en la historia se acepta el daño irreparable causado por el ser humano en nuestros ecosistemas, aunque la deforestación de las últimas décadas ha tenido efectos devastadores en los bosques tropicales y en sus pueblos.

Los grandes proyectos de desarrollo promocionados por los gobiernos y las compañías transnacionales dedicadas a la agricultura, la industria, las obras de infraestructura, etc. han provocado la destrucción de numerosas especies de la flora y la fauna, la ruptura de ecosistemas delicados y el desplazamiento de miles de comunidades de sus territorios tradicionales, con la privación de recursos y el perjuicio a sus culturas que esto supone.

Las consecuencias de esta degradación son graves tanto para la supervivencia de las generaciones actuales como para la existencia de nuestros descendientes en el futuro. Hoy día, el ser humano depende en gran medida de muchos de los recursos de los bosques tropicales por lo que ahora los gobiernos miran hacia estos espacios, no porque exista un compromiso con los pueblos autóctonos, sino por el gran valor comercial de los productos tropicales para la agricultura, la industria y la farmacología de los países desarrollados.

Desgraciadamente, es la actitud de los países de Occidente a los que sólo interesa el valor económico del bosque y su potencial para descubrimientos en el futuro, la principal amenaza para la supervivencia de estas regiones y de sus moradores♦.

Hay 200 millones de indígenas en la Tierra, lo cual representa un 4% de la población total, pero en términos de las 500 culturas del mundo representan el 90-95% de la diversidad cultural.

Estas comunidades han sido las protectoras y beneficiarias naturales de los recursos que han explotado durante milenios, por eso las estrategias y luchas para la supervivencia de estas comunidades son de hecho luchas para la preservación de los bosques tropicales y sus recursos, el uso sostenido de la biodiversidad, la reproducción de recursos y el conocimiento íntimo de los ecosistemas que respeten la armonía de la naturaleza.

Las creencias y valores culturales de los indígenas demuestran una conceptualización del hombre y la naturaleza distinta a la del hombre occidental. Para ellos, la naturaleza no es un recurso gratuito que el hombre puede explotar sin límites para su propio beneficio. El hombre y las otras especies están vinculadas por relaciones de mutuo apoyo dentro de los ecosistemas.

Las comunidades indígenas han explotado sus entornos de manera sostenida debido a su conciencia sobre los límites de cosechar y las reglas autoimpuestas por la comunidad para el control de la población. Estos pueblos reconocen que su comportamiento se ajusta a sus necesidades de supervivencia.

(Fuente: *Noticias Latin America*, febrero de 1998, p. 12)

En la selva amazónica, las mujeres achuar♦ producen una gran variedad de alimentos y hierbas medicinales basándose en los conocimientos heredados de sus antepasados. Estos conocimientos son atribuidos a espíritus y para asegurar el éxito del cultivo hay que contentar a los espíritus y respetar el entorno.

Otros pueblos como los mapuches de Chile y de Argentina también dependen de los espíritus y piden su consejo sobre dónde y cuándo cazar, pescar y cosechar. Estas creencias son esenciales en las culturas de los bosques y establecen las relaciones con la naturaleza promoviendo valores y prácticas que tienen un valor determinante para el uso sostenido y la preservación de los entornos locales.

El valor de estos sistemas debería servir de ejemplo y en lugar de implementar proyectos equivocados, las autoridades deberían presentar alternativas más eficaces dado que los indígenas han mostrado al mundo civilizado cómo se utilizan los recursos durante siglos sin destruir el entorno biológico.

En el pasado, las perspectivas etnocéntricas omitieron el papel de los indígenas en los proyectos de conservación y ya es hora de aceptar que el futuro de los bosques tropicales depende mayoritariamente de la protección de las comunidades indígenas.

Glosario♦

se ha pasado por alto   no se ha tenido en consideración

moradores   habitantes de un lugar

achuar   Uno de los cuatro grupos de la familia jívaro. Los jívaro (unas 80.000 personas) representan la cultura más importante de la cuenca amazónica. Hoy en día los achuar ocupan zonas de la selva tropical de Ecuador y Perú.

7.12

El texto siguiente nos habla de la modalidad de cultivo de café más extendida en América Latina, señalando su relación con la conservación del suelo.

Una Rica Cosecha de la Sombra

Robert A. Rice

El café cultivado bajo las copas de los árboles no sólo tiene mejor sabor sino también enriquece el medio ambiente

Las plantaciones de café administradas en forma tradicional se caracterizan por su parecido al bosque. Como tales, ofrecen a las aves migratorias (así como a los pájaros del lugar) un refugio en lo que en muchos países es un hábitat decreciente: el bosque.

Un aspecto positivo de las regiones productoras de café de América Latina es que con frecuencia se caracterizan por pequeños productores que mantienen una variada bóveda de sombra sobre el café. En cualquier país, los pequeños productores – con menos de diez hectáreas, y frecuentemente con menos de cinco hectáreas – son mucho más numerosos que los que poseen grandes plantaciones. Desde México hasta Colombia, las zonas rurales tienen más de 700.000 pequeños productores de café. Si bien estos productores normalmente tienen rendimientos más bajos, su gran número hace que sean la base del sector cafetero desde el punto de vista de su producción colectiva y de la mano de obra que frecuentemente

(Fuente: *Américas*, abril de 1998, pp. 52–7)

proporcionan a las plantaciones grandes.

Los pequeños productores campesinos, que se manejan en un sector controlado por enormes intereses económicos sobre los cuales no tienen influencia, tienen mucho que ofrecer en términos del manejo◆ de tierras. Muchos de estos campesinos también pertenecen a grupos indígenas. Incapaces o reticentes a participar en la modernización del sector cafetero, sus tierras ofrecen una serie de beneficios ambientales relacionados con las tradicionales técnicas agrarias de cultivo múltiple. La naturaleza selvática de sus huertos protege al suelo de la erosión, estimula el ciclo de los nutrientes, actúa como depósito de carbón y proporciona numerosos productos como leña, material de construcción, frutas y medicamentos. Como dice el agrónomo Luis Eugenio Cifuente, profesor de la Universidad de Santa Rosa de Cabal, en Colombia, "este modelo fue desarrollado por comunidades campesinas en la época de la introducción del café en la región en el siglo XVIII". E igual que la mayoría de los ecosistemas creados por los pueblos indígenas y los campesinos, se caracteriza por una gran diversidad biológica. O sea, el café de sombra sirve de hábitat. Esta biodiversidad administrada incluye los árboles de sombra, los propios cafetos◆ y cualquier organismo del mundo vegetal bajo control e influencia directa del agricultor. La selección de las especies de plantas que existen en un huerto – así como la forma en que éstas se manejen en cuanto a espacio y regímenes de poda◆ – influye notablemente sobre la biodiversidad que el agricultor no controla, es decir la biodiversidad relacionada.

La biodiversidad relacionada incluye los insectos, los pájaros, los mamíferos, los reptiles, los anfibios y otras formas de vida que utilizan la plantación por las especies de plantas que contiene. Además, si se permite el crecimiento de plantas específicas y enredaderas sobre los árboles de sombra, se provee un mayor hábitat donde puedan vivir más organismos.

Glosario◆

manejo   administración, gerencia

cafeto   árbol cuyas semillas son los granos de café

poda   sistema de promover el crecimiento de las plantas cortándolas adecuadamente

- En estos últimos textos (7.10, 7.11 y 7.12) se describen distintos puntos de la problemática ambiental latinoamericana. ¿Cuáles le parecen más importantes?

- ¿Qué lección debe aprender el mundo industrializado de las comunidades indígenas?

ÍNDICE DE TEXTOS

Acknowledgements

Grateful acknowledgement is made to the following sources for permission to reproduce material in this book:

Text

Pages 10–11: Fuentes, C. (1992) 'La virgen y el toro', *El espejo enterrado*, 1992 Agencia Literaria Carmen Balcells SA; *pages 12–13*: Zea, L. (1993) 'La identidad latinoamericana', *Fuentes de la cultura latinoamericana*, 1993 Fondo de Cultura Económica, México; *page 14*: Casaldáliga, P. 'Al indio anónimo', Heinz Dieterich, S. (1989) *Nuestra América contra el V centenario*, 1989 Txalaparta, Bilbao; *pages 15–16*: Viezzer, M. (1977) *"Si me permiten hablar…": testimonio de Domitila, una mujer de las minas de Bolivia*, 1988 Siglo Veintiuno Editores; *page 17*: Urzaiz, E. (1999) 'Hijos de dos continentes', *Noticias Latin America*, enero de 1999, 1999 Noticias; *pages 18–19*: José Jesús de Bustos Tovar, 'La Generación del 98: intimismo y dialogicidad en la poesía de Antonio Machado', in Galeote, M. y Rallo Gruss, A. (edición) *La Generación del 98: Relectura de textos*, Anejo XXIV de Analecta Malacitana, Madrid, 1999; *pages 21–2*: Townson, D. (1990) 'Una sociedad de muchas razas', *La España musulmana*, 1990 Cambridge University Press; *pages 29–31*: Arranz del Barrio, A. (1988) *El baile flamenco*, 1998 Librerías Deportivas Esteban Sanz SL; *page 32*: 'Flamenco en el mercado', 1996 Laura Falcoff; *page 34*: de Miguel, M. (1999) 'Glosario básico de un acervo casi infinito de ritmos y cadencias', *Geo*, 144, enero de 1999, G y J España Ediciones; *pages 36–7*: 'Observaciones sobre la música contemporánea andina', 1993 Domingo Martínez-Castilla; *page 38*: Rojas, A. (1997) 'El tango: A los cien años, más vivo que nunca', *Noticias Latin America*, julio de 1997, 1997 Noticias; *page 39*: Amuchastegui, I y Falcoff, L. (1996) extracts from 'Introducción al tango como baile', *Tiempo de Danza*, Año 2, 5, junio/julio de 1996; *page 48*: Elosua, M. 'Citas – La imaginación', *Muy Interesante*, 206, G y J España Ediciones; *pages 53–5*: Alberti, R. (1978) *A la pintura (poema del color y la linea), 1945–1976*, 1978 Agencia Literaria Carmen Balcells SA; *pages 56–7*: Yorkievich, S. 'El arte de una sociedad en transformación', *Arte y sociedad*, UNESCO Publishing; *pages 58–9*: Benedetti, M. (1971) 'Situacion del intelectual en la América Latina', *Literatura y arte nuevo en Cuba*, 1971 Estela, Barcelona; *pages 60–1*: Grant, J. (1998) 'Los colores de la Madre Tierra', *Américas*, March/April 1998, 1998 Organization of American States. Reprinted from *Américas*, a bimonthly magazine published by the General Secretariat of the Organization of American States in English and Spanish; *page 63*: Ades, D. (1988) 'El movimiento de muralistas mexicanos', *Arte en Iberoamérica 1820–1980*, Museo Nacional Centro de Arte Reina Sofía, 1988 Dawn Ades; *page 67*: Arroyo F. (1983) '"Nosotros trabajamos para defender la alegría"', *El País Artes*, año V, 169, 5 de febrero de 1983, 1983 El País; *pages 68 and 70*: Viglietti, D. 'A desalambrar' and Jara, V. 'Te recuerdo, Amanda', 1970 Editorial Lagos, Argentina (1), 1974 Joan Jara (2). Assigned to: WESTMINSTER MUSIC LIMITED of Suite 207, Plaza 535, Kings Road, London SW10 OSZ. International copyright secured. All rights reserved. Used by permission; *pages 71–2*: Corredor-Matheos, J. (1976) *Rafael Alberti: poemas del destierro y de la espera*, 1976 Agencia Literaria Carmen Balcells SA; *pages 74–6*: Espino Nuño, J. & Morán Turina, M. (1996) *Historia del arte español*, 1996 Sociedad General Española de

Librería SA; *pages 77–8*: Fernández, A., Barrechea, E. y Hart, J. (1988) 'Significación social de la pintura de Goya', *Historia del arte*, 1988 Ediciones Vicens Vives SA; *pages 86–7*: Aldecoa, J. 'Ojos como pantallas', Nickel Odeon, Revista trimestral de cine, Nickel Odeon Dos, SA; *page 94*: 'Tierra y libertad', 1995 Renoir-Princesa, *Tierra y libertad*, a film by Ken Loach; the material used is a translation and should be treated with some care, as quotes have not been checked for accuracy; *page 96*: Khan, O. (1988) 'Almodóvar', *Cartelmanía*, junio de 1998, 1998 PROGRESA, Madrid; *page 99*: Merola, G. (1995) 'Jóvenes y televidentes: la esquizofrenia en acción', 1995 Fempress; *page 104*: Tristán, R. (1998) '«Bayti», el hogar de Madrid para las mujeres magrebíes', *El Mundo* 20 de diciembre de 1998, 1998 El Mundo; *page 105*: 'Mujeres del Sur en Europa: Dominicanas en Madrid', by kind permission of WIDE (Women in Development Europe); *page 107*: Fontán, N. & Sánchez, A. I. (1998) 'Nuevos españoles: inmigrantes de segunda generación', *El País semanal*, 26 de julio de 1998, 1998 El País; *page 108*: 'Migración mexicana', *Crónica Latina*, julio de 1997, 1997 Crónica Latina; *page 109*: Velloso, J. M. (1997) *Conversaciones con Rafael Alberti*, 1997 Jedmay Ediciones; *pages 112–13*: Boff, L. (1999) 'Teología de la Liberación'; *page 114*: Vicent, M. 'Cuba: la isla de los mil dioses', *El País semanal*, El País; *pages 115–16*: Oleszkiewicz, M. (1998) *Revista iberoamericana*, vol. LXIV, 182–183, enero–junio 1998, Revista iberoamericana; *page 117*: 'A veces, la marcha parece una travesía en el desierto', *Geo*, 100, mayo de 1995, 1995 G y J España Ediciones; *page 119*: Martín Patino, J.M. (1999) 'Por una tolerancia activa', *El País*, 10 de octubre de 1999, 1999 El País/José María Martín Patino;. *pages 126–8*: 'Las lenguas peninsulares', *Lengua y literatura, (Secundaria 2000)* (edición de 1998) Madrid, Grupo Santillana de Ediciones; *pages 137–8*: Landaburu, J. (1997) 'La situación de las lenguas indígenas de Colombia: prolegómenos para una política lingüística viable', *Seminario internacional sobre políticas lingüísticas*, Bilbao, Unesco Etxea; *pages 141–3 and 157*: Lastra, Y. (1992) *Sociolingüística para hispanoamericanos: una introducción*, El Colegio de México, Centro de Estudios Lingüísticos y Literarios; *page 145*: Saralegui, C. (1997) *El español americano: teoría y textos*, Navarra, Ediciones Universidad de Navarra; *page 147*: Castro Roig, X. (1996) 'Situación del español en los Estados Unidos de América', © 1996 Xosé Castro Roig; *page 149*: Fuentes, C. (1998) *El País*, 22–28 de junio de 1998, © 1998 Los Ángeles Times; *pages 150–1*: 'La educación bilingüe en Estados Unidos', *Cuadernos Cervantes*, n°. 289, © 1997 Cuadernos Cervantes; *page 152*: Roberto González Echeverría (1997) 'Hablar spanglish es devaluar el español', © 1997 New York Times Syndicate; *page 153*: Extracts from 'Marqués de Tamarón: "El español es una forma de vida bien adaptada al presente"', *Cuadernos Cervantes*, n°. 289, © Cuadernos Cervantes; *pages 154–6*: WADE DAVIS/NGS Image Collection; *pages 158–62*: Extracts from *Lengua y emigración*, reprinted with permission from Karin Vilar Sánchez; *pages 169–71*: Zaragoza, G. (1989) *Rumbo a las indias*, Madrid, Grupo Anaya SA; *pages 173–4*: Fernández, M.A., Mingo, B., Bernabé, R. R., Sanmartí, N. y Torres, M.D. (1997) *Entorno 1: ciencias de la naturaleza*, Barcelona, Ediciones Vicens Vives SA; *pages 183–4*: *Muy Interesante*, n°. 206, julio de 1998, © 1998 G y J España Ediciones; *pages 185–7*: Alcalde, J. (1998) *Muy Interesante*, n°. 209, octubre de 1998, © 1998 G y J España Ediciones; *page 188*: 'Tal como somos', *Muy Interesante*, n°. 209, octubre de 1998, © 1998 G y J España Ediciones; *pages 190–1*: Extract from 'Primera cumbre científica entre Iberoamérica y

Europa', *Política científica*, nº. 45, marzo de 1996, Comisión de Estado de Universidades e Investigación Gabinete de Prensa; *page 192*: Serra, C. (1998) '"La tecnología no es sólo cosa de hombres"', *El País*, 26 de noviembre de 1998, © 1998 Diario El País Internacional/Catalina Serra; *page 197*: Reprinted with permission from 'El suministro de agua de la Ciudad de México', copyright 2000, by the National Academy of Sciences. Courtesy of the National Academy Press, Washington D.C.; *page 200*: WWF/Adena; *page 202*: Lama, A. 'Titicaca: un lago, dos dueños', InterPress Service; *pages 211–12*: Aguirre, B. (1998) 'Alérgicos al dinero', *El País*, 6 de diciembre de 1998, © 1998 Diario El País Internacional SA; *pages 217–18*: Areso, D. y Calva, E. (1999) 'El llanero solidario', *Quo*, nº.48, septiembre de 1999, Hachette Filipacchi; *page 219*: Alberola, M. (1999) 'Las empresas cuanto más poder concentran, menos éticas son', *El País*, 31 de octubre de 1999, © 1999 Diario El País Internacional, SA; *pages 221–2*: 'La Organización de los Estados Americanos (OEA)', *Américas*, abril de 1998, Américas Magazine/OAS; *page 223*: 'El Mercosur y su origen', Red Academia Uruguaya (RAU); *page 224*: Vicent, M. (1998) 'De España ha venido un barco', *El País*, 19 de abril de 1998, © 1998 Diario El País Internacional, SA; *pages 230–1*: Reproduced with permission from Odisea Web; *pages 232–3*: Sánchez Mellado, L. (1996) 'Un país de hijos unicos', *El País*, 22 de septiembre de 1996, © 1996 Diario El País Internacional, SA; *page 234*: Guindal, M. (1999) 'Entrevista a Manuel Pimentel', *La Vanguardia*, 21 de febrero de 1999, © 1999 La Vanguardia Ediciones SL; *page 242*: Rapoport, E. 'El descubrimiento de América: un análisis ecológico y biogeográfico'. AVES ARGENTINA/AOP, is a partner of Birdlife International in Argentina and has worked since 1916 for the conservation of birds and their habitats. For more information, contact: aop@aorpla.org.ar (http://www.avesargentinas.secyt.gov.ar); *pages 244–5*: Sacristán, E. (1998) '¿Cuidamos los españoles la naturaleza?', *Muy Interesante*, nº. 206, julio de 1998, © 1998 G y J España Ediciones; *pages 250–1*: Ruiz, R. (1998) 'José Antonio Valverde, el padre de Doñana', *El País dominical*, © Diario El País Internacional, SA; *pages 252–3:* Solano, G. (1996) 'Islas Galápagos: de Patrimonio Natural a patrimonio en peligro', *Noticias Latin America*, julio de 1996, Agencia EFE; *page 254*: Lliteras, E. (1999) 'Vandalismo ambiental de empresa hotelera española', *Noticias Latin America*, marzo de 1999, © 1999 Noticias; *page 256*: Extracts from 'La austeridad mejora el disfrute', *Consumer*, julio–agosto de 1997, Fundación Grupo Eroski; *pages 260–1*: Ezcurra, E. 'En los tiempos del colera. Por una biosfera sustentable: una agenda para la investigación científica', *Nueva Sociedad*, nº. 122, noviembre–diciembre de 1992, © 1992 Nueva Sociedad; *page 262*: Harrison, V. (1998) 'Los pueblos indígenas y la preservación de la naturaleza', *Noticias Latin America*, febrero de 1998, © 1998 Noticias; *page 264*: Rice, R.A. (1998) 'Una rica cosecha de la sombra', *Américas*, abril de 1998, © 1998 Américas Magazine.

Illustrations

Page 17: Courtesy of Sara Jacobi; *page 20*: Courtesy of Centro Extremeño de Estudios y Cooperación con Iberamérica; *page 28*: Courtesy of Fundación Federico García Lorca; *page 30*: Courtesy of the Lutterworth Press; *page 35*: Cristina Piza-López; *page 38*: AP Photo/Caroline McNamara; *page 40*: Frank Nowikowski/South American Photos; *page 51*: South American Pictures; *page 54*: ADAGP, Paris and DACS, London 2000/The Bridgeman Art Library; *page*